Hefyd ar gael gan yr un awdur:

Dan yr Wyneb

Dan Ddylanwad

Dan Ewyn y Don

Dan Gwmwl Du

Dan Amheuaeth

Dan ei Adain

Dan Bwysau

Dan Law'r Diafol

Dan Fygythiad

Pleserau'r Plismon
(Cyfrol o atgofion)

www.carreg-gwalch.cymru

Dan Gamsyniad

nofel dditectif gan

John Alwyn Griffiths

Hoffwn ddiolch eto i Myrddin ap Dafydd am ei ddiddordeb ac am gyhoeddi'r nofel hon. Hefyd i Nia Roberts am ei gwaith campus yn golygu'r testun a phawb arall yng Ngwasg Carreg Gwalch sy'n gweithio'n ddibynadwy yn y cefndir.

Argraffiad cyntaf: 2021

ⓗ John Alwyn Griffiths/Gwasg Carreg Gwalch

Rhif rhyngwladol: 978-1-84527-805-2

Mae'r cyhoeddwyr yn cydnabod cefnogaeth ariannol
Cyngor Llyfrau Cymru

Cynllun clawr: Tanwen Haf

Cyhoeddwyd gan Wasg Carreg Gwalch,
12 Iard yr Orsaf, Llanrwst, Conwy, LL26 0EH.
Ffôn: 01492 642031 Ffacs: 01492 641502
e-bost: llyfrau@carreg-gwalch.cymru
lle ar y we: www.carreg-gwalch.cymru

I'm ŵyr a'm wyres, Nathan ac Imogen
a'm cyfaill oes, Graham Jones

Pennod 1

Am naw o'r gloch un noson, roedd Meira Evans yn sefyll ar ei phen ei hun yn ystafell haul ei chartref, Rhandir Newydd, yn syllu i gyfeiriad y môr a bae Glan Morfa yn y tywyllwch oddi tani. Roedd yr haul wedi hen fachlud ar ddiwedd diwrnod braf arall o hydref, ond wnaeth Meira ddim sylwi – roedd ei meddwl ymhell a theimlad o ansicrwydd yn pwyso'n drwm ar ei meddwl ers dyddiau. Yr adeg yma o'r nos, wedi i'r plant fynd i'w gwlâu a phan fyddai ei gŵr yn hwyr yn dod adref o'i waith, roedd ganddi ormod o amser i hel meddyliau. Byddai Jeff adref cyn hir – roedd natur ei waith fel aelod o Heddlu Gogledd Cymru a ditectif sarjant yn yr ardal yn gofyn am ei sylw yn ystod oriau anghymdeithasol, ac fel cyn-aelod o'r heddlu roedd Meira'n deall a derbyn hynny. Ond Duw a ŵyr beth fyddai ei ymateb pan ddysgai am yr hyn oedd yn ei phoeni. Doedd o ddim yn nodedig am ei amynedd, yn enwedig ynglŷn â materion yn ymwneud â'i deulu. Ond byddai'n rhaid iddi ddweud wrtho, gwyddai Meira hynny.

Cafodd ei deffro o'i myfyrdod gan y dyn ei hun.

'Cariad, dwi adra! Rargian, dwi bron â llwgu. Ti wedi agor potel o win? Ydi'r plant yn dal yn effro?'

Trodd Meira i wynebu Jeff wrth iddo gerdded tuag ati, yn wên i gyd. Yn ôl ei arfer, cofleidiodd hi'n dynn a'i chusanu, ond heno, sylwodd Jeff nad oedd ei hymateb mor gynnes ag arfer.

7

'Be sy?' gofynnodd. 'Ti'n iawn?'

'Ydw,' atebodd Meira. 'Dos i weld y plant rhag ofn eu bod nhw'n dal yn effro, a newid o dy ddillad gwaith cyn swper.' Ceisiodd wenu arno. Cawsai'r gwir aros am sbel.

Gwyddai Jeff fod rhywbeth o'i le, ond gwyddai hefyd, o brofiad, y byddai ei wraig, wedi wyth mlynedd o briodas, yn siŵr o esbonio yn ei hamser ei hun.

Ymhen ugain munud cerddodd Jeff yn ôl i mewn i'r gegin ar ôl darganfod y plant mewn trwmgwsg, cael cawod sydyn a newid i'w ddillad hamdden. Cododd Meira ei phen i edrych arno, a gwelodd Jeff y tristwch yn ei llygaid.

'Be sy, 'nghariad i?' gofynnodd. 'Mae 'na rwbath yn dy boeni di. Deud wrtha i.'

Ochneidiodd Meira'n drwm. 'Fedra i ddim cuddio dim oddi wrthat ti, na fedraf?' Oedodd. 'Mae rhywun yn fy ngham-drin i ar y cyfryngau cymdeithasol.'

Culhaodd llygaid Jeff. 'Sut felly?'

'Jyst deud petha cas amdana i … amdanon ni'n dau, a deud y gwir. Wel, mewn ffordd, beth bynnag,' atebodd, yn ansicr sut yn union i ddisgrifio'r sefyllfa.

Daeth lwmp i wddf Jeff, a theimlodd ei fol yn tynhau. 'Ar ba wefan yn benodol?' gofynnodd, yn syllu i ddyfnderoedd ei llygaid. Roedd y gŵr a'r tad wedi troi'n ôl yn dditectif o fewn munudau i gyrraedd adref.

'Facebook.'

'Ond pa un o dy ffrindia di ar Facebook fysa'n gwneud y fath beth? Dim ond y bobol ti'n dewis bod yn ffrindia efo nhw all weld yr hyn ti'n 'i roi ar y dudalen, ia?'

'Na, dim un o fy ffrindia i ydi o, Jeff. Dwi'n perthyn i grŵp o'r enw Cyfeillion Glan Morfa, fel ti'n gwybod. Mi gaiff unrhyw un ymuno â fo. Newyddion lleol, lluniau a hanes sy'n cael eu postio yn y grŵp fel arfer, ac mae o'n ddigon difyr. Mae 'na dros fil o aelodau, ac un ohonyn nhw ydi rhyw foi o'r enw Siôn Cadwaladr. Fo sydd wrthi, a does gen i ddim syniad pwy ydi o.' Gwyrodd Meira ei phen eto.

'Be mae'r diawl yn ei ddeud, felly?' Cododd Jeff ei gên yn dyner a gwelodd awgrym o ddagrau yn ei llygaid.

'I ddechra, jyst deud nad oedd petha fel maen nhw'n edrych yma yn Rhandir Newydd. Wnaeth hynny 'mo fy mhoeni ar y pryd. Wel, dim llawer, beth bynnag.'

'Pryd oedd hyn? Pam na ddeudist ti wrtha i?'

'Tair wsnos neu fis yn ôl. A be oedd y pwynt deud wrthat ti, Jeff, am beth mor ddisylw? Ond mae natur ei bostiadau a'i honiadau wedi gwaethygu ers hynny. Ymhen chydig ddyddiau mi roddodd o bostiad arall. Ac wrth gwrs, mae pob aelod o'r grŵp yn gweld pob neges. Deud oedd o fod pawb yn yr ardal yn meddwl ein bod ni yn Rhandir Newydd yn deulu clòs, ond nad oedd neb yn gwybod y gwir. Yna, ddoe, mi awgrymodd nad chdi ydi tad Mairwen. Petai hynny ddim yn ddigon drwg, pan es i ar y we pnawn 'ma, mi ddeudodd o mai Dan Foster oedd ei thad hi! Mi oedd o'n holi pam y lladdwyd Foster mewn ffordd mor erchyll, a phwy laddodd o ... a phwy oedd wedi cuddio gwir achos ei farwolaeth.' O, dwi'n casáu meddwl fod pobl y dre 'ma'n darllen y fath beth.'

Anadlodd Jeff yn drwm. 'Dan Foster!' ebychodd. 'Dan Foster?' Ailadroddodd yr enw mewn penbleth. Teimlodd ei hun yn corddi, ac ias oer yn treiddio i lawr ei gefn. Dechreuodd ei feddwl wibio.

Bum mlynedd ynghynt roedd Dan Foster yn blismon ifanc yng Nglan Morfa, un a oedd yn dangos cryn dipyn o addewid, ac un a gafodd y cyfle i fod yn dditectif o dan arweinyddiaeth Jeff. Daeth yn gyfaill i'r teulu, ond dysgodd Jeff, yn rhy hwyr, mai llofrudd oedd Foster a'i fryd ar fframio Jeff am lofruddio troseddwr o'r enw Gwyn Cuthbert, dyn a oedd dan amheuaeth o herwgipio Twm, mab Jeff a Meira. Daeth diwedd Foster pan fu iddo herwgipio Meira, a hithau yn wythnosau olaf ei beichiogrwydd â Mairwen, a bygwth ei lladd yn agos i ddibyn yn Uwchmynydd, nid nepell o Aberdaron. Achubwyd hi gan Jeff, ond disgynnodd y car a ddefnyddiwyd gan Foster i lawr dros y dibyn i'r môr, a ffrwydro. Cael a chael oedd hi i Jeff neidio allan o'r car cyn iddo yntau ddisgyn ddau gan troedfedd i'r môr a'r creigiau islaw. Er bod Foster yn y car pan aeth dros y dibyn, ni ddaethpwyd o hyd i'w gorff. Pam aflwydd oedd hyn yn codi'i ben rŵan, meddyliodd Jeff, ar ôl yr holl amser?

Cerddodd Jeff yn araf o amgylch y gegin, ei dymer yn amlwg ar ei dalcen crych. Dechreuodd ystyried pob achos roedd o'n ymchwilio iddyn nhw, a'r rhai roedd o wedi delio â nhw yn yr wythnosau blaenorol, ond ni allai feddwl am yr un cysylltiad, na neb â chymhelliad i atgyfodi'r fath hanes.

'Mi ro' i stop ar hyn cyn i ti droi rownd,' meddai. 'Mi ddangosa i i'r Siôn Cadwaladr 'ma be ydi ystyr cam-drin pan ga' i afael arno fo.'

'O, paid â gwneud dim byd gwirion, Jeff. Paid â gwneud dim y byddi di'n 'i ddifaru. Mi wyddon ni'n dau sut un wyt ti,' crefodd Meira.

Anwybyddodd ei chais. 'Dwi'n nabod y rhan fwya o bobol yr ardal 'ma, a chlywais i erioed sôn am neb o'r enw Cadwaladr.' Aeth i chwilio am y llyfr ffôn ac edrych trwyddo. Heblaw am y cwmni hufen ia, dim ond un cofnod arall a welai dan yr enw hwnnw: Dilwyn Cadwaladr, oedd yn byw hanner can milltir i ffwrdd o Lan Morfa. Chwiliodd yr un ffynhonnell ar y we hefyd, ond heb lwyddiant. Deialodd y rhif beth bynnag, ac atebwyd y ffôn cyn hir.

'Helô, ga' i siarad efo Siôn Cadwaladr, plis?' gofynnodd Jeff.

'Does 'na neb o'r enw Siôn yn byw yma.'

'Dwi'n cymryd mai Mr Dilwyn Cadwaladr ydach chi?'

'Ia, a dim ond fi a'r wraig sy'n byw yma. Fedra i 'mo'ch helpu chi, mae gen i ofn.'

'Ddrwg gen i'ch poeni chi,' meddai Jeff, 'ond cyn i chi fynd, wyddoch chi am rywun o'r enw Siôn Cadwaladr? Yn unrhyw le ... perthynas, ella?' ychwanegodd.

'Na, neb,' atebodd y dyn cyn rhoi'r ffôn i lawr.

Yna, ffoniodd Jeff ei gyfaill, Sarjant Rob Taylor, a oedd yn digwydd bod ar ddyletswydd ar y ddesg yng ngorsaf yr heddlu'r noson honno, i ofyn iddo wneud ymholiadau i'r enw Siôn Cadwaladr. Ar ôl rhoi'r ffôn i lawr eisteddodd ar y soffa yn y stafell haul wrth ochr Meira, a syllai ar y gliniadur oedd yn agored ar ei glin. Dechreuodd y ddau edrych ar yr hyn a bostiwyd gan Siôn Cadwaladr yng ngrŵp Cyfeillion Glan Morfa ar Facebook. Cliciodd Jeff ar yr eicon oedd yn datgelu proffil yr awdur – doedd dim gwybodaeth yno o gwbl, na llun o'r dyn. Roedd hynny'n anarferol, meddyliodd. Doedd Jeff ddim yn aelod o'r wefan, felly allai o ddim gyrru neges na chais ffrind i'r Siôn Cadwaladr hwn, ond hyd yn oed petai'n gallu gwneud hynny roedd ei ddeunaw mlynedd o brofiad yn yr heddlu yn dweud wrtho mai annoeth fyddai rhybuddio'r person hwn – un a wyddai pwy oedd o, a beth oedd ei swydd – ei fod yn ymwybodol o'r hyn roedd o'n ei ddweud am Meira.

Er nad oedd yr hyn a wnaeth Cadwaladr yn drosedd

ddifrifol o'i chymharu â'r hyn roedd o'n delio ag ef o ddydd i ddydd, roedd yn fater personol. Ni wyddai Siôn Cadwaladr faint o nyth cacwn roedd o wedi'i godi.

Edrychodd y ddau yn fanwl ar y sylwadau a wnaethpwyd ganddo i geisio aflonyddu ar Meira. Roedd y postiad cyntaf yn cynnwys llun o'u cartref, Rhandir Newydd, wedi'i dynnu o'r ffordd fawr tua hanner canllath o'r tŷ. Byddai unrhyw un wedi medru ei dynnu o'r fan honno, ond heb os, roedd y llun wedi ei dynnu yn bwrpasol ar gyfer y postiad. Sylwodd Jeff fod Cadwaladr wedi sillafu enw'r tŷ yn anghywir – 'Randir' yn lle Rhandir. Nid dyna'r unig wall – roedd safon ei Gymraeg ysgrifenedig yn wan, ffaith oedd yn cael ei hamlygu gan ymadroddion megis 'petha fel ma nwn edrach' a chamsillafiadau megis 'perig' a 'ciddio'.

'Dyma i ti foi sydd heb gael addysg dda iawn,' awgrymodd Jeff.

'Neu rywun na fydd yn sgwennu Cymraeg yn aml,' ychwanegodd Meira.

'Pwy sy'n rhedeg a rheoli'r grŵp?'

'Dyn o'r enw Simon Collins. Ro'n i wedi meddwl cysylltu efo fo i ofyn iddo dynnu'r postiadau i lawr ond ro'n i'n meddwl y bysa hynny'n tynnu mwy o sylw at y peth.'

'Hwnnw sy'n uchel ei gloch yn y papur bro bob cyfle mae o'n 'i gael, ti'n feddwl? Mi ddaeth o yn ôl i'r ardal 'ma ddwy neu dair blynedd yn ôl wedi iddo ymddeol fel ysgrifennydd ryw undeb llafur neu'i gilydd rwla yn Lloegr. Dwi wedi clywed ei hanes o.'

'Ia, dyna chdi. Digon gynno fo i'w ddeud bob amser. Fo sefydlodd y grŵp.'

'Amser i Mr Collins a finna gael gair bach, felly.'

Er ei fod bron â llwgu pan gyrhaeddodd adref, ni fwynhaodd Ditectif Sarjant Jeff Evans ei swper, ac ni chysgodd lawer y noson honno chwaith, gan nad oedd yr enw Siôn Cadwaladr ymhell iawn o'i feddwl. Pwy oedd y targed, tybed? Meira, ynteu fo'i hun, trwyddi hi?

Pennod 2

Y bore canlynol, cyrhaeddodd Jeff orsaf yr heddlu am hanner awr wedi wyth, ac yn ôl ei arfer, aeth i'r ddalfa er mwyn dysgu pwy oedd wedi'i arestio yn ystod y nos. Nid oedd llawer i'w ddiddori yn y fan honno, felly gwnaeth ei ffordd i fyny'r grisiau i'r ystafell reoli er mwyn darllen am unrhyw ddigwyddiadau troseddol o bwys yng ngweddill gogledd Cymru a'r tu hwnt. Pan gyrhaeddodd ei swyddfa gwelodd amlen ar ei ddesg a'i enw arni yn llawysgrifen Rob Taylor. Agorodd hi – yn anffodus nid oedd yr ymholiadau a wnaeth Rob yn ystod yn nos wedi dadlennu unrhyw wybodaeth ynglŷn â Siôn Cadwaladr.

Ar ôl arolygu a phenodi gwaith i'r ditectif gwnstabliaid am y diwrnod, penderfynodd Jeff ymweld â Simon Collins. Roedd yn ymwybodol nad gwaith ditectif o'i reng o oedd yr ymchwiliad hwn, ond doedd o ddim am ddirprwyo'r dasg i neb arall, waeth pa mor brofiadol oedden nhw. Roedd hwn yn fater personol.

'Simon Collins?' gofynnodd i'r dyn a agorodd ddrws ei dŷ iddo, er y gwyddai yn iawn pwy oedd o. 'Ditectif Sarjant Evans, CID Glan Morfa ydw i.' Dangosodd ei gerdyn gwarant swyddogol. Dyma'r tro cyntaf i Jeff weld y dyn yn y cnawd er bod ei lun wedi ymddangos sawl gwaith yn y papurau lleol ochr yn ochr â'i erthyglau a'i lythyrau cyson – pob un, yn ddieithriad, yn datgelu ei ddaliadau sosialaidd cryf. Cofiodd Jeff iddo geisio cael ei ethol i'r Cyngor un tro, ond bod ei dueddiadau yn ymestyn ormod i'r chwith hyd yn oed i drigolion Glan Morfa. Tybiodd fod Collins yn tynnu am ei saithdegau; gwisgai grys siec a thei swyddogol rhyw undeb neu'i gilydd o dan wasgod wlân a throwsus melfaréd gwyrdd. Roedd ei ddwylo y tu ôl i'w gefn a'i ên yn fawreddog o uchel, a siglai yn fwriadol araf o sodlau i wadnau ei esgidiau cryf.

'Ia,' atebodd Collins. 'Dwi wedi clywed amdanoch chi, Mr Evans. Pam fod rhywun fel chi yn ymweld â rhywun fel fi ar fore fel heddiw?' Doedd dim arwydd o wên na chyfarchiad ar ei wyneb – nid bod Jeff wedi disgwyl y fath beth.

Dyna ddechrau da, meddyliodd Jeff, wrth wneud ei orau i anwybyddu'i agwedd sarhaus. 'Dwi'n deall mai chi sy'n gweinyddu grŵp Cyfeillion Glan Morfa ar Facebook, Mr Collins. Isio gair efo chi ynglŷn â'r grŵp hwnnw ydw i, os gwelwch yn dda.'

'Nid ei weinyddu yn unig, Mr Evans. Fi sefydlodd Cyfeillion Glan Morfa, nid yn unig i adlewyrchu bywyd yr ardal ond er mwyn i'r trigolion gael mynegi barn yn rhydd mewn ffordd na ellir ei wneud o dan y rhwystrau a'r cyfyngiadau sydd mor amlwg yn y wlad adain dde 'ma y dyddiau hyn.'

'A be os ydi rhywun yn postio rhywbeth ar dudalen y grŵp sy'n gelwyddog neu'n brifo teimladau aelodau eraill?'

'Mae gan bawb ei farn, Mr Evans, ac yn aml iawn, mae barn rhywun yn nes at y gwir nag y mae pobl yn ei gredu ... ond fyswn i ddim yn disgwyl i ddyn yn eich swydd chi ddeall y fath resymeg. Ddim y ffordd rydach chi a'ch cydweithwyr yn sathru'n frwnt ar ryddid pobl sy'n mynegi eu barn ar hyd strydoedd dinasoedd y wlad yma'n ddyddiol.'

Roedd Jeff bron â chael digon ar y dyn o'i flaen yn barod, ond roedd arno angen dipyn mwy o gymorth ganddo. Byddai'n mynnu ei gael o hefyd, un ffordd neu'r llall.

'Mr Collins,' dechreuodd. 'Mae'r achos sydd gen i dan sylw dipyn yn nes adref na'r hyn sy'n digwydd ar strydoedd y dinasoedd. Rydach chi'n ddyn deallus, dwi'n siŵr, ac yn ddigon cyfarwydd â'r gyfraith i fod yn gwybod bod cyhoeddi honiadau a chyhuddiadau enllibus neu fwriadol ffals ar y cyfryngau cymdeithasol yn drosedd, a bod modd erlyn y rhai sy'n gyfrifol. A gan mai chi sy'n gyfrifol, yn bersonol, am weinyddu tudalen grŵp Cyfeillion Glan Morfa, mae gen i ddigon o achos i amau eich bod chi ynghlwm â rhai postiadau ar y dudalen yn ddiweddar. Heblaw, wrth gwrs, fod y postiadau'n cael eu cyhoeddi yn y grŵp heb i chi eu hasesu, neu hyd yn oed eu gweld. Fyswn i ddim isio cau'r grŵp i lawr heb ymchwilio i'r mater yn drwyadl.'

Ni wyddai Jeff a oedd ganddo hawl i wneud y fath beth, a doedd dim llawer o ots ganddo chwaith, ond gwelodd fod y dyn o'i flaen yn ystyried y sefyllfa'n ofalus. Defnyddiodd ei law dde i esmwytho hynny o wallt oedd ganddo ar ei ben.

'Efallai, wir, fy mod i wedi esgeuluso fy nghyfrifoldebau ryw gymaint, a dwi'n fodlon gwrando, y tro yma, ar yr hyn sydd ganddoch chi mewn golwg. Mae'n anodd cadw llygad ar bob peth drwy'r amser, wyddoch chi.'

Gwenodd Jeff iddo'i hun. 'Ma' hi'n dechrau bwrw, ac mae gen i dipyn o waith holi arnoch chi. Yng ngorsaf yr heddlu, neu ...'

'Ddo i ddim ar gyfyl y lle! Well i chi ddod i'r tŷ.'

Edrychodd Collins i fyny ac i lawr y stryd fel petai ofn i rywun weld y ditectif yn camu dros ei drothwy.

Gwenodd Jeff yn foddhaus wrth ei ddilyn i ystafell a

edrychai yn debyg i swyddfa. Ystafell reit smart, a dweud y gwir, lle'r oedd Collins, yn ôl pob golwg, yn treulio cryn dipyn o'i amser. Doedd hi ddim yn ystafell fawr. Roedd dwy wal wedi'u llenwi gyda llyfrau, rhai Saesneg gan mwyaf, llyfrau gwleidyddol eu naws nad oeddynt yn golygu llawer i Jeff, er nad oedd yn rhaid gofyn ar ba ochr i'r sbectrwm politicaidd roedd eu ffocws. Ar wal arall roedd nifer o luniau, rhai yn mynd yn ôl hanner can mlynedd a mwy i'w ddyddiau yn y coleg, ac eraill yn cynnwys delweddau o Collins yng nghwmni enwogion y Blaid Lafur: Michael Foot a Jeremy Corbyn yn eu plith, a llun ohono'n ysgwyd llaw ag Arthur Scargill.

'Rŵan 'ta, Mr Evans,' dechreuodd Collins, 'fues i erioed yn un am roi cymorth i'r heddlu, ond mae gen i feddwl mawr o'r dref 'ma – dwi wedi 'ngeni a'm magu yma – a fyswn i ddim yn lecio gweld grŵp Cyfeillion Glan Morfa yn diflannu. Felly brysiwch a deudwch be sy gynnoch chi dan sylw.'

'I ddechrau, dwi angen gwybod pwy yn union sydd â'r hawl i ymuno â'r grŵp.'

'Pawb. Unrhyw un o gwbl sy'n byw yng Nglan Morfa, neu sy'n caru'r dref, neu sydd â diddordeb yn y dref, waeth ble yn y byd maen nhw'n byw.'

'Pwy sy'n penderfynu ydi unigolyn yn cael ymuno?'

'Fi, wrth gwrs.'

'Sut gwyddoch chi fod ganddyn nhw gysylltiad efo'r dref, neu ddiddordeb yn yr ardal?'

'Mae'r ffaith eu bod nhw wedi gwneud cais i ymuno yn ddigon i mi.'

'Ydach chi'n gwirio darpar aelodau cyn iddyn nhw ymuno?'

'Wel nac'dw, siŵr iawn. Be dach chi'n feddwl ydw i – aelod o MI5? Nhw, a Changen Arbennig yr heddlu, fydd yn gwneud petha felly.'

'Sut mae posib gwybod pwy ydi aelodau'r grŵp felly?'

'Does dim posib, er bod rhestr o aelodau, wrth gwrs. Mewn grŵp fel hyn mae amryw yn adnabod ei gilydd fel y bysach chi'n disgwyl, ac mae pob un yn berchen ar gyfrif Facebook, a chanddynt gyfeiriad IP, a chyfeiriad e-bost hefyd.'

'Mae gen i ddiddordeb mewn un aelod arbennig o'r enw Siôn Cadwaladr,' meddai Jeff.

Symudodd Collins at ei gyfrifiadur a dechrau teipio. Heb wahoddiad, symudodd Jeff i edrych dros ei ysgwydd a buan yr ymddangosodd proffil Siôn Cadwaladr ar y sgrin o'u blaenau – doedd dim gwybodaeth arno heblaw cyfeiriad e-bost, a chyfeiriad Hotmail oedd hwnnw.

'Dyma be ydan ni yn yr heddlu yn ei alw'n "wal frics", Mr Collins. Oes unrhyw ffordd y medrwn ni ddarganfod pwy sydd y tu ôl i'r cyfrif?' gofynnodd Jeff, 'heb yrru e-bost ato i ofyn, hynny ydi,' ychwanegodd.

'Yr unig ffordd fysa trwy awdurdodau Facebook a Hotmail, ond mi ddeuda i wrthoch chi rŵan, Mr Evans, wnân nhw byth drosglwyddo'r wybodaeth i chi.'

Aeth Collins yn ôl i edrych ar bostiadau Siôn Cadwaladr. Nid oedd 'run ar Facebook ei hun, dim ond yn y grŵp Cyfeillion Glan Morfa, a'r unig rai yn y fan honno oedd y rhai a welodd Jeff y noson cynt yn ei gartref.

'Dwi dim wedi gweld y rhain o'r blaen ... dwi'n cytuno eu bod nhw'n tueddu i fod yn annymunol iawn,' meddai Collins. 'Mae'r dyn Cadwaladr yma'n aelod newydd, a chydig iawn mae o wedi'i bostio hyd yma.'

Penderfynodd Jeff ddweud y gwir wrtho cyn i'r geiniog ddisgyn. 'Ylwch, Mr Collins, fy ngwraig i ydi Meira Evans. Mater personol ydi hwn, a choeliwch chi ddim faint mae'r profiad wedi ei chynhyrfu hi.'

'A dach chi wedi dod yma felly ynglŷn â mater personol? Nid ymchwiliad ar ran yr heddlu?'

'Be fysach chi wedi'i wneud yn yr un sefyllfa, Mr Collins? Ond mi welwch chi fod yr achos o ddiddordeb i'r heddlu hefyd.'

Ochneidiodd Collins. 'Wel, fedra i ddim gweld bai arnoch chi. Mae hynny'n ddigon gwir.'

'Oes 'na lawer iawn o hyn yn mynd ymlaen yn y grŵp, Mr Collins?' gofynnodd Jeff.

'Dim ond un arall hyd y gwn i. Mi ges i wared ag un aelod arall yn ddiweddar, tua phythefnos neu dair wythnos yn ôl. Dyn o'r enw Iestyn Parry oedd hwnnw. Deud petha mawr ac anghynnes, a bygwth merched ifanc yn y grŵp oedd o. Mi ges i wared arno fo cyn i neb wneud cwyn, ond mi gadwis i gofnod o'r postiadau cyn eu dileu o'r ffrwd newyddion cyhoeddus.'

'Sut fath o bethau oedd o'n ei ddeud? Efallai fod hyn yn bwysig.'

Chwiliodd Collins drwy gofnodion ar y sgrin nes iddo ganfod rhai Iestyn Parry oedd yn amharchu amryw o ferched ifanc y dref yn ddifrifol. Gwnaeth Jeff nodyn o'u henwau cyn troi at gynnwys y negeseuon. Roedd un postiad yn cyfeirio at eneth o'r enw Sylvia Davies: yn ôl Iestyn Parry roedd ganddi 'dos o'r pocs a bysa'n berig i hogia fynd yn agos ati', ac un arall: 'ma ffrindia hi ai thaelu hi i gyd yn gwbod ond ma nwn cadw bob peth yn ddistaw er mwyn ciddio petha'. Roedd y gwallau sillafu yn ei atgoffa o gamgymeriadau Siôn Cadwaladr. Doedd dim dwywaith – yr un person oedd Iestyn Parry a Siôn Cadwaladr. Cyfrif Hotmail roedd Iestyn Parry yn ei ddefnyddio hefyd, a doedd dim gwybodaeth bersonol ar ei broffil Facebook yntau chwaith.

'Peidiwch â deud wrtha i, Mr Collins, fod Siôn Cadwaladr wedi ymuno â grŵp Cyfeillion Glan Morfa wedi i chi wahardd Iestyn Parry?'

'Dau ddiwrnod yn ddiweddarach,' atebodd.

'Wel, beth bynnag ydi'ch barn chi o'r heddlu a'n safle ni yn y gymuned, dde neu chwith, rydach chi wedi bod o gymorth mawr i mi heddiw. Mi liciwn i feddwl mai yn y canol dwi'n sefyll, ac nad ydi'r gwir yn perthyn i unrhyw ogwydd gwleidyddol. Chwilio am hwnnw ydi fy uchelgais i bob amser.

Ysgydwodd Jeff law Simon Collins cyn gadael.

Yn ôl yn ei swyddfa, myfyriodd Jeff dros y sefyllfa. Doedd dim diben bellach iddo chwilio am Siôn Cadwaladr na Iestyn Parry. Roedd o mor sicr ag y gallai fod mai'r un person oedd y ddau, a bod y ddau yn enwau ffug. Lle nesaf, meddyliodd? Gwyddai nad oedd trosedd ddigon difrifol wedi digwydd i orfodi Facebook na Hotmail i roi unrhyw wybodaeth ynglŷn â phwy bynnag oedd yn defnyddio'r enwau. Ystyriodd gysylltu ag arbenigwr technoleg, ond byddai rhaid i hynny ddisgwyl tan fory. Roedd gwaith arall yn galw. A beth bynnag, roedd Siôn Cadwaladr wedi'i wahardd o'r grŵp erbyn hyn. Gobeithiai y byddai Meira yn cael llonydd ... o leia nes y byddai'r person a oedd yn gyfrifol am yr holl helynt yn defnyddio cyfrif newydd arall ar Facebook.

Pennod 3

Ar y ffordd i mewn i faes parcio gorsaf yr heddlu am ddeng munud wedi wyth y bore canlynol cafodd Jeff gip ar ei hen gyfaill Esmor Owen, y cipar afon, yn cerdded i mewn i siop bapur gerllaw. Nid oedd y ddau wedi gweld ei gilydd ers rhai wythnosau, a phenderfynodd Jeff fynd ato am sgwrs. Daeth Esmor allan o'r siop fel yr oedd Jeff yn agosáu.

'Jeff, myn diawl. Sut wyt ti ers talwm?' cyfarchodd Esmor ef. Roedd yn gwisgo'i ddillad gwaith arferol, sef siaced wrth-ddŵr Barbour a chap mynd-a-dŵad. Cariai ei bapur newydd o dan ei gesail gan ei fod yn brysur yn rowlio sigarét rhwng ei fysedd. Er ei fod yn nesáu at oed ymddeol roedd fflach ieuenctid yn dal i fod yn ei lygaid sionc, a'i locsyn clust llawn a dyfai at hanner ffordd i lawr ei ên mor dywyll ag y bu erioed.

'Be ti'n neud o gwmpas y lle 'ma mor fore, Esmor? Ro'n i'n meddwl dy fod yn cadw'r un oriau â thylluan yr adeg yma o'r flwyddyn. Ydi'r potsiars wedi anghofio bod eogiaid yn rhedeg i fyny'r afonydd yn yr hydref fel hyn, dŵad?'

'Dim blydi peryg, 'ngwas i, ond mi orffennais i'n gynnar neithiwr gan fod rhai o botswyr mwya'r ardal 'ma wedi bod yn eich gwesty chi dros nos.'

'O? Dydw i ddim wedi bod yn y swyddfa eto i weld pwy fu dan glo dros nos.'

'Mi gei di weld pan ei di i mewn! Dwi wedi bod yn dilyn y diawliaid bob noson ers wsnos neu ddwy. Maen nhw wedi bod yn cadw golwg ar geg yr afon ac ar y pyllau newydd 'na tan oriau mân y bore, ond tydyn nhw ddim wedi mentro gwneud mwy na hynny hyd yma. Mi o'n i'n meddwl yn siŵr y bysan nhw'n gwneud rwbath neithiwr gan fod y lleuad yn llawn, ond nid felly y trodd petha allan. Mi ddilynais i rai ohonyn nhw i dafarn y Rhwydwr neithiwr, yli. Dyna ble byddan nhw'n mynd am beint cyn mentro allan at yr afon, ond mi aeth petha'n flêr yno – uffar o le rhwng tua hanner dwsin ohonyn nhw. Welais i 'mo'r fath lanast yn fy nydd! Gwydrau, poteli a byrddau yn cael eu chwalu, ac mi aeth hi'n waeth fyth wedi i dy hogia di gyrraedd, a dwi'n siŵr bod un neu ddau ohonyn nhw wedi cael eu hanafu hefyd.'

'Wnaiff rhai pobl byth ddysgu. Dwyn a photsio ydi petha llawer un o gwmpas y lle 'ma, mae gen i ofn.'

'Mi na'th noson gynnar i mi neithiwr beth bynnag, chwarae teg iddyn nhw. Wel, twll dy din di, Jeff bach, dwi'n mynd adra am banad ac i ddarllen y papur 'ma.'

Ffarweliodd y ddau a throdd Jeff yn ôl i gyfeiriad drws cefn gorsaf yr heddlu.

Cymerodd ychydig funudau i edrych trwy'r dogfennau a oedd wedi'u gosod yn daclus ar fainc fawr y sarjant oedd yn gofalu am y ddalfa. Dim ond y chwech a gafodd eu harestio yn nhafarn y Rhwydwr fu yno dros nos: Meic Owen, Stanley Lewis, Jaci Thomas, Llewelyn Lewis, Edwin Mason ac un arall o'r enw John Jones. Lladron, pob un ohonyn nhw, ond doedden nhw ddim yn rhai am ymladd mewn llefydd cyhoeddus fel arfer chwaith. Beth oedd yn wahanol neithiwr, tybed? Ta waeth. Mater i'r hogia mewn iwnifform oedd hynny. Roedd y chwech yn dal i fod dan glo, a'r cyhuddiadau yn eu herbyn wedi'u paratoi yn barod. Affräe, ymosod ac ymosod ar blismyn – dim mwy na llai na'u haeddiant yn ôl hanes Esmor. Diolchodd Jeff nad oedd yr ymosodiadau ar y plismyn wedi achosi niwed difrifol iddyn nhw. 'Disgwyl am gyfreithiwr' oedd y nodyn diweddaraf ar y chwe dogfen. Penderfynodd Jeff ddiflannu i'r ystafell reoli ac yna i'w swyddfa ei hun.

Am hanner awr wedi wyth, pan oedd y rhan fwyaf o drigolion y dref yn paratoi ar gyfer y diwrnod o'u blaenau, clywyd y sgrech fwyaf dychrynllyd yng nghyffiniau Maes y Don, un o strydoedd stad o dai cyngor ar gyrion y dref. Rhedodd Sharon Hughes, merch ifanc ugain oed, allan o ddrws ffrynt ei chartref, rhif 23, yn dal i sgrechian yn wyllt. Rhuthrodd nifer o'i chymdogion ati i geisio'i helpu, a thrwy ei dagrau llwyddodd Sharon, maes o law, i egluro beth oedd wedi digwydd.

Roedd Sharon wedi bod yn cysgu yn nhŷ ffrind y noson cynt mewn rhan arall o'r dref, fel y gwnâi'n reit fynych. Ei bwriad oedd dychwelyd i dŷ ei mam, newid yn gyflym a mynd i'w gwaith mewn archfarchnad gyfagos erbyn naw. Synnodd Sharon nad oedd ei mam wedi dod i lawr y grisiau pan gyrhaeddodd adref, a rhyfeddodd pan na chafodd ymateb wrth weiddi arni. Rhedodd i fyny'r grisiau ac i'r llofft gefn lle byddai ei mam yn cysgu, a dyna pryd y clywyd y sgrech gyntaf. Roedd mam Sharon yn hanner gorwedd ar draws y bwrdd gwisgo oedd o dan y ffenest yng nghefn y tŷ, ei llygaid yn farw agored a'i gwaed tywyll wedi sychu o'i chwmpas.

Wedi i'r alwad frys gyrraedd yr heddlu, Jeff Evans, dau blismon a phlismones mewn iwnifform oedd y rhai cyntaf i gyrraedd. Rhoddodd Jeff orchymyn i'r ddau blismon ddiogelu'r safle ac i gadw pobl draw, un o flaen y tŷ a'r llall yn y cefn. Aeth y blismones i un o'r tai gerllaw lle'r oedd Sharon, erbyn hyn, yn derbyn gofal gan gymdoges.

Rhoddodd Jeff ei ddwylo yn ei bocedi wrth gamu trwy ddrws ffrynt rhif 23, a tharo golwg frysiog drwy ddrysau'r ystafelloedd ar lawr isaf y tŷ. Yn y gegin, oedd yng nghefn y tŷ, roedd gwydr y ffenest wedi'i falu a'r ffenest ei hun yn agored, a thipyn o lanast ar y silff tu ôl i'r sinc – arwydd pendant bod rhywun wedi torri i mewn i'r tŷ. Cerddodd i fyny'r grisiau'n araf gan edrych ar bopeth a gwneud yn sicr nad oedd o'n cyffwrdd dim. Camodd yn ofalus i mewn i'r ystafell wely gefn a gwelodd olygfa a wnaeth i ddyn o'i brofiad o, hyd yn oed, fod eisiau cyfogi. Nid oedd yn rhaid iddo fynd gam ymhellach er mwyn cadarnhau bod y ddynes yn farw, gan fod twll o dan ei gên a edrychai'n debyg iawn i dwll bwled. Roedd briw mawr blêr ar dop ei phen gwaedlyd yn ogystal.

'Glenda!' meddai'n ddistaw.

Edrychodd Jeff i fyny a gweld twll yng ngwydr y ffenest yr ochr arall i'r corff. Roedd ganddo ddigon o brofiad i wybod y dylai adael yr ystafell ar ei union, a cherdded yn araf i lawr y grisiau yn union yr un ffordd ag yr oedd wedi eu dringo funud ynghynt. Nid ei waith o fyddai archwilio lleoliad y drosedd ... dim ar hyn o bryd, beth bynnag. Deuai cyfle iddo gael golwg arall ar y tŷ, i gael teimlad ynglŷn â'r lle, ar ôl i'r patholegydd, prif swyddog yr ymchwiliad a'r arbenigwyr fforensig orffen eu dyletswyddau. Dyna'r protocol mewn sefyllfa fel hon. Aeth allan i'r lôn i ffonio am y 'Cafalri' fel y byddai'n eu galw – y tîm a fyddai'n ffurfio'r prif ymchwiliad. Byddai'r holl ardal yn berwi â phob math o bobl ddieithr ymhen dim, yn blismyn ac arbenigwyr, heb sôn am haid o aelodau'r wasg a'r cyfryngau.

Safodd Jeff yn ôl ac edrych o'i gwmpas. Dyma ni unwaith eto, myfyriodd. Digwyddiad dychrynllyd, treisgar arall i darfu ar heddwch Glan Morfa. Roedd Maes y Don yn un o bedair stryd gyfochrog gyda 36 o dai ym mhob rhes. Roedd Maes y Môr yn rhedeg gefngefn â Maes y Don, a Maes Hafan yn rhedeg gefngefn â Maes Helyg, a'r pedair stryd yn diflannu i gyfeiriad y twyni, y traeth a'r môr tu hwnt. Roedd digon o le i geir yrru y ddwy ffordd o flaen Maes y Môr a rhwng Maes y Don a Maes Helyg, yn ogystal ag o flaen Maes Hafan. Ffordd gul oedd rhwng cefnau Maes Hafan a Maes Helyg a rhwng cefn Maes y Don a chefn Maes y Môr. Er hynny, roedd digon o le i lorri ludw'r Cyngor symud yn araf rhwng y cefnau pan oedd angen.

Cerbydau gweithwyr y Cyngor oedd yn defnyddio'r ffordd gul heddiw hefyd; nid i hel gwastraff ond i roi ffenestri plastig newydd yn lle'r hen rai a oedd wedi gweld dyddiau gwell. Byddai'n rhaid atal y gweithwyr hynny am y dyfodol agos, meddyliai.

Roedd Jeff wedi colli cyfrif o sawl gwaith y daeth ei waith â fo i'r stad hon yng Nglan Morfa. Digwyddiadau o ddwyn, cyffuriau, cam-drin plant, trafferthion teuluol a phob math o gamweddau eraill. Ond gwyddai fod y mwyafrif o'i thrigolion cyffredin yn bobl iawn, yn gweithio'n galed er mwyn eu teuluoedd heb fod yn ymwybodol, yn aml, o'r helyntion treisgar cyson yn eu mysg. Yn wahanol iawn i heddiw, ystyriodd. Byddai'r holl dref yn gwybod am hyn cyn hir. Nid ffrae yn y cartref na thrais teuluol oedd achos y farwolaeth hon. Gwyddai Jeff eisoes fod rhywun wedi torri i mewn i'r tŷ trwy ffenest y gegin a defnyddio gwn i ladd y dioddefwr. Llofruddiaeth wedi'i chynllunio, un broffesiynol, oedd hon yn ôl pob golwg. Glenda druan. Ond pam hi? Gwyddai Jeff rywfaint o hanes y teulu. Dynes ar drothwy ei chanol oed oedd Glenda Hughes, yn weddw ers blynyddoedd. Sharon, ei merch, a ddaeth ar draws y sefyllfa ofnadwy yn ei chartref. Roedd gan Glenda fab hefyd, Ifan, oedd dipyn yn hŷn na'i chwaer. Ble oedd o, tybed? Torrai calon Jeff drostynt. Ond y cwestiwn mwyaf ar ei feddwl oedd pa arf a ddefnyddiwyd i ladd Glenda druan. Edrychai'r twll yn ei gên yn debyg i dwll bwled, ond pwy yng Nglan Morfa, neu ogledd Cymru gyfan o ran hynny, oedd yn ddigon caled i lofruddio rhywun â gwn?

Tra oedd yn aros i brif swyddog yr ymchwiliad, pwy bynnag fyddai, gyrraedd yng nghwmni'r patholegydd, gwnaeth Jeff yn siŵr fod yr ardal o gwmpas y tŷ yn ddiogel. Gyrrwyd gweithwyr y Cyngor ymaith cyn iddyn nhw ddechrau o ddifrif ar waith y dydd. Câi'r ffenestri newydd aros, am y tro. Rhoddwyd y tâp glas a gwyn arferol i fyny o amgylch rhif 23 a darn helaeth o'r tir o amgylch yr ardd ffrynt a'r iard yn y cefn. Wrth iddo fynd o gwmpas y gwaith teimlodd ryw awyrgylch annifyr o ddistaw yn disgyn dros yr holl gymuned. Gobeithiai y byddai'r prif swyddog yn un y gallai gyd-dynnu â fo neu hi – doedd dim byd gwaeth nag anghydfod ymysg tîm rheoli ymchwiliad mor fawr ag yr oedd hwn yn siŵr o fod.

Ni allai Jeff fethu â sylwi ar y symudiadau yn ffenest llofft gefn un o'r tai ym Maes y Môr, a oedd â golygfa dda o gefn 23 Maes y Don. Un fusneslyd fu Nansi'r Nos erioed. Ond dyna oedd ei natur, a dyna pam mai hi oedd yr hysbysydd gorau i Jeff weithio gyda hi erioed. Dilys Hughes oedd ei henw iawn, ond roedd yr enw a roddodd Jeff iddi, 'Nansi'r Nos', yn ei siwtio hi i'r dim. Synnodd sut yr oedd hithau wedi cymryd at yr enw. Er ei bod hi'n byw ac yn bod ar ffin byd troseddol y dref, roedd Jeff a hithau wedi dod yn agos iawn mewn ffordd ryfedd o broffesiynol, ac roedd yr wybodaeth a gâi ganddi wedi rhoi sawl un o drigolion y cyffiniau dan glo. Tynnodd Jeff ei ffôn symudol o'i boced a phwyso'r sgrin i ddeialu rhif N.N., a gwelodd gynnwrf yn y ffenest wrth iddi ateb yr alwad.

'Dim hwn ydi'r amser i fusnesu,' meddai Jeff. 'Ella y ca' i gyfle i siarad efo chdi yn nes ymlaen.'

'Dim probs,' atebodd Nansi heb yr hwyl arferol a fyddai yn ei llais.

'Mi ffonia i di, ac mi gawn ni gyfarfod yn rwla.'

'Iawn, unrhyw bryd,' atebodd hithau.

Pennod 4

'Reit, Ditectif Sarjant Jeff Evans. Be ydi'r sgôr hyd yma?

Trodd Jeff rownd i wynebu'r llais cyfarwydd a glywodd tu ôl iddo. Safai'r Ditectif Brif Arolygydd Lowri Davies yno heb fath o fynegiant ar ei hwyneb, yn gwisgo un o'i siwtiau tridarn llwyd tywyll arferol. Er bod gan y ddau ohonynt berthynas broffesiynol dda iawn, doedd Jeff ddim yn disgwyl dim byd arall ganddi. Wedi'r cyfan, doedd cyfarfod rhywun ynglŷn ag ymchwiliad i lofruddiaeth ddim yn achlysur i groesawu neb yn llon. Roedd Jeff wedi hen arfer â'i ffordd hi o weithio wedi iddo brofi ei harolygiaeth ddwywaith yn y gorffennol. Diolchodd mai hi oedd wedi cael ei phenodi i arwain yr ymchwiliad – byddai'r achos mewn dwylo diogel.

Rhoddodd Jeff hanner gwên iddi, ac amneidio i gyfeiriad y patholegydd yn y cefndir, oedd yn cario'i gês llawn offer at 23 Maes y Don.

'Wel, DBA Davies, dyma ni unwaith eto,' meddai, a heb ddisgwyl iddi ymateb rhoddodd ddarlun iddi o'r hyn a wyddai.

Tra oedd yr archwiliad cyntaf yn digwydd, trefnodd Jeff gyfarfod â Nansi'r Nos mewn llecyn distaw ym mhen draw'r traeth. Yr un fyddai'r drefn, mwy neu lai, bob tro yr oedden nhw'n cyfarfod i drafod busnes – Nansi'n rhywiol bryfoclyd a Jeff yn erfyn arni i roi'r gorau iddi – ond nid felly yr oedd hi heddiw. Roedd y digwyddiad erchyll yn rhy agos i'w chartref iddi fentro cellwair. Sylwodd Jeff fod ei cherddediad, hyd yn oed, yn wahanol i'r arfer, heb y sioncrwydd a'r hyder arferol. Ni welodd Jeff hi mor nerfus erioed o'r blaen, ac roedd y ddau wedi profi tipyn o helynt yng nghwmni'i gilydd dros y blynyddoedd.

Wedi iddi ddod i mewn i'r car, prin y gallai Nansi edrych arno. Eisteddodd y ddau yn fud ochr yn ochr am rai munudau, a sylweddolodd Jeff nad oedd hi'n gwisgo'i phersawr rhad arferol chwaith.

'Oeddat ti'n ei nabod hi?' gofynnodd Jeff o'r diwedd.

'Wel, oeddwn. Ryw fath, ond dim yn dda iawn. 'Run fath â phawb arall, am wn i. Fel rhywun yn byw yn y stryd nesa, 'lly,' ychwanegodd. 'Dwi ddim yn meddwl bod ganddi lawer o ffrindia agos, a deud y gwir. Hogan yn cadw iddi hi'i hun oedd hi. Cofia, ma' hi 'di gwneud yn dda i fagu'r ddau blentyn 'na ar ôl colli'i gŵr mor ifanc. A doedd hynny ddim yn hawdd, 'swn i'm yn meddwl.'

Synnodd Jeff nad oedd Nansi'n fodlon dadlennu mwy am Glenda Hughes, ond wnaeth o ddim pwyso arni. Ddim heddiw.

'Ma' siŵr gen i y bydd 'na lond bob man o blismyn diarth yn holi rownd bob tŷ am ddyddia rŵan. Mi wyddost ti, Jeff, nad ydw i'n licio plismyn diarth. Well gen i siarad efo chdi.'

'Ia, mi wn i hynny,' atebodd. 'Ond y peth gorau i ti wneud, ac mae hyn er mwyn ein perthynas arbennig ni yn fwy na dim, ydi ateb bob cwestiwn cystal ag y medri di pan ddaw'r ditectifs diarth rownd. Os oes 'na unrhyw wybodaeth sensitif neu rwbath ti'n meddwl y dylwn i yn neilltuol fod yn gwybod amdano, rho ganiad i mi. Mi wyddost ti sut i gael gafael arna i. Unrhyw si sy'n dod i dy glustiau di, ti'n dallt?'

'Iawn,' cytunodd Nansi.

'Oes 'na rwbath arall y medri di ei ychwanegu ar hyn o bryd, Nansi?' Penderfynodd na allai adael iddi fynd heb ofyn am rywfaint mwy o wybodaeth, hyd yn oed os oedd y ffeithiau hynny yn ei feddiant yn barod.

'Wel, ti'n gwybod sut gafodd hi'r llysenw "Glenda Glên", ma' siŵr gen i?'

'Deud ti.'

'Wel, yr holl ddynion 'na, 'te.'

'Ia, siawns gen i fod amryw yn gwybod am hynny. Oes 'na sôn am unrhyw bartner neu gariad sefydlog?'

'Na, dim i mi fod yn gwybod.'

'Glywaist ti glec, neu unrhyw fath o ergyd yn ystod y nos, neithiwr?'

'Blydi hel, Jeff, ti rioed yn deud mai cael ei saethu ddaru hi?'

'Cadwa hynna i ti dy hun ar hyn o bryd, plis Nansi. Nes bydd yr wybodaeth yn y papurau newydd, beth bynnag. Ond ia, dyna sut lladdwyd hi. Glywaist ti rwbath, neu weld rwbath anarferol neithiwr? Rwbath o gwbl?'

'Na,' atebodd. 'Ro'n i wedi bod ar y lysh drwy'r pnawn efo'r genod, ac mi ddeffrais i yn y gadair, a'r teli yn bloeddio'n uchel, am dri o'r gloch y bore 'ma. Doeddwn ni ddim mewn ffit stad i sylwi ar ddim pan es i fy ngwely. Uffar o ben gen i.'

'Wel, cofia adael i mi wybod 'ta,' gofynnodd Jeff eto. 'Rwbath.'

Gwyliodd hi'n troedio'n ôl i gyfeiriad ei chartref. Unwaith eto, synnodd Jeff pa mor gyndyn oedd Nansi i ddatgelu mwy o hanes Glenda, neu unrhyw wybodaeth am ei phlant, hyd yn oed. Gwyddai nad oedd Nansi'r Nos yn un am gadw unrhyw wybodaeth yn ôl. Wel, dim fel arfer, beth bynnag.

Yng nghanol y prynhawn, yn ôl ym Maes y Don, dysgodd Jeff fod Lowri a'r patholegydd wedi gadael y tŷ ac ar eu ffordd i'r marwdy er mwyn cynnal y post mortem. Roedd nifer o arbenigwyr yn dal i archwilio'r tŷ a disgwyliodd Jeff tan yn hwyrach yn y dydd cyn gofyn a oedd hi'n gyfleus iddo gael golwg. Wedi iddo wisgo siwt ddi-haint, aeth yn ôl i mewn i'r tŷ. I ddechrau, siaradodd â'r swyddog fforensig a oedd yn gofalu am y man lle torrwyd i mewn i'r tŷ.

'Be sy gen ti?' gofynnodd yn hyderus.

'Diawl o ddim byd sylweddol, Jeff,' atebodd. 'Does 'na ddim tystiolaeth fforensig gwerth ei chael yma, a'r peryg ydi, felly, na chawn ni ddim drwy weddill y tŷ chwaith. I ddechra, mae 'na sugnwr rwber o ryw fath wedi cael ei roi dros y ffenest er mwyn lleihau sŵn y gwydr yn cael ei dorri. Mae hwnnw eisoes wedi diflannu, ond wedi gadael rhywfaint o'i farc, fel ti'n gweld.' Dangosodd y marc i Jeff.

'Ar ôl i'r ffenest gael ei hagor mae 'na ddau berson wedi dringo i mewn,' parhaodd y swyddog.

'Sut gwyddost ti hynny?'

'Am fod y ddau yn gwisgo menig rwber. Rhai efo patrwm gwahanol arnyn nhw. Mae ôl y patrymau wedi'u gadael o gwmpas y ffenest a'r teils ar hyd top y silff rhwng y ffenest a'r sinc.' Dangosodd y patrymau, a oedd eisoes wedi'u trosglwyddo ar sleid, i Jeff.

'Peth rhyfedd na ddaru'r cyntaf a ddringodd i mewn agor y drws cefn i'r ail un,' awgrymodd Jeff.

'Mae 'na reswm am hynny,' atebodd y swyddog. 'Mi

31

oedd y preswylydd, neu rywun arall, wedi tynnu'r allwedd o'r drws ac wedi'i guddio ar ben ffrâm y drws. Os oedd y cyntaf a ddringodd i mewn wedi chwilio amdano fo, ddaru o ddim dod o hyd iddo fo. Ac wrth gwrs, doedd 'na ddim pwynt gwastraffu amser yn chwilio am hwnnw, rhag ofn iddyn nhw ddeffro'r ddynes i fyny'r grisiau. Mae'n debyg fod y ddau wedi dringo allan yr un ffordd.'

'Yn lle defnyddio'r drws ffrynt?'

'Hollol.'

'Beth am i fyny'r grisiau?'

'Mae John Owen yn dal i fod wrthi i fyny yn y fan honno. Dwi'n siŵr y bydd o'n hapus i ddeud wrthat ti be mae o wedi'i ddarganfod.'

Un o'r pethau pwysicaf i Jeff bob amser oedd cael blas a theimlad lleoliad pob trosedd roedd o'n ymchwilio iddi. Roedd angen derbyn a chydnabod pob tamaid o wybodaeth, yn gudd neu'n amlwg, a gadael i'w synhwyrau lifo a dilyn pob trywydd. Roedd yn syndod sut roedd y synhwyrau hynny, a fyddai'n cyniwair yn deimlad rhyfedd yng ngwaelod ei stumog, wedi ei arwain tuag at dystiolaeth werthfawr dros y blynyddoedd. Roedd y broses honno wedi hen ddechrau i lawr grisiau yn y gegin, a thu allan i'r tŷ hyd yn oed, ond wrth iddo ddringo'r grisiau am yr ail waith y diwrnod hwnnw, gwyddai mai yn yr ystafell wely gefn y byddai'r mwyaf o waith i'w wneud.

Dim ond John Owen oedd ar ôl yn yr ystafell erbyn hyn.

'Dim chdi gafodd fynd i'r PM felly, John?' gofynnodd Jeff i'r Swyddog Lleoliadau Trosedd.

'Na. Gan 'mod i wedi dechrau archwilio a thynnu lluniau yn fama, waeth i mi gario 'mlaen ddim. A dyna oedd barn y Prif Arolygydd hefyd.'

Safodd Jeff yn llonydd tra oedd John yn llwytho ei gyfarpar a'r samplau a gymerwyd ganddo i mewn i'w gês. Edrychodd o'i gwmpas gan gymryd dipyn mwy o amser nag a wnaeth yn gynharach yn y dydd. Doedd corff Glenda Hughes ddim yno bellach, wrth gwrs, dim ond y gwaed sych, du a'r dryswch ar y bwrdd gwisgo. Roedd cadair ar ei hochr ar lawr, wedi'i chicio neu ei gwthio i'r ochr yn ystod yr ymrafael, efallai, wrth i Glenda ymdrechu i geisio rhyddhau ei hun o afael ei llofruddion. Nid oedd arwydd o unrhyw aflonyddwch ar y dillad gwely er bod nifer o fân-bethau wedi'u drysu ar ben y gist o ddroriau wrth ei droed. Edrychai'n debyg fod Glenda wedi codi o'i gwely ei hun. Tybed oedd hi wedi clywed sŵn? Wedi codi ar ei thraed pan ddaeth y llofruddion i fyny'r grisiau neu i mewn i'r ystafell? Dyna pryd y dechreuodd yr aflonyddwch, yn ôl pob golwg. Pa gyfle oedd ganddi yn erbyn dau? Yn ôl yr arwyddion a adawyd yn y llofft, gwthiwyd hi yn erbyn y bwrdd gwisgo o dan y ffenest, a rhoddwyd gwn o dan ei gên cyn tanio un ergyd yn gyflym. Un yn unig. Llofruddiaeth lân oedd hon.

'Oes gen ti lun ohoni yn y man lle ffeindiwyd hi, John?' gofynnodd Jeff.

Tynnodd John ei gamera allan o'i gês gan ddangos y ddelwedd ar ei sgrin. Syllodd Jeff arno am rai munudau heb ddweud gair. Roedd Glenda Hughes yn hanner gorwedd ar draws y bwrdd gwisgo, ar ei chefn, yn union fel yr oedd Jeff wedi'i darganfod y bore hwnnw.

'Edrych yn debyg ei bod hi'n sefyll pan saethwyd hi,' awgrymodd Jeff.

'Oedd, a'i chefn tuag at y ffenest,' cytunodd John. 'A'i phen yn ôl, a'r gwn yn cael ei ddal yn erbyn gwaelod ei gên.' Dangosodd John luniau eraill iddo. 'Edrycha ar y marciau duon a'r llosgiadau ar y croen o gwmpas y man lle treiddiodd y fwled y cnawd. Arwydd bod y gwn wedi'i bwyso yn erbyn ei gên, neu yn agos iawn ati, beth bynnag. Ac edrycha lle mae'r fwled wedi mynd trwy wydr y ffenest wedi iddi deithio trwy ei hymennydd a'i phenglog hi.'

Roedd y twll yn y gwydr tua hanner ffordd i fyny'r ffenest, twll bychan nad oedd wedi malu'r gwydr yn llwyr.

'Arwydd o'i chyflymder,' meddai Jeff. 'Duw a ŵyr lle mae hi bellach. Mi all gwydr newid llwybr bwled, felly mi fydd hi'n hynod o anodd cael gafael arni.'

'Ac mae cael gafael arni mor allweddol,' cytunodd John. 'Beryg na fedrwn ni hel digon o ddynion i chwilio'n fanwl trwy'r cefnau 'cw amdani tan fory.'

'Oes gen ti rwbath arall pwysig, John, cyn i mi weld dy adroddiad llawn di?' gofynnodd Jeff.

'Oes, dau beth sy'n fy nharo fi. Edrycha ar hwn,' meddai, gan dynnu bag plastig bychan o'i gês.

Edrychodd Jeff ar ei gynnwys trwy'r plastig. Cas bwled oedd o. 'Dwi ddim yn arbenigwr o bell ffordd, ond 'swn i'n deud mai rwbath tebyg i 9mm ydi o. Lle oedd o?' gofynnodd.

'Ar y llawr dan ben y gwely.'

Edrychodd y ddau ar ei gilydd.

'Wedi cael ei daflu o siambr y gwn pan gafodd ei danio,' ychwanegodd John.

'Gwn, pistol rhannol awtomatig felly, nid rifolfer. Rargian, pwy fysa'n defnyddio'r fath arf, dŵad, mewn tref fach fel hon yng nghefn gwlad Cymru? Gobeithio bod 'na gliwiau arno fo i ni. Be oedd yr ail beth?' gofynnodd.

'Tydi hwn ddim yn edrych yn dŷ cyfoethog o bell ffordd,' dechreuodd John eto, 'ond mi ddaethon ni o hyd i ddwy fil o bunnau mewn arian parod – papurau ugain punt newydd i gyd – mewn amlen yn y gist acw.'

Rhwbiodd Jeff ei ên wrth ystyried y darganfyddiad. 'Digon gwir,' meddai. 'Mi wn i ddigon am y teulu i wybod bod Glenda wedi'i chael hi'n anodd yn ariannol i fagu ei phlant, ac mae dwy fil o bunnau yn swm sylweddol i fwyafrif o bobl y dref 'ma, heb sôn am Glenda druan a'i theulu.'

'Ac ar ben hynny, mae pwy bynnag sy'n gyfrifol am hyn wedi gwneud ymdrech dda i chwilota am rwbath, ond wedi gadael yr arian ar ôl. Yli ar y llanast wnaethon nhw yn y drors. Does dim dwywaith: mi oedden nhw'n chwilio am rwbath.'

'Wel, John, mae hynny'n dangos nad dwyn oedd y cymhelliad ... nid dwyn arian, beth bynnag. A llofruddiaeth sy'n edrych mor broffesiynol ... pam hynny, tybed?'

'Wn i ddim wir, Jeff. Welais i ddim byd tebyg i hyn ers blynyddoedd maith.'

Pennod 5

Erbyn diwedd y prynhawn roedd Jeff yn ei ôl yng ngorsaf yr heddlu. Roedd y maes parcio'n llawn, yn union fel yr oedd o wedi ei ddisgwyl, ac un ystafell fawr ar y llawr uchaf eisoes wedi cael ei thrawsnewid ar gyfer y cynadleddau, gyda'r cyfleusterau fyddai eu hangen ar gyfer y ditectifs ychwanegol. Paratowyd ail ystafell ar gyfer y llu o staff gweinyddol atodol fyddai'n mewnbynnu pob manylyn ar system gyfrifiadurol yr ymchwiliad. Roedd sgriniau a bysellfyrddau yn cael eu gosod ar bob desg, ac arbenigwyr yr adran dechnegol wrthi'n brysur yn cysylltu'r cwbl efo'i gilydd. Roedd amryw o ystafelloedd eraill wedi cael eu meddiannu hefyd, heb fath o ystyriaeth o'r staff lleol a'u hangen i barhau i blismona'r ardal ochr yn ochr â'r ymchwiliad mawr. Ond dyna oedd y drefn ar adegau fel hyn.

Gwelodd Jeff olau yn ei swyddfa ei hun a cherddodd i mewn, yn disgwyl gweld rhywun yno. Doedd neb, ond sylwodd ar unwaith ar arogl chwyslyd, diflas yn yr aer, a gwelodd fod rhywun wedi meddiannu'r ail ddesg yng nghornel yr ystafell lle'r oedd cyfrifiadur newydd wedi cael ei osod. Agorodd un o'r ffenestri i geisio cael gwared â'r arogl cyn mynd draw i'r cantîn am baned. Efallai y byddai'r arogl wedi diflannu erbyn iddo ddychwelyd.

Pan gyrhaeddodd y fan honno roedd hanner dwsin o heddweision ifanc mewn iwnifform yn eistedd o amgylch bwrdd hir, yn gwrando'n astud ar un dyn hŷn, oedd yn gwisgo'i ddillad ei hun, yn pregethu'n fawreddog.

'O, na,' meddai Jeff wrth ei hun. 'Dyma'r peth olaf dwi isio.'

Roedd Jeff wedi adnabod y dyn ar unwaith. Er eu bod wedi cyfarfod a sgwrsio sawl tro, nid oeddynt wedi gweithio efo'i gilydd o'r blaen. Yng nghyffiniau Wrecsam roedd Ditectif Sarjant Arfon Prydderch yn gweithio fel rheol. Gwyddai Jeff dipyn o'i hanes, a doedd dim o'r hyn a glywodd wedi ei blesio. Dyn mawr, trwm, chwyslyd yn ei bedwar degau hwyr oedd o, a'i wallt seimllyd yn hirach nag y dylai fod, wedi'i gribo yn ôl o'i dalcen a thros ei glustiau. Roedd ganddo drwyn mawr coch a mwstásh du blêr oddi tano, ac anadlai'n drwm rhwng ei frawddegau brysiog. Yn ôl y sôn, doedd Arfon Prydderch ddim wedi gwneud llawer trwy gydol ei yrfa, ond rhywsut roedd ganddo'r ddawn o gymryd y clod wedi i rywun arall gwblhau gwaith caled, yn enwedig plismyn ifanc nad oeddynt yn ddigon profiadol i sefyll yn ei erbyn. Dro ar ôl tro, roedd wedi dibynnu ar ymdrechion a gwaith caled pobl eraill. Duw a ŵyr sut y cafodd ei ddyrchafu'n dditectif sarjant.

Aeth Jeff at y cownter i archebu cwpaned o goffi.

'Sut ma' hi, Jeff?' gofynnodd Prydderch, gan ymddangos wrth ei ochr. 'Mi dala i am hwnna.'

'Be ti'n wneud yma?' Anwybyddodd Jeff yr hyn a dybiodd oedd yn arwydd o garedigrwydd a chyfeillgarwch. Sylweddolodd yn gyflym pwy oedd yn gyfrifol am yr arogl diflas yn ei swyddfa. Sylwodd hefyd fod arogl alcohol ar ei wynt.

'Wedi cael fy ngyrru yma i reoli gweinyddiaeth yr

ymchwiliad ydw i. Maen nhw angen rhywun efo dipyn o brofiad yn y maes, ti'n gweld.'

Ochneidiodd Jeff yn ddistaw. 'Wel, gweinyddu neu beidio, mi ddylet ti fynd i lawr i leoliad y llofruddiaeth cyn dechra brolio o flaen y hogia ifanc 'ma. Mae 'na un neu ddau o'r archwilwyr fforensig yn dal i fod yno – mi wnân nhw dy dywys o gwmpas er mwyn i ti gael blas ar y lle.'

'Syniad da,' atebodd Prydderch. 'Wyt ti am ddod efo fi?'

'Na. Dwi wedi bod yno ddwywaith heddiw yn barod. Mi ffeindi di siwt ddi-haint yn swyddfa'r ditectifs, ond well i ti frysio cyn i'r arbenigwyr adael.'

Diflannodd Prydderch heb orffen ei de.

Synnodd Jeff ei fod wedi ufuddhau i'w awgrym mor handi. Gobeithiai hefyd y byddai ei gyd-weithiwr newydd yn gwneud ymdrech i ymolchi chydig yn amlach os oeddynt am orfod rhannu swyddfa. Ond yn bwysicach na hynny, os nad oedd hi'n ymwybodol yn barod, byddai'n rhaid iddo rybuddio Lowri nad oedd gan neb a oedd wedi gweithio gydag o air da i'w ddweud am Prydderch.

Paratôdd Jeff i fynd adref yn weddol gynnar gan fod Twm, ei fab, yn cymryd rhan mewn cyngerdd y noson honno. Gwyddai o brofiad pa mor brysur roedd o'n debygol o fod unwaith y byddai'r ymchwiliad yn dechrau magu momentwm – efallai mai heno fyddai ei gyfle olaf am sbel i fwynhau cwmni ei deulu. Wrth gerdded tuag at ddrws ei swyddfa, daeth wyneb yn wyneb ag Arfon Prydderch. Synnodd Jeff ei weld, gan mai dim ond ugain munud oedd wedi mynd heibio ers iddo adael am gartref Glenda Hughes. Sut ar y ddaear oedd modd iddo greu darlun cynhwysfawr o leoliad trosedd mewn cyn lleied o amser, heb sôn am leoliad trosedd mor ddifrifol?

Tynnodd Prydderch ei gôt a'i lluchio'n flêr ar draws ei ddesg yn y gornel.

'Wel?' gofynnodd Jeff. 'Be ddysgaist ti?'

'Dim ond yr amlwg,' atebodd y dyn mawr, oedd yn dal i anadlu'n drwm ar ôl cerdded i fyny'r grisiau. 'Tŷ digon cyffredin ar stad cyngor lle rwyt ti'n dod ar draws digon o helbul rownd y rîl, dwi'n siŵr, Jeff. Be 'di hanes y teulu? Fel DS lleol, ma' siŵr gen i dy fod ti'n eu nabod nhw.'

Penderfynodd Jeff ateb ei gwestiwn. Pam lai? Roedd ganddo chydig o amser i'w sbario, a pha ddrwg oedd mewn rhannu gwybodaeth a fyddai'n dod yn amlwg i Prydderch a phawb arall y diwrnod canlynol beth bynnag? Treuliodd chwarter awr yn rhoi darlun iddo o hanes Glenda, ei phlant a'r hyn a wyddai o'u cefndir.

'Mmm, diddorol,' meddai Prydderch, wedi iddo orffen.

'Ond gwranda,' ychwanegodd Jeff. 'Ma' raid i mi ei throi hi. Mae gen i ymrwymiad personol heno.'

'Ia, dallt yn iawn,' atebodd Prydderch. 'Mae gen i siwrnai o dros awr a hanner o 'mlaen innau hefyd.'

Roedd Jeff yn falch o adael ei gwmni.

Wrth yrru ei gar allan o'r maes parcio, daeth wyneb yn wyneb â'r Ditectif Brif Arolygydd Lowri Davies, oedd yn gyrru ei char i'w gyfarfod. Agorodd y ddau eu ffenestri. Cyn iddi gael cyfle i ofyn i ble roedd o'n mynd, achubodd Jeff y blaen arni.

'Ddrwg gen i fynd mor handi heno,' meddai. 'Mae'r hogyn 'cw'n perfformio mewn cyngerdd yn yr ysgol.'

'Dallt yn iawn,' atebodd Lowri. 'Dach chi wedi cyfarfod â DS Prydderch eto?'

'Do,' atebodd Jeff, gan wenu. 'Be mae o'n wneud yma, deudwch?'

'Nid fi ofynnodd amdano fo, ond maen nhw'n deud ei fod o'n un da am weinyddu system gyfrifiadurol ymchwiliadau mawr.'

'Dach chi'n gyfarwydd â fo?' gofynnodd Jeff.

'Nac ydw wir.'

'Byddwch yn wyliadwrus, Ditectif Brif Arolygydd. Dyna'r cwbwl ddeuda i. Wela i chi fory.'

Edrychodd Lowri Davies yn ddryslyd ond gyrrodd Jeff oddi yno cyn iddi gael cyfle i ofyn iddo ymhelaethu.

Yn ddiweddarach y noson honno, eisteddai Jeff a Meira yn yr ystafell haul wedi i'r plant fynd i'w gwlâu.

'Diolch i ti am ddarfod yn gynnar heno, Jeff,' meddai ei wraig. 'Mi oedd Twm yn gwerthfawrogi yn arw dy fod ti yna, 'sti.'

'Mi oeddwn i'n falch o fedru dod efo chdi, Meira bach. Mi fydd hi fel ffair yn y stesion 'cw erbyn fory. Ac fel y medri di ddychmygu, cha' i ddim cyfle am sbel i geisio darganfod pwy ydi'r blydi boi Cadwaladr 'na chwaith. O leia mae o wedi cael ei wahardd oddi ar grŵp Cyfeillion Glan Morfa rŵan. Ond yn anffodus, os ydi o'n benderfynol, does 'na ddim yn ei rwystro rhag defnyddio cyfrif arall dan enw ffug.'

'O, prin y gwnaiff o hynny, Jeff.'

'Paid â chael dy siomi. Ydi'r enw Iestyn Parry yn golygu rwbath i ti?'

'Dim 'mod i'n medru cofio. Pam?'

'Mae o wedi bod yn aelod o'r un grŵp, a dwi'n meddwl mai'r un person ydi Parry a Cadwaladr. Oherwydd hynny, mi faswn i'n licio tasat ti ddim yn mynd ar grŵp Cyfeillion Glan Morfa am y tro, nes y bydda i wedi cael amser i wneud mwy o ymchwil. Gwell byth, rho'r gorau i'r cyfryngau cymdeithasol yn gyfan gwbl am y tro.'

'Paid â bod yn wirion, Jeff. Pam ddylwn i wneud hynny? Nid fi sydd ar fai.'

'Na, mi wn i hynny, cariad. Ond 'sa'n well gen i i ti beidio rhoi cyfle iddo fo dy amharchu di, neu'n amharchu ni'n dau.'

'Ond drwy Facebook dwi'n cysylltu efo fy ffrindiau, Jeff.'

'Gwna er fy mwyn i, Meira,' gofynnodd, gan droi ei hwyneb tuag ato'n dyner efo'i law, a syllu i'w llygaid. 'Mae gen i ddigon ar fy mhlât rŵan heb orfod poeni amdanat ti hefyd. Tria ddeall.'

Yn amharod, cytunodd Meira.

Pennod 6

Cerddodd Jeff i mewn i'w swyddfa am hanner awr wedi wyth y bore canlynol, a synnodd o weld bod ei gyd-weithiwr newydd yno o'i flaen, yn teipio fel coblyn ar y bysellfwrdd o'i flaen ac yn edrych ar sgrin ei gyfrifiadur bob yn ail â'i fysedd. Ni chododd Prydderch ei ben i'w gyfarch nac arafu llif ei waith.

Wel, meddyliodd Jeff, o leia roedd o'n edrych yn eitha brwdfrydig. Agorodd un o'r ffenestri yn swnllyd, ond ddaru hynny, hyd yn oed, ddim llawer o argraff ar y gŵr chwyslyd yn y gornel. Roedd ar fin rhoi ei gyfrifiadur ei hun ymlaen pan gerddodd y Ditectif Brif Arolygydd Lowri Davies drwy'r drws.

'Da iawn,' dechreuodd heb raglith. 'Dwi'n falch o weld eich bod chi'n cynefino â Glan Morfa, Ditectif Sarjant Prydderch, ac wedi bwrw iddi'n syth.'

'Ydw, DBA,' atebodd, gan godi ar ei draed a sefyll yn unionsyth y tu ôl i'w ddesg.

'Ac rydach chi'ch dau yn dod i nabod eich gilydd, gobeithio?'

Tybed oedd y cwestiwn yn ymwneud â'r cyngor y ceisiodd ei roi iddi'r noson cynt, ystyriodd Jeff, ond parhaodd Lowri Davies cyn i'r un o'r ddau gael cyfle i ateb.

'Mae Ditectif Sarjant Evans a finnau wedi gweithio ochr yn ochr â'n gilydd o'r blaen, Sarjant Prydderch. Gobeithio y byddwn ninnau'n dod i ddallt ein gilydd yn reit handi.

Reit, dwi am i chi'ch dau fod yn ymwybodol o'ch cyfrifoldebau – mi fyddwch chi, Jeff, gyda fy nghaniatâd i, yn cael rhyddid i grwydro lle mynnoch chi gan ddilyn unrhyw drywydd sy'n codi, gan adrodd yn ôl i mi yn ddyddiol, neu yn amlach os oes rhaid, fel yr ydach chi wedi arfer ei wneud mewn ymchwiliadau eraill. Ond yr amod ydi eich bod yn gadael i mi wybod i ba gyfeiriad mae'r trwyn afanc 'na sy gynnoch chi'n mynd â chi.' Rhoddodd awgrym bach o wên cyn parhau, '... a hynny o flaen llaw. Ydach chi'n deall?' ychwanegodd. Trodd i gyfeiriad y gornel. 'Eich gwaith chi ydi edrych ar ôl gweinyddiaeth system gyfrifiadurol yr ymchwiliad, Sarjant Prydderch, gan gadw mewn cof mai fi fydd yn dewis y polisi gweithredu bob amser, a 'mod i'n disgwyl i chi gydymffurfio. Cyn i chi wneud unrhyw benderfyniadau sy'n effeithio ar sut mae'r ymchwiliad yn cael ei gofnodi ar y system, dewch i 'ngweld i gynta, os gwelwch yn dda. O gadw at y canllawiau hyn, dwi'n ffyddiog y gwnawn ni weithio'n gampus efo'n gilydd. Cynhadledd ymhen pum munud.' Trodd ar ei sawdl a gadael y swyddfa.

'Ma' hi'n hoff o drio rhoi rhywun yn ei le, tydi?' meddai Prydderch ar ôl iddi fynd. 'Oes ganddi rwbath yn erbyn dynion, tybed?' gofynnodd, gan wneud ystumiau awgrymog. 'Yn enwedig o ystyried sut ma' hi'n gwisgo,' ychwanegodd yn sarhaus.

Cododd Jeff a symud oddi wrth ei gyfrifiadur. 'Yr ystafell gynhadledd amdani felly,' meddai, gan ddewis anwybyddu'r honiadau amharchus.

'Ddo' i ar dy ôl di ymhen dim,' meddai Prydderch.

Roedd yn agos i dri dwsin o blismyn a staff sifil yn yr ystafell gynhadledd pan gerddodd Jeff i mewn. Nid oedd nifer ohonynt wedi gweld ei gilydd ers yr ymchwiliad mawr diwethaf – yn aml iawn, yr un staff oedd yn cael eu galw i weithio ar achosion difrifol fel hwn ledled gogledd Cymru, gydag un neu ddau o dditectifs ifanc newydd bob tro er mwyn iddynt gael profiad o fod yn rhan o dîm ymchwil. Roedd o'n rhyfedd, meddyliodd Jeff, fod y cyfarch yn tueddu i fod yn hwyliog ar y bore cyntaf bob tro, fel petai hen gyfeillion yn cyfarfod ar ôl cyfnod ar wahân, er mai achos o lofruddiaeth oedd yn dod â nhw at ei gilydd bron bob tro. Anelodd Jeff at gefn yr ystafell yn ôl ei arfer.

Disgynnodd distawrwydd dros yr ystafell fawr pan gerddodd Lowri Davies i mewn, ac Arfon Prydderch yn dynn ar ei sodlau. Er ei fod, tybiodd Jeff, yn ceisio cerdded yn fawreddog y tu ôl iddi, mewn gwirionedd roedd yn edrych yn debycach i gi oedrannus yn trio dal i fyny â cherddediad ei feistr sionc. Gwenodd Jeff yn sinigaidd pan ddilynodd Prydderch y DBA i gyfeiriad y llwyfan bychan ac eistedd wrth ei hochr yn hytrach nag o'i blaen, yng nghwmni'r heddweision eraill. Roedd yn rhaid, sylweddolodd, eu bod wedi trefnu hynny o flaen llaw, er gwaethaf agwedd sarhaus Prydderch tuag at Lowri funudau ynghynt. Dauwynebog 'ta be, meddyliodd.

Safodd Lowri ar ei thraed a dechreuodd ei hanerchiad drwy ddiolch i bawb am gyrraedd yn brydlon, yn enwedig y rhai a oedd â thaith o ddwyawr ar hyd arfordir y gogledd i gyrraedd Glan Morfa.

'Does 'run drosedd waeth na llofruddiaeth,' parhaodd Lowri, 'ac mi wn i fod y bobl orau i ddatrys yr achos hwn yn eistedd o fy mlaen i yma.' Roedd hi'n bwysig cael pawb ar ei hochr hi o'r dechrau'n deg.

Yna, trodd Lowri at Ditectif Sarjant Arfon Prydderch

er mwyn ei gyflwyno i'r gweddill, gan egluro'i ran yn yr ymchwiliad. Wnaeth Jeff ddim synnu pan welodd un neu ddau o'r gynulleidfa yn ciledrych ar ei gilydd – yn amlwg, nid fo oedd yr unig un a wyddai rywfaint o hanes y dyn.

'Yr ymadawedig ydi Glenda Hughes, 42 blwydd oed,' parhaodd. 'Cafodd ei darganfod yn farw bore ddoe gan ei merch, Sharon. Mi welwch fod yr amgylchiadau eisoes wedi'u nodi ar y system. Mae ganddi fab yn ogystal â'r ferch a ddaeth o hyd iddi. Ifan ydi ei enw fo. Mae Ditectif Sarjant Prydderch wedi bod yn brysur iawn yn hwyr neithiwr a'r bore 'ma, a dwi am ofyn iddo fo gyflwyno i ni yr hyn mae o wedi'i ddysgu amdani hi hyd yma.'

Cododd Prydderch ar ei draed gan afael mewn pentwr o bapurau a oedd yn amlwg yn cynnwys gwybodaeth a oedd wedi'i fewnbynnu i'r system. Pwy oedd wedi gwneud hynny, tybed, dyfalodd Jeff, gan nad oedd y staff gweinyddol wedi cyrraedd tan y bore 'ma? Ac o ble daeth yr wybodaeth? Ni chymerodd yn hir iddo sylweddoli'r ateb. Ysgydwodd Jeff ei ben yn araf a chaeodd ei lygaid wrth wrando a sylweddoli fod Prydderch wedi dechrau ar ei driciau yn gynt na'r disgwyl. Yn ystod y munudau nesaf clywodd Jeff y dyn ar y llwyfan yn ailadrodd yr union wybodaeth yr oedd o'i hun wedi'i throsglwyddo iddo cyn mynd adref y noson cynt. Yr unig wahaniaeth oedd bod Prydderch yn rhoi'r argraff mai fo oedd wedi gwneud yr ymchwil ei hun. Doedd Jeff ddim yn synnu. Ar y naill law, doedd dim gwahaniaeth o ble daeth yr hanes, ond ar y llaw arall, roedd Prydderch wedi rhoi cryn dipyn o addurn ar y ffeithiau, ac wedi ei roi ei hun mewn sefyllfa a oedd yn denu clod am baratoi adroddiad mor drylwyr mor gynnar yn yr ymchwiliad. Gwenodd Jeff wrth feddwl am y cyngor yr oedd o wedi ceisio'i roi i Lowri heb ystyried ei fod o'i hun hefyd angen llygaid yng nghefn ei ben. Ta waeth, roedd pawb yn gwybod erbyn hyn fod Glenda wedi colli'i gŵr bymtheng mlynedd ynghynt yn dilyn damwain yn ei waith. Ar ôl hynny magodd Glenda ei dau blentyn, Ifan a Sharon, cystal ag y gallai ar ei phen ei hun drwy lanhau tai a swyddfeydd, golchi a smwddio dillad ac unrhyw fath o waith arall a ddeuai ag arian i'r tŷ.

'Dyna ddechrau,' meddai Lowri Davies ar ôl i Prydderch orffen, 'os nad oes gan unrhyw un fwy o wybodaeth amdani.'

Meddyliodd Jeff am eiliad cyn codi ar ei draed, ond doedd o ddim angen mwy o amser na hynny i ystyried ei ymateb. Ddim ar ôl gwrando ar araith Prydderch. Cododd ei law dde yn barchus i ddenu sylw'r Ditectif Brif Arolygydd.

'Ditectif Sarjant Evans.' Amneidiodd Lowri arno i siarad.

'I ddechrau,' meddai Jeff, gan edrych yn syth i lygaid Arfon Prydderch, 'ga' i ddiolch i Arfon am yr wybodaeth mae o newydd ei throsglwyddo i ni. Ond mae mwy y dylen ni oll fod yn ymwybodol ohono, gan ei fod yn debygol o lywio'r ymchwiliad.'

Dim ond Jeff ac Arfon Prydderch oedd yn ymwybodol fod gêm fechan ar fin cael ei chwarae o flaen pawb. Erbyn hyn roedd Jeff wedi hoelio sylw'r gynulleidfa, a phawb wedi troi yn eu seddi i edrych arno. Edrychai Prydderch yn anghyfforddus ar y llwyfan, a Lowri Davies wrth ei ochr yn llawn gobaith.

'Mae mwy i gymeriad Glenda Hughes na'r hyn y nododd Ditectif Sarjant Prydderch,' ymhelaethodd Jeff.

'Fel y clywson ni, mi ymdrechodd Glenda Hughes cystal ag unrhyw fam arall i fagu ei phlant, ond doedd y cyflog a enillai am lanhau ac ati ddim yn ddigon i redeg y cartref. Roedd Glenda'n ddynes hardd iawn, ac mewn cyfyng gyngor, darganfu ffordd arall i wneud arian ... mwy o arian o lawer nag y gallai ennill yn glanhau a smwddio. Roedd hi'n puteinio ers blynyddoedd, ac roedd ei gwasanaethau'n boblogaidd iawn yn ystod cyfnod adeiladu'r pwerdy rai blynyddoedd yn ôl, pan oedd y dref yn llawn o weithwyr o'r tu allan i'r ardal. Y tebygrwydd ydi ei bod hi wedi parhau i werthu ei chorff ar ôl hynny, a dyna sut y cafodd hi'r llysenw "Glenda Glên". Yn anffodus, roedd y plant yn cael eu bwlio oherwydd gweithgareddau'r fam, a wnaeth y cwmwl hwnnw oedd drostynt erioed ddiflannu, hyd yn oed ar ôl iddyn nhw adael yr ysgol, druan ohonyn nhw. Ond wedi dweud hynny, er mwyn ei phlant roedd Glenda'n puteinio, nid er mwyn creu bywyd moethus iddi hi ei hun. Sefyllfa drist iawn ... yn fy marn i, beth bynnag.'

Gwelodd Jeff fod Prydderch yn gwingo'n anghyfforddus yn ei gadair, yn ymwybodol bod yr hyn a oedd yn absennol o'i adroddiad ei hun yn debygol o fod yn hanfodol i'r ymchwiliad.

'Diolch yn fawr i chi, Ditectif Sarjant Evans,' meddai Lowri Davies. 'Mae hyn yn rhoi agwedd hollol newydd i'n gwaith ni, ac yn sicr yn agor llwybrau niferus y dylen ni eu dilyn.' Oedodd am fymryn cyn parhau, gan ddisgwyl i bawb droi yn ôl i'w hwynebu. 'Dwi'n dweud hynny oherwydd bod elfen o broffesiynoldeb i'r llofruddiaeth hon. Nid ar hap y digwyddodd hi. Mae'r adroddiadau ar y system yn egluro sut y torrwyd i mewn i'r tŷ, a hynny gan rywun sy'n amlwg wedi cael profiad blaenorol o wneud hynny. A beth am yr arian a oedd yn y gist yn ei hystafell wely? Dwy fil o bunnau. Mwy o arian nag y byddai rhywun yn disgwyl ei ddarganfod yn nwylo dynes yn ei sefyllfa hi, efallai? Mae'n bosib bod yr arian yn gysylltiedig â'r hyn rannodd Ditectif Sarjant Evans â ni rai munudau'n ôl. Ac yna, beth am y gwn a ddefnyddiwyd i'w lladd hi? Gwn 9mm rhannol awtomatig, yn ôl pob golwg. Tydi hwnnw ddim yn wn y mae rhywun yn dod ar ei draws bob dydd. Mi fydd cas y fwled a ddarganfuwyd yn y llofft yn cael ei archwilio gan y tîm fforensig heddiw, ond mae'n biti nad ydi'r fwled ei hun ganddon ni hyd yma. Aeth honno drwy'r ffenest, a bydd tîm archwilio arbennig yn cael eu rhoi ar waith y bore 'ma yng nghefnau tai Maes y Don a Maes y Môr yn y gobaith o ddod o hyd iddi. Cyn belled ag y gwyddom ni, ni chlywodd neb yr ergyd, sy'n ein harwain ni i amau fod tawelydd wedi cael ei ddefnyddio efo'r gwn. Elfen broffesiynol arall.'

Oedodd am rai eiliadau cyn newid trywydd. 'Mae archwiliad cyntaf y patholegydd yn y tŷ wedi datgan mai rhwng dau a thri o'r gloch fore Mawrth y cafodd Glenda Hughes ei saethu, a chafodd y gwn ei wthio o dan ei gên cyn ei danio. Mae archwiliad y PM wedi dangos bod y fwled wedi treiddio drwy ei hymennydd, a'i lladd ar unwaith. Gallwch fentro fod y clwyf ar dop ei phen, lle daeth y fwled allan, lawer yn fwy na'r twll o dan ei gên hi. Mi fydd y lluniau ar gael i ni y bore 'ma. Er na fydd yn brofiad hawdd, dwi'n awgrymu y dylai pawb edrych arnyn nhw er mwyn gwerthfawrogi difrifoldeb y drosedd hon. Yn ogystal â hynny, mae briwiau a chleisiau ar ysgwyddau a gwddf Mrs Hughes, wedi'u creu eiliadau cyn iddi farw. Mae'n amlwg felly ei bod hi wedi cael ei dal uwchben y bwrdd gwisgo pan saethwyd hi.'

Cerddodd Lowri yn araf o un pen y llwyfan bach i'r llall ac yn ôl, gan syllu ar ei chynulleidfa oedd erbyn hyn yn hollol ddistaw. 'Fel yr ydach chi'n casglu, felly, roedd hon yn llofruddiaeth erchyll,' meddai, gan syllu ar yr wynebau o'i blaen fesul un. 'Y dasg gyntaf ydi creu proffil mwy manwl o Glenda a'i theulu, a'u holl gysylltiadau. Gofyn cwestiynau o ddrws i ddrws yn y strydoedd cyfagos, a thrwy'r gymuned yn gyffredinol – ac, wrth gwrs, chwilio am y fwled. Mi gawn weld pa wybodaeth fydd wedi dod i law erbyn diwedd y dydd. Mi fydd DS Prydderch yn creu'r ymholiadau ar gyfer y timau.'

Ar hynny, safodd ar ei thraed, a cherddodd allan, ar ei phen ei hun.

Ychydig yn ddiweddarach, roedd Jeff yn cerdded i lawr y coridor tuag at ei swyddfa pan gafodd ei alw i mewn i ystafell Lowri Davies.

'Caewch y drws ac eisteddwch, Jeff,' meddai Lowri. Eisteddodd hithau yn ei chadair a rhoi ei thraed i fyny ar y ddesg o'i blaen, yn ôl ei harfer.

'Diolch am eich cyfraniad i'r cyfarfod gynna,' meddai Lowri. 'Llofruddiaeth broffesiynol dynes sydd wedi bod yn gwerthu'i chorff ers blynyddoedd. Ydi'r ddau yn gysylltiedig, dach chi'n meddwl?'

'Wn i ddim eto, DBA,' atebodd Jeff. 'Ma' hi'n rhy gynnar i ddeud, ond fedrwn ni ddim osgoi'r cysylltiad. Ydi hi wedi croesi rhywun, neu oes rhywun ofn iddi ddatgelu ei hanes o, tybed?'

'Ella wir. Gan fod ganddoch chi ryddid i ddilyn eich trwyn, Jeff, lle dach chi'n meddwl dechrau?'

'Gan 'mod i'n adnabod y teulu yn weddol dda, i'r fan

honno, dwi'n meddwl. Mae ei ffrindiau a'i chyd-weithwyr yn gofalu am Sharon ar hyn o bryd, felly mi a' i ati hi gynta. Mi wela i ei brawd, Ifan, wedyn. Dydi petha ddim wedi bod yn dda yn y cartref ers peth amser, dwi ddim yn meddwl. Mi fu trafferth efo Sharon ar un adeg tra oedd hi yn yr ysgol, ac yn ôl pob golwg mi adawodd Ifan y cartref y munud yr oedd o'n ddigon hen i wneud hynny.'

'Wel, cadwch mewn cysylltiad. O, a chyda llaw, o ble gafodd Arfon Prydderch yr wybodaeth am gefndir Glenda?'

Gwenodd Jeff o glust i glust. 'O le da, ma' raid. Ond chafodd o 'mo'r holl stori, naddo?'

'Wel, mae'r wybodaeth wedi ei llwytho ar y system a'i geirio mewn ffordd sy'n awgrymu mai ei waith o oedd y darganfyddiadau i gyd.' Oedodd Lowri ac edrychodd i fyw ei lygaid. 'A be oeddach chi'n ei olygu pan ddeudoch chi wrtha i neithiwr am fod yn wyliadwrus ohono?'

'O, DBA, anghofiwch am hynny. Efallai y dylwn i fod wedi cau 'ngheg. A beth bynnag, dwi'n amau y dewch chi i'ch casgliad eich hun cyn hir.'

Gwenodd Lowri arno'n awgrymog, gwên a ddywedodd wrth Jeff ei bod hi wedi deall mwy nag yr oedd hi'n ei gydnabod.

Pennod 7

Pan gyrhaeddodd Jeff yn ôl i'w swyddfa, doedd dim golwg o Prydderch. Taniodd ei gyfrifiadur a gweld ar unwaith beth roedd Lowri'n ei feddwl – wrth gofnodi proffil Glenda roedd Prydderch wedi pwysleisio mai fo ei hun oedd wedi gwneud hyn a darganfod y llall. Eisteddodd Jeff yn ôl yn ei gadair er mwyn ystyried sut i ymateb i'r sefyllfa. Wedi meddwl, penderfynodd wneud dim. Dim ar hyn o bryd, beth bynnag. Y peth callaf, tybiodd, oedd rhoi dipyn o raff iddo, gan y byddai'r dyn yn sicr o'i grogi ei hun cyn hir. Fel yr oedd o'n codi i adael yr ystafell, cerddodd Prydderch i mewn yn cario swp o bapurau dan ei fraich a mŵg yn hanner llawn o goffi yn y llaw arall.

'A, Jeff,' meddai Prydderch ar unwaith, fel petai dim wedi digwydd. 'Dwi angen i ti wneud rwbath i mi cyn i ti wneud dim byd arall bore 'ma. Iawn?'

'Gwranda, Arfon, dwyt ti ddim mewn sefyllfa i fod *angen*,' pwysleisiodd y gair, 'i mi wneud dim i ti,' atebodd Jeff wrth frysio heibio iddo. Doedd ei gynllun i roi rhaff iddo ddim yn cynnwys gadael iddo roi gorchmynion. Ddim o bell ffordd.

'Lle ti'n mynd?' gofynnodd Prydderch heb, yn ôl pob golwg, gymryd hid o eiriau na thôn llais Jeff. 'Mae angen i mi fod yn gwybod, ti ddim yn meddwl?'

'Allan i wneud gwaith ditectif,' atebodd Jeff yn swta, 'tra ti'n gofalu am y ffordd mae'r holl wybodaeth dwi a phob ditectif arall yn ei chasglu yn cael ei llwytho i'r system, yn gywir ac yn ôl polisi'r DBA.' Gwenodd iddo'i hun wrth ddiflannu o olwg Prydderch. Roedd hi'n anodd peidio â rhoi un ergyd fach ar draws blaen ei gwch. Doedd dim pwynt gadael i'r dyn feddwl y câi ddechrau taflu ei bwysau o gwmpas y lle, na chadw golwg ar fynd a dod Jeff chwaith. Penderfynodd y byddai'n nodi unrhyw ddarganfyddiad o bwys ar y system ei hun o hyn ymlaen.

Ers iddi ddod wyneb yn wyneb â'r olygfa erchyll yn ystafell wely ei mam, roedd Sharon wedi bod dan ofal teulu o dras Pacistanaidd oedd yn cadw'r archfarchnad yng nghanol y dref, lle'r oedd hi wedi gweithio ers iddi adael yr ysgol. Er nad oedd Jeff yn gwsmer yno, roedd yn eithaf cyfarwydd â'r lle, a'r perchnogion hefyd. Gwyddai'r mwyafrif o drigolion Glan Morfa fod y siop yn gyrchfan i unrhyw un a oedd yn awyddus i glywed sgandalau a straeon yr ardal yn cael eu hadrodd, ond er hynny roedd y teulu wedi gofalu am Sharon yn ofalus a theimladwy, ac wedi rhoi pob cymorth i Eirian Pritchard, y ditectif a oedd yn arbenigo mewn cefnogi unigolion mewn sefyllfaoedd tebyg i un Sharon.

Cafodd Jeff wahoddiad i fynd i fyny i'r fflat uwchben y siop lle'r oedd y teulu'n byw, ac wrth gyrraedd y lolfa, oedd wedi'i haddurno mewn lliwiau cynnes gyda thirluniau trawiadol o gyfandir Asia ar y waliau, daeth wyneb yn wyneb â Sharon Hughes, oedd yn eistedd mewn cwlwm ar y soffa. Y peth cyntaf a'i trawodd oedd yr oerni a'r ofn yn ei llygaid coch, a'r dioddefaint ar ei hwyneb.

'Dyma Ditectif Sarjant Evans,' meddai Eirian wrthi, gan godi ar ei thraed i'w gyflwyno.

'Mae Sharon a finna wedi cyfarfod fwy nag unwaith, Eirian,' eglurodd Jeff, 'er bod hynny beth amser yn ôl.'

Ni chododd Sharon ei phen, ond tynnodd hances bapur allan o focs ar y bwrdd o'i blaen er mwyn sychu'i thrwyn â hi. Wedi iddi wneud hynny, gafaelodd yn ei ffôn symudol, ac ar ôl ffidlan yn ddibwrpas efo fo am rai eiliadau, rhoddodd y teclyn i lawr ar ei glin. Hyd yn oed trwy ei dagrau, gwelodd Jeff fod Sharon wedi tyfu i fod yn ferch dlos, yn debyg iawn i Glenda. Meddyliodd am y ddwy, y fam a'r ferch, wedi eu gwahanu am byth gan un fwled. Gwyddai Jeff pa mor dyner y byddai'n rhaid iddo fod, a diolchodd am brofiad Eirian mewn sefyllfa fel hon.

Eisteddodd Eirian wrth ochr Sharon ar y soffa, a Jeff mewn cadair gyfagos. Arhosodd am funud cyfan cyn dechrau siarad, tra oedd Sharon yn ffidlan yn nerfus efo'r hances bapur wleb a'i ffôn.

'Mae'n wir ddrwg gen i, Sharon,' meddai o'r diwedd. Ni ddywedodd Sharon air, dim ond dal i snwffian a dal i ffidlan heb godi ei phen. 'Dwi'n sylweddoli pa mor anodd ydi hyn i chi, Sharon, ond mae'n rhaid i mi ofyn rhai cwestiynau.' Unwaith eto, ni ddaeth ateb. 'Dim ond trwy holi y gallwn ni ddod o hyd i bwy bynnag ymosododd ar eich mam, ac mae'n rhaid i mi ddechrau'r holi hwnnw efo chi. Oes ganddoch chi unrhyw syniad pwy fysa isio gwneud y fath beth?' Mwy o ddistawrwydd. 'Pwy fysa isio saethu'ch mam?' gofynnodd, gan ddefnyddio'r gair 'saethu' yn hytrach nag 'ymosod' i geisio denu ymateb. Gweithiodd y tric.

'Pam chi?' atebodd Sharon o'r diwedd. 'Mi fedar hon ofyn yr un peth i mi yr un mor hawdd,' ychwanegodd, gan amneidio at Eirian wrth ei hochr.

Dyma'r union ddechreuad oedd Jeff wedi gobeithio ei osgoi. 'Yma i edrych ar eich hôl chi mae Eirian, Sharon. Fi sy'n ymchwilio i lofruddiaeth eich mam. Deudwch wrtha i, plis, pwy fysa isio gwneud peth mor ofnadwy i'ch mam?'

'Neb,' atebodd Sharon, gan ysgwyd ei phen yn araf. 'Fedra i ddim meddwl am neb. Mi oedd hi'n gwneud mor dda efo pawb.'

'Yng ngoleuni llofruddiaeth eich mam, Sharon, fedrwch chi feddwl am rywbeth sydd wedi digwydd yn ystod y dyddiau, yr wythnosau neu'r misoedd dwytha fysa'n ymddangos yn amheus rŵan?'

'Na fedraf. Be dach chi'n feddwl ydw i? Fedra i ddim meddwl am ddim byd, dim ond ei gweld hi'n gorwedd yna, a'r holl waed. Sut fyswn i'n gwbod beth bynnag?

'Pryd welsoch chi'ch mam yn fyw ddwytha, Sharon?' Ceisiodd Jeff ofyn y cwestiwn mor dyner â phosib.'

'Y bore cynt, cyn i mi fynd i 'ngwaith. Pan ddois i adra i newid ar ôl gorffen gweithio, doedd Mam ddim adra.'

'Lle oedd hi?'

'Sgin i'm syniad.'

'Lle oeddach chi'n aros y noson honno felly, y noson y lladdwyd eich mam? Mae'n ddrwg gen i, Sharon, ond mae'n rhaid i mi ofyn.'

'Efo Sioned.'

'Pwy ydi Sioned?'

'O, peidiwch â mynd i'w gweld hi. Plis peidiwch.' Ailddechreuodd ffidlan efo'i ffôn a'r hances bapur eto. 'Does dim rhaid i chi ddod â hi i mewn i hyn i gyd. Fydd 'i mam hi o'i cho'.'

'Mae'n ddrwg gen i, Sharon, ond mi fydd yn rhaid i mi siarad efo hi. Mewn ymchwiliad fel hwn, mae'n rhaid i ni ymweld â phawb sydd ag unrhyw gysylltiad efo chi fel teulu.'

Parhaodd Sharon i ffidlan. 'Sioned Lloyd, ffrind i mi.' Rhoddodd ei chyfeiriad i Jeff.

'Pa mor hir oeddach chi yn ei chwmni hi?'

'Ar ôl gorffen gweithio nos Lun, ar ôl i mi fynd adra i newid, mi es i'n syth i dŷ Sioned. Gyrhaeddis i yno tua saith, am wn i. Fel ro'n i'n deud, doedd Mam ddim adra, ond doedd 'na ddim byd yn anghyffredin am hynny.'

'Lle fuoch chi a Sioned y noson honno?'

'Le'n byd. Aethon ni ddim allan o'r tŷ. Pam dach chi'n gofyn?' Dechreuodd y ferch gynhyrfu. 'Dach chi rioed yn meddwl mai fi laddodd Mam?'

'Na, dim am funud, Sharon, ond mi fydd yn rhaid i ni gadarnhau lleoliad pawb oedd yn adnabod eich mam, dach chi'n gweld. Oes ganddoch chi syniad faint o arian roedd eich mam yn ei ennill, Sharon?'

'Be?' ebychodd. 'Dydi hynna'n ddim o'ch busnes chi,' bloeddiodd Sharon yn annisgwyl, gan daflu'r tamaid hances ar y llawr o'i blaen. 'Mater i Mam oedd hynny.'

Gwyddai Jeff ei fod wedi taro nerf, a gwyddai'r rheswm pam hefyd, ond ni allai osgoi mynd i'r cyfeiriad hwnnw.

'Ond mae'n fater i'r heddlu hefyd erbyn hyn, mae'n ddrwg gen i, Sharon. Dach chi'n gweld, mi oedd swm sylweddol o arian parod yn y tŷ, yn y gist wrth droed ei gwely hi. Mwy nag y byswn i'n disgwyl ei weld yn y tŷ.'

'Wn i ddim am hynny. Mae Mam wedi gorfod ennill arian mewn pob math o ffyrdd ers i Dad gael ei ladd, er mwyn Ifan a fi ... a ddaru Ifan ddim diolch iddi hyd yn oed, dim unwaith. Dim ond gadael y tŷ ddaru o, cyn gynted ag y medra fo, a'n gadael ni'n dwy i edrych ar ôl ein hunain.'

'Sut fysach chi'n disgrifio'r berthynas rhwng eich mam a'ch brawd?'

Nid atebodd Sharon yn uniongyrchol, dim ond gostwng ei phen a'i ysgwyd yn araf o ochr i ochr. 'Doedd Mam ddim yn haeddu hynna,' meddai. 'A chofiwch chi,' cododd ei llais eto, 'waeth be ma'r bobol o gwmpas y lle 'ma'n ddeud amdani, chydig iawn o bres oedd Mam yn ennill, ac mi weithiodd yn galed am bob ceiniog hefyd, a safio dipyn ohono bob hyn a hyn. Mae'n siŵr gen i mai wedi safio faint bynnag o bres ffeindioch chi oedd hi.'

Cododd Jeff ar ei draed i adael. 'Mae gen i ofn y bydd yn rhaid i chi wneud datganiad ar bapur ynglŷn â hyn i gyd. Mi wnaiff Eirian eich helpu chi i wneud hynny yma, yn lle'ch bod chi'n gorfod deud y cwbl wrth rywun arall eto. Dewch efo fi i'r car, os gwelwch chi'n dda, Eirian, i nôl y ffurflenni.'

Y tu allan wrth y car, trodd Jeff at ei gyd-weithwraig. 'Sut ma' hi wedi bod ers i chi'ch dwy gyfarfod?'

'Fel y bysa rhywun yn ddisgwyl, am wn i. Mewn sioc, ond mi oedd dipyn o newid ynddi pan gyrhaeddoch chi.'

'Ym mha ffordd?'

'Dipyn mwy nerfus yr olwg – ar binnau. Pan ofynnoch chi iddi am incwm ei mam, dyna'r tro cynta iddi godi'i llais fel'na.'

'Wel mae'n bosib iawn mai ein cyfarfyddiad ni pan oedd Sharon yn yr ysgol, bedair neu bum mlynedd yn ôl, ydi'r eglurhad am hynny. Mi aeth hi trwy amser caled pan oedd plant eraill yn ei galw hi'n "Sharon Glên", ac mi ymosododd ar rai o'r genod eraill. Dyna sut y gwnes i a Sharon gyfarfod. A dyna pam nad ydi hi'n hoff iawn ohona i, ma' siŵr.'

'Sharon Glên?'

'Ia. "Glenda Glên" oedd llysenw'r fam, yn dilyn ei hanes o buteinio o gwmpas y lle 'ma pan oedd arian yn brin. O dipyn i beth, mi ddaeth "clên" yn llysenw i'r teulu i gyd: "Sharon Glên" oedd hi ac "Ifan Glên" oedd ei brawd. Mi wyddoch chi sut mae pobl yn medru bod yn gas. Sefyllfa ddigon trist, a deud y gwir. Ddaeth dim byd o'r cwynion yn erbyn Sharon, dim cyhuddiadau, ond mae'r pwnc yn dal i fod yn un anodd iddi, yn ôl pob golwg, yn enwedig pan mae rhywun yn holi am incwm ei mam. Mae'n amlwg fod perthynas gref iawn rhwng y ddwy, a Sharon wedi hen arfer cadw cefn Glenda. Ond wn i ddim am Ifan, chwaith. Yn amlwg, doedd y cwlwm ddim mor gryf yn fanno.'

Pennod 8

Wrth gerdded i fyny'r llwybr byr at ddrws ffrynt cartref Sioned Lloyd, gwelodd Jeff y cyrten yn symud yn y ffenest ar yr ochr dde i'r drws, a wyneb merch gweddol ifanc yn diflannu o'r golwg yn gyflym. Cnociodd ar y drws beth bynnag, ond bu'n disgwyl am sawl munud cyn cael ateb. Edrychodd o'i gwmpas. Tŷ teras heb fawr o arwydd gofal, meddyliodd. Ar ôl ail gnoc, un galetach, daeth dynes ganol oed, mam Sioned, tybiodd Jeff, i'r drws. Dangosodd ei gerdyn swyddogol iddi a chyflwyno'i hun.

'O, dowch i mewn, Sarjant bach,' meddai'r ddynes ar unwaith. 'O, peth ofnadwy 'te? 'Dan ni wedi clywed am fam Sharon druan, ac ma' Sharon wedi bod ar y ffôn efo Sioned, ac wrth gwrs ma' hithau wedi cyffroi'n lân hefyd gan eu bod nhw mor agos. Pwy 'sa'n meddwl 'te? Wn i ddim wir. Be sy'n dŵad o'r hen fyd 'ma, deudwch?'

'Ia wir, Mrs Lloyd, ond mae'n rhaid i mi gael sgwrs fach efo Sioned er mwyn cadarnhau un neu ddau o bethau. Dwi'n siŵr eich bod chi'n dallt.'

'O, dwi'n dallt yn iawn,' atebodd Mrs Lloyd. 'Gan 'u bod nhw'n ffrindia mor dda a bod Sharon yma mor aml, ma' siŵr, 'te. A'i bod hi yma'r noson honno hefyd, wrth gwrs.'

Neidiodd Jeff ar y cyfle. 'Wrth gwrs, ia. Allwch chi ddeud wrtha i faint o'r gloch gyrhaeddodd Sharon yma nos Lun?'

Meddyliodd Mrs Lloyd am eiliad neu ddwy. 'Chydig o

funudau cyn saith. Mi wn i hynny achos fi agorodd y drws iddi, jyst cyn i *Heno* ar y teli Cymraeg ddechra.'

'A pryd aeth hi o 'ma, Mrs Lloyd?'

'Rhwng wyth a chwarter wedi, ffor'no, y bore wedyn.'

'Fuo hi neu Sioned, neu'r ddwy, allan yn ystod y cyfnod hwnnw? Rhwng saith gyda'r nos ac wyth y bore dwi'n feddwl.'

'Dim i mi fod yn gwybod, Sarjant. Ond mi es i allan am ryw awr rhwng naw a deg am ddrinc bach efo ffrind i mi o'r drws nesa, felly fedra i ddim bod yn siŵr. I fyny grisiau, yn llofft Sioned, oeddan nhw drwy'r amser. Pan es i allan, a phan ddois i adra. Dyna lle byddan nhw bob tro fydd Sharon yma, yn y llofft yn sbïo ar ffilmia neu chwarae ar y compiwtars 'ma, fel mae genod ifanc.'

'Well i mi gael gair efo Sioned felly, os gwelwch yn dda,' gofynnodd Jeff.

'Cewch siŵr,' atebodd Mrs Lloyd. 'Sioned!' gwaeddodd o waelod y grisiau. 'Ddaeth dim ateb. 'Sioned!' gwaeddodd eto. 'Mae 'na dditectif yma isio gair efo chdi. Ty'd i lawr, mae o'n bwysig.' Trodd at Jeff. 'Wn i ddim, wir. Be goblyn sy matar efo hi, 'dwch?'

Martsiodd Mrs Lloyd i fyny'r grisiau ac agor drws ystafell wely ar y llawr cyntaf. Yna, clywodd Jeff ei llais, wedi'i godi fymryn.

'Pam ddim? Paid â bod mor wirion. Wel, os na wnei di ddod i lawr, mi fydd raid i mi ei alw fo i fyny 'ma. Wel, mechan i, mi gawn ni weld am hynny.' Trodd y ddynes at y grisiau. 'Sarjant Evans, dewch i fyny 'ma,' galwodd.

Doedd Jeff ddim yn un i wrthod unrhyw wahoddiad, ond pam, tybed, fod y ferch ifanc yn amharod i siarad efo fo? Brasgamodd i fyny'r grisiau, dau ris ar y tro, cyn i neb newid eu meddyliau. Daeth arogl dipyn yn ddiflas i'w ffroenau wrth iddo gerdded i mewn i lofft Sioned, ac ysai, unwaith yn rhagor, am gael agor ffenest. Er ei bod yn olau dydd, roedd y cyrtens brown tywyll wedi'u cau, a deuai'r unig olau o un bwlb gwan, noeth yng nghanol y nenfwd. Agorodd Mrs Lloyd y cyrtens a gwelodd Jeff fwy o'r ystafell flêr: roedd dillad wedi'u taflu ar bob arwyneb a nifer fawr o luniau artistig o ferched mewn arddull Pync ar y muriau. Ar fwrdd yn erbyn un wal eisteddai gliniadur yng nghanol llu o gynwysyddion colur oedd wedi'u gadael yno'n blith draphlith. Eisteddai Sioned ar yr unig wely yn yr ystafell, gwely dwbl nad oedd wedi cael ei wneud y diwrnod hwnnw – yn wir, dyfalodd Jeff, roedd golwg arno fel petai heb gael ei dwtio ers dyddiau lawer.

Roedd Sioned yn ferch drom, yn ei hugeiniau hwyr, tybiodd Jeff, yn gwisgo jîns a chrys T du heb lewys oedd yn datgelu'r myrdd tatŵs ar ei breichiau brasterog. Roedd ei gwallt du yn gwta, ac wedi'i gribo'n agos i'w phen. Hon oedd y ferch y gwelodd Jeff ei hwyneb yn y ffenest funudau ynghynt. Doedd dim tebygrwydd gweledol rhyngddi a Sharon, ei ffrind gorau, meddyliodd Jeff.

'Pam dach chi'n dod â'r dyn 'ma i fama?' bloeddiodd Sioned ar ei mam.

'Wel, arnat ti mae'r bai,' atebodd Mrs Lloyd. 'Mi gest ti ddigon o gyfle i ddod i lawr y grisiau. A dwi wedi blino deud wrthat ti am dwtio'r lle 'ma. Drycha ar y golwg! Sgin ti ddim cywilydd, dŵad? Rŵan, mae gan Ditectif Sarjant Evans gwestiynau pwysig i'w gofyn i ti, er mwyn ffeindio pwy laddodd Glenda druan, a'r peth lleia fedri di neud ydi ei ateb o'n gwrtais.' Trodd i fynd allan trwy'r drws. 'Gymerwch chi banad, Sarjant bach?' gofynnodd wrth ei basio. 'Ma'n ddrwg gen i am hyn i gyd.'

Brysiodd Jeff i ymateb. 'Na, dim diolch, Mrs Lloyd. Ac mi hoffwn i petaech chi'n fodlon aros yma tra dwi'n sgwrsio efo Sioned, os gwelwch chi'n dda.'

'Iawn,' atebodd Mrs Lloyd, gan eistedd ar y gwely wrth ochr ei merch.

Gafaelodd Jeff yn un o'r ddwy gadair oddi tan y bwrdd a'i throi cyn eistedd arni er mwyn medru wynebu Sioned a'i mam. Dechreuodd wrth ofyn y cwestiwn amlycaf.

'Yr unig reswm dwi yma, Sharon, ydi i wneud fy ngorau i ddarganfod pwy laddodd Glenda Hughes. Pam ydach chi yn fy ngwrthwynebu i gymaint?'

'Sut dach chi'n disgwyl i mi fod yn gwybod pwy laddodd hi? Yma, yn fama, o'n i ar y pryd.'

Er i Jeff sylwi fod Sioned wedi anwybyddu elfen bwysicaf ei gwestiwn, penderfynodd beidio â'i ailofyn.

'Felly dwi'n deall, ar ôl cael sgwrs efo'ch mam. Fuoch chi allan o'r tŷ yn ystod y cyfnod roedd Sharon yn eich cwmni chi yma?'

'Naddo.'

'Dim hyd yn oed allan o'r ystafell 'ma?' ychwanegodd Mrs Lloyd.

'Do, siŵr,' meddai Sioned. 'Ond dim ond i fynd i'r lle chwech ac i neud panad.'

'Ac mi oeddach chi efo'ch gilydd trwy'r nos?'

'Oeddan.'

'Efo'ch gilydd.'

'Be sy'n rong efo hynny?'

'Dim,' atebodd Jeff. 'Dim ond isio cadarnhau ydw i. Be fuoch chi'n wneud yn ystod yr amser hwnnw?'

'Siarad, gwrando ar fiwsig ac edrych ar ffilmiau ar y we a ballu.'

'Tan pryd?'

'Un, dau yn y bore. Rwbath felly.'

'Pa mor aml fydd Sharon yn dod yma?'

'Reit aml.'

'Dros nos?'

'Ia, bob tro roedd y boi 'na yn aros dros nos efo'i mam, a weithia yn amlach na hynny. Doedd Sharon ddim yn licio pan oedd o'n cysgu draw, a hitha adra yn yr un tŷ, dan yr un to.'

'Pa foi?' gofynnodd Jeff, gan ystyried pam nad oedd Sharon wedi sôn amdano.

'Dwi'n meddwl mai Des ydi'i enw fo. Mae 'na ryw berthynas fel dwi'n dallt. Ffrind i ffrind neu rwbath felly, ond dyna'r cwbl dwi'n wybod.'

'Ac ers faint mae'r berthynas wedi bod yn mynd ymlaen?'

'Maen nhw'n nabod ei gilydd ers talwm ond wn i ddim ers pryd roeddan nhw'n caru. Sharon fedar ddeud hynny wrthach chi.'

Cododd Jeff ar ei draed i adael. 'Wel, doedd hynna ddim yn rhy boenus, nag oedd, Sioned? Dyna'r cwbwl dwi angen ei ofyn i chi ar hyn o bryd, ond os fydd gen i fwy o gwestiynau, dwi'n gwybod lle i gael gafael arnoch chi. Gyda llaw, lle fyddwch chi yn ystod oriau gwaith?'

'Dwi allan o waith ar hyn o bryd,' atebodd Sioned.

O ystyried cyflwr yr ystafell, a'i hymddangosiad hithau, nid oedd Jeff wedi'i synnu.

Wrth adael, ceisiodd ddyfalu pam nad oedd Sharon wedi sôn am Des, cariad ei mam. Penderfynodd fynd yn syth yn ôl i'r fflat uwchben yr archfarchnad am sgwrs arall â hi.

Erbyn iddo gyrraedd roedd Eirian ar ganol cofnodi datganiad Sharon.

'Ddrwg gen i dorri ar eich traws chi,' meddai Jeff, 'ond dwi newydd fod yn gweld Sioned a'i mam, ac mae'n amlwg, Sharon, na wnaethoch chi ddeud y cwbl wrtha i gynna.' Dewisodd beidio â datgelu mwy am y tro.

Edrychodd Sharon arno'n fud wrth geisio penderfynu yn union beth oedd gan y ditectif ar ei feddwl. Wrth ddod i'r casgliad cywir ceisiodd guddio'r teimlad o gyfog a ddaeth drosti.

'Pwy ydi'r dyn sydd wedi bod yn aros efo'ch mam?' gofynnodd Jeff, i dorri ar y distawrwydd.

Parhaodd Sharon yn fud, ond gwelodd Jeff yn ei llygaid ei bod yn ceisio penderfynu ar y ffordd orau i ateb. Oedd ei hwyneb yn cochi? Allai o ddim dweud yn bendant. Yn sydyn, dechreuodd Sharon grynu, fel ffwrnais ar fin berwi drosodd.

Yn annisgwyl, bloeddiodd ei hateb. 'Dyna chi eto. Dach chi'n troi bob peth yn ôl i gyfeiriad y dynion roedd Mam yn 'u gweld. Sgynnoch chi ddim byd gwell i neud na holi am ffrindia Mam? Dwi 'di syrffedu gwrando ar bawb o gwmpas y lle 'ma'n gwneud dim byd ond siarad tu ôl i'w chefn hi, a 'nghefn inna hefyd. Dynion, dynion, dynion. Nhw sy ar fai am hyn i gyd, am bob peth, yn dechrau efo Dad yn marw ac wedyn hithau'n ... wel, mi oedd yn rhaid iddi ennill pres o rwla, doedd? A rŵan, dach chi'n dechrau sôn am ddynion eraill eto!'

Roedd rhaid i Jeff gyfaddef ei fod yn teimlo drosti, er nad oedd yn deall ei hymateb tanllyd. 'Gwrandwch, Sharon,' meddai. 'Dydw i ddim yma i farnu'ch mam. Fyswn i byth yn gwneud y fath beth, ond mae'n rhaid i mi wybod y ffeithiau i gyd. Cael gafael ar bwy bynnag laddodd eich mam ydi'r peth pwysicaf ar fy meddwl i ar hyn o bryd, a fedra i ddim gwneud hynny heb yr holl ffeithiau. Pwy ydi Des?'

Ochneidiodd Sharon yn uchel. 'Brawd Debbie, cariad Ifan.'

'Wel, pam na ddeudoch chi ynghynt, os ydi'r peth mor syml?'

Nid atebodd Sharon.

'Ers faint oedden nhw'n adnabod ei gilydd?'

'Wsnosau. Misoedd, ella.'

'Ac yn cysgu efo'i gilydd?' Doedd 'run ffordd arall o ofyn y cwestiwn.

Ochneidiodd Sharon eto, ac oedodd cyn ateb. 'Wsnosau, ond dim ond pan oedd o i lawr 'ma. Fu hi erioed i ffwrdd efo fo. A pham ddim, beth bynnag? Dwi'n meddwl mai Des oedd y dyn cynta i Mam ei licio'n iawn ers i Dad farw.'

'Pam felly eich bod chi'n gwrthwynebu'r berthynas, a mynd i gysgu yn nhŷ Sioned pan oedd Des yn aros dros nos acw?'

'Am fod pobl yn siarad, a do'n i ddim isio bod yn rhan o hynny. 'Mod i yn yr un tŷ pan oedd o'n cysgu acw. Mae 'na ddigon o hynny wedi bod yn digwydd ers i mi fod yn cofio. Blydi dynion!'

'Oes 'na rwbath arall y dylwn i fod yn gwybod amdano, Sharon?' gofynnodd. 'Rwbath o gwbl. Rŵan 'di'r amser i ddeud.'

Dechreuodd Sharon chwarae efo'i ffôn, yn ôl ei harferiad. 'Na, dim byd,' meddai.

Ifan Hughes oedd y nesaf ar ei restr, ystyriodd Jeff, ond câi damaid o ginio'n gyntaf. Wrth yrru'n ôl i gyfeiriad gorsaf yr heddlu, cafodd gip ar Arfon Prydderch yn cerdded tua'r harbwr. Ble roedd o'n mynd, tybed? Llwyddodd y diafol yn Jeff i yrru rownd y bloc yn ddigon cyflym i weld ei gyd-weithiwr newydd yn mynd i mewn drwy ddrws ffrynt tafarn y Rhwydwr.

Pennod 9

'Dwi'n cymryd mai Debbie ydach chi?' meddai Jeff wrth y ferch ifanc a agorodd ddrws y bwthyn bach taclus ar gyrion y dref. Roedd hi'n dal a main, yn athletaidd yr olwg ac yn ei hugeiniau cynnar, a syrthiai ei gwallt gwinau dros ei hysgwyddau gan hanner cuddio'i hwyneb tlws. Roedd y dillad a wisgai yn amlwg yn rhan o iwnifform staff Hafan Deg, y parc gwyliau mawr ychydig filltiroedd y tu allan i Lan Morfa.

'Ia,' atebodd yn Saesneg mewn acen a ddeilliai o ogledd Lloegr. 'Pwy ydach chi?'

Cyflwynodd Jeff ei hun. 'Ydi Ifan gartref os gwelwch yn dda?' gofynnodd.

Trodd Debbie ei chefn ar Jeff. 'Ifan. Heddlu ... ditectif arall. Ditectif Sarjant Evans y tro yma.'

Ymhen eiliad neu ddwy ymddangosodd Ifan Hughes yn y drws y tu ôl iddi. Roedd o'n dalach na'i gariad, dipyn go lew dros chwe throedfedd yn sicr, ac er ei fod yn fain, awgrymai ei gorff cyhyrog ei fod yn ŵr ifanc abl iawn. Roedd ei wallt du yn hir ac yn gyrliog a'i groen wedi'i liwio'n dywyll gan yr haul, ond roedd y straen ar ei wyneb yn amlwg yn ogystal â'r penbleth o gael ditectif arall ar drothwy ei ddrws ychydig funudau ar ôl i'r ddau gyntaf ymadael.

'Dwi wedi cael fy holi yn barod, drwy'r bore 'ma, gan ddau o'ch dynion chi, ac wedi gwneud datganiad,' meddai.

'Dwi'n sylweddoli hynny, ond hoffwn gael gair efo chi eto, os gwelwch chi'n dda ... efo chi'ch dau, os ydi hynny'n iawn.' Dechreuodd Jeff esbonio. 'Gan fy mod i'n dditectif lleol, fy ngwaith i ydi llenwi'r bylchau, a gwneud yn siŵr nad ydan ni'n methu 'run darn o wybodaeth. Er nad ydan ni erioed wedi cyfarfod, dwi'n gyfarwydd â'ch teulu chi, Ifan, ac wedi'ch gweld chi ar y cae rygbi droeon yn chwarae i dîm y dref.' Gwenodd arno. 'Mae'n ddrwg iawn gen i am eich colled chi, Ifan. Mi wna i bopeth o fewn fy ngallu i ddarganfod pwy sy'n gyfrifol am lofruddio'ch mam.'

'Well i chi ddod i mewn felly, Sarjant Evans. Maddeuwch i mi. Dwi'n cael hyn i gyd yn anodd iawn, am nifer o resymau, mae'n ddrwg gen i ddeud. Doeddwn i ddim ar delerau da iawn efo Mam na Sharon, a rŵan ... wel, wn i ddim be fedra i wneud na lle i droi, a deud y gwir wrthach chi. Ma' hi'n rhy hwyr, tydi?'

'Be am i ni gael sgwrs fach anffurfiol dros baned o de, Ifan? A gawn ni weld lle awn ni o'r fan honno.'

'Dewch i mewn,' meddai, ac oedi am ennyd. 'Jeff Evans ydach chi? Dwi'n gwybod dipyn o'ch hanes chi.'

'Dim ond y petha da, dwi'n gobeithio,' ceisiodd Jeff ysgafnhau'r sefyllfa anodd.

Ymhen rhai munudau, roedd y tri yn eistedd mewn lolfa gyfforddus yn yfed te.

'Lle braf gynnoch chi yn fama,' meddai Jeff, gyda'r bwriad o wneud y cyfweliad yn un mor anffurfiol â phosib. 'Ers faint dach chi'ch dau yn byw yma?'

'Dwi yma ers bron i ddwy flynedd, ac mae Debbie efo fi ers naw mis o leia.'

'Gweithio fel plymar ydach chi, dwi'n dallt?'

'Ia, mi wnes i fy mhrentisiaeth yn syth o'r ysgol yn un ar bymtheg. Gweithio i mi fy hun ydi fy uchelgais – dwi wedi dechra gwneud hynny'n barod yn ystod y gyda'r nosau ac ambell ddiwrnod dros y penwythnos, er nad ydi fy nghyflogwr i'n hapus iawn am hynny.'

'A chitha, Debbie?' gofynnodd Jeff. 'Yn Hafan Deg, ia?'

'Ia,' atebodd. 'Yn y fan honno ddaru ni gyfarfod, tra oedd Ifan yn gwneud joban yno.'

'Rhaid i mi ofyn ambell gwestiwn personol, Ifan. Ydi hi'n iawn i mi wneud hynny ym mhresenoldeb Debbie?'

'Does ganddon ni ddim cyfrinachau,' atebodd Ifan. Gwenodd Debbie arno dipyn yn swil.

'Pryd wnaethoch chi adael eich cartref? Cartref eich mam dwi'n feddwl.'

'Y cyfle cynta ges i,' meddai. 'Waeth i mi ddeud wrthach chi ddim – dach chi'n siŵr o ddod i wybod cyn bo hir beth bynnag. Dwi rioed wedi dod ymlaen yn dda iawn efo Mam, dim ar ôl be wnaeth hi i Dad.'

'Be dach chi'n feddwl, Ifan?' Tybiodd Jeff ei fod yn gwybod yr ateb, ond gwell oedd ganddo glywed Ifan yn dweud yr hanes ei hun.

'Tri deg pedwar oedd fy nhad yn marw, a thair ar ddeg oeddwn i ar y pryd. Ro'n i yn ei addoli fo, Sarjant Evans. Gwneud popeth efo'n gilydd: pysgota, nofio, hela, chwarae pêl-droed a rygbi. Mi o'n i wrth fy modd yn ei wylio fo'n chwarae rygbi i dîm Glan Morfa bob dydd Sadwrn. Fo oedd y canolwr gorau i'r tîm ei gael erioed.'

'A chithau'n aelod o'r un tîm heddiw,' meddai Jeff.

'Ac yn ganolwr hefyd.' Ochneidiodd Ifan, a daeth awgrym o ddeigryn i'w lygaid. 'Ylwch, mi wn i pa mor anodd oedd petha i Mam ar y pryd, Sarjant, yn trio'i gorau drosta i a fy chwaer, ond doedd dim rhaid iddi ddechra mynd i hwrio, nag oedd? Mi wyddoch chi am y llysenw gafodd hi, ma' siŵr? Ma' pawb yn gwybod, ac mae Sharon a finna wedi cael ein baeddu efo'r un enw budr. Choeliwch chi ddim pa mor anodd oedd hi i fynd drwy'r ysgol yn cario enw fel'na. Ond yn waeth na hynny, yn llawer gwaeth, mi wnaeth hi fradychu enw da Dad drwy fyw fel y gwnaeth hi. Mi fysa fo yn troi yn ei fedd petai'n gwybod. Ma' gas gen i be wnaeth hi, a dyna pam y gadewais y tŷ cyn gynted ag y medrwn i. Ond do'n i ddim yn ei chasáu hi ddigon i'w lladd hi, Sarjant Evans. Fy mam i oedd hi wedi'r cwbl. Mi ofynnodd y ditectifs a ddaeth yma gynna ble o'n i'r noson honno, ac mi ddeudis i wrthyn nhw 'mod i yma efo Debbie trwy'r nos. A dyna'r gwir i chi.'

'Ydi, mae hynny yn berffaith wir,' meddai Debbie wrth ei ochr. 'Pan ddois i adra o fy ngwaith tuag wyth o'r gloch, roedd Ifan yma'n barod ac wedi paratoi pryd o fwyd i ni. Yma oedden ni'n dau nes i ni adael y tŷ i fynd i weithio am wyth y bore wedyn ... a chael gwybod am Glenda yn ystod y bore.'

'Pryd welsoch chi'ch mam ddwytha, Ifan?' gofynnodd Jeff.

'Heb fedru bod yn fwy manwl, tua chwe wythnos yn ôl. Digwydd taro arni wnes i, yng nghanol y dre. Mi siaradon ni am chydig funudau, dyna'r cwbwl.'

'Un o ble ydach chi'n wreiddiol, Debbie, os ga' i ofyn, a be ydi'ch cyfenw chi?' meddai Jeff, gan droi at y ferch.

'Deborah Jane Slater ydi f'enw llawn i,' atebodd, 'ac o Fanceinion dwi'n dod yn wreiddiol, ond does gen i ddim llawer i'w ddeud wrth y ffordd o fyw mewn dinasoedd mawr. Well gen i anghofio am fy mywyd i yn fanno. Mi benderfynais symud yma, ac mi ges i waith yn Hafan Deg ddwy flynedd yn ôl.'

'Dwi'n deall fod Des, eich brawd chi, yn ymwelydd reit gyson â'r ardal hefyd.'

Edrychodd y ddau ar ei gilydd am eiliad hir. 'Ydi,' atebodd Debbie heb ymhelaethu.

'A'i fod yn ffrindiau efo Glenda.'

'Cywir,' atebodd y ddau'r un pryd.

'Sut ddaru nhw gyfarfod?' gofynnodd Jeff.

'Trwydda i,' atebodd Debbie. 'Ro'n i ar delerau gwell efo Glenda nag yr oedd Ifan. Nid 'mod i'n ei gweld hi'n aml iawn, ond mi allwn weld yr ochr arall i'w chymeriad hi, a deall ei sefyllfa hi. Yn well nag Ifan, ella.' Edrychodd i gyfeiriad ei chymar.

'Wel, doedd dim rhaid i ti fynd trwy'r ysgol yn cael dy alw yn "Ifan Glên" nag oedd?' meddai Ifan ar unwaith. Nid taeru oedd o, na cheisio anghytuno heb reswm.

'Nag oedd siŵr, cariad,' meddai Debbie, gan afael yn ei law. 'Ond dwi'n dallt dy sefyllfa ditha hefyd, cofia.'

'Sut yn union a phryd ddaru nhw gyfarfod?' gofynnodd Jeff.

'Tua chwe mis yn ôl oedd hi. Mi es i a Des i mewn i gaffi'r Tebot Bach am banad a gweld Glenda yno ar ei phen ei hun. Eisteddon ni i lawr efo hi, a dyna sut ddechreuodd y berthynas. Fyswn i'n deud bod y ddau wedi cymryd at ei gilydd ar unwaith.'

'Sut berthynas oedd gan Des a Glenda?' gofynnodd Jeff i'r ddau.

Debbie atebodd. 'Mi oedd y ddau yn hoff iawn o'i gilydd ac mi fyddai Des yn aros dros nos efo hi pan oedd o'n dod i lawr 'ma o Fanceinion.'

'Oedd hynny'n digwydd yn aml?'

'Oedd. Dwi'n credu y byddai'r berthynas wedi datblygu llawer mwy petai'r cyfle wedi codi.'

'A be oeddach chi'n feddwl o'r peth, Ifan?'

'Rhyngddyn nhw a'u petha.' Edrychai'n debyg fod y cwestiwn wedi treiddio'r cwmwl atgofion am gysylltiad ei fam â'r llu o ddynion eraill. Yn union fel ei chwaer. Penderfynodd Jeff beidio â holi mwy i'r cyfeiriad hwnnw.

'Pryd oedd Des i lawr ddwytha?' Anelodd Jeff ei gwestiwn at Debbie.

'Tua deg diwrnod yn ôl,' atebodd hithau.

'Ac mi fu'n aros efo Glenda.'

'Do.'

'Be ydi gwaith Des?'

'Rhyw fath o ddyn busnes ydi o. Peidiwch â gofyn i mi be yn union. Prynu a gwerthu. Mae o'n cadw petha fel'na iddo fo ei hun.'

'Oes ganddoch chi gyfeiriad iddo fo? Mi fydd yn rhaid i ni siarad efo fo, wrth gwrs.'

'Na, mae'n ddrwg gen i. Does gen i ddim. Fydda i ddim yn cysylltu efo fy nheulu, ddim ar y ffôn nag mewn unrhyw ffordd arall chwaith. Fo, Des, fydd yn troi i fyny 'ma pan mae'r awydd yn dod drosto fo.'

'Be am ei ddyddiad geni?'

Rhoddodd Debbie y manylion iddo ac ysgrifennodd Jeff y dyddiad ar ddarn o bapur yn ogystal â'i enw llawn, Desmond Slater.

Ar y ffordd yn ôl i'r swyddfa ceisiodd Jeff ystyried y cyfweliad. Ar yr wyneb, ymddangosai'r ddau yn gwpwl hapus a gonest, ond beth oedd Ifan yn ei deimlo go iawn am ei fam? Roedd yr hen deimlad hwnnw yn ei fol wedi ei ddeffro, ac allai o ddim peidio ag ystyried a oedd Ifan yn casáu Glenda ddigon i'w lladd hi – neu ddigon i dalu i rywun arall wneud hynny ar ei ran? Wedi'r cyfan, llofruddiaeth broffesiynol oedd hon yn ôl pob golwg. A ble yn union oedd Des Slater yn ffitio i mewn i'r darlun mawr? Mynd a dod fel y mynno, a'i draed yn solet o dan y bwrdd yn rhif 23 Maes y Don – heb sôn am y llofft – a'i chwaer fach heb syniad lle'r oedd o'n byw, na sut i gysylltu â fo. Roedd hynny'n beth rhyfedd, meddyliodd. Oedd hi'n dweud y gwir, tybed? A beth oedd arwyddocâd yr edrychiad a fu rhwng y ddau pan grybwyllodd Jeff y brawd am y tro cyntaf?

Pennod 10

Yn ddiweddarach y prynhawn hwnnw cafodd Jeff gyfle i adrodd canlyniadau ei ymholiadau i Lowri Davies, yn union yn ôl ei addewid, neu, yn hytrach, y gorchymyn a gafodd ganddi hi. Dyna oedd ar ei feddwl, beth bynnag, pan gerddodd i mewn i'w hystafell a gwên ar ei wyneb. Nid eisteddodd i lawr ac ni chaeodd y drws tu ôl iddo chwaith, gan nad oedd o'n bwriadu bod yno'n hir. Wrthi'n paratoi ar gyfer y gynhadledd oedd Lowri.

'A'ch cam nesaf chi, Jeff?' meddai, ar ôl iddo orffen ei adroddiad.

'Wel, mi fydd yn rhaid darganfod pwy yn union ydi'r Des 'ma, a'i ddileu o'r ymchwiliad os yn bosib.'

'Yn sicr,' cytunodd Lowri, 'ond wnewch chi lwytho unrhyw wybodaeth ychwanegol ar y system gynta, os gwelwch yn dda, er mwyn iddo fod ar gael i bawb cyn gynted â phosib. 'Chymerith o ddim mwy na hanner awr dda i chi, efo'r ddau fys canol 'na'n teipio fel fflamia.' Ei thro hi oedd gwenu bellach.

'Siort orau,' meddai. 'Mi ddechreua i rŵan a gorffen ar ôl y gynhadledd.'

Wrth iddo droi i adael yr ystafell, gwelodd Arfon Prydderch yn y drws.

'Isio'ch gweld chi am eiliad, DBA,' meddai wrth Lowri.

Pasiodd Jeff o yn y drws heb ddweud gair.

Yn ôl yn ei swyddfa ei hun, dechreuodd Jeff nodi'r

wybodaeth a ddarganfu yn ystod y dydd ar ei gyfrifiadur, ond cyn iddo gael cyfle i fwrw iddi o ddifrif sylweddolodd ei bod hi'n amser am y gynhadledd ddiwedd dydd. Gadawodd ei ddesg a dewis cadair yng nghefn yr ystafell fel arfer.

Pan gerddodd Lowri i mewn i ddechrau'r cyfarfod doedd dim golwg o Arfon Prydderch wrth ei chwt. Cychwynnodd y DBA drwy ddatgan fod yr ymholiadau o ddrws i ddrws ar hyd y stad tai cyngor, yn cynnwys y pedair stryd, fwy neu lai, wedi'u cwblhau. Doedd neb, hyd yn hyn, wedi clywed na gweld dim byd amheus y noson y lladdwyd Glenda Hughes. Cododd un o'r ditectifs ei law ac amneidiodd Lowri Davies arno i siarad.

'Yr unig wybodaeth o bwys ddysgon ni heddiw oedd bod dau ddyn wedi'u gweld yn eistedd mewn car du ar Lôn y Traeth tua phythefnos yn ôl. All y ddynes a'i gwelodd nhw ddim rhoi llawer mwy o wybodaeth, yn anffodus, na chofio'n sicr pa ddiwrnod oedd hi.'

'Be'n union oedd yn gwneud y dynion yn amheus, yn ôl y tyst?' gofynnodd y DBA. 'Ac oes rhywfaint mwy o wybodaeth?'

'Dim llawer, mae gen i ofn,' atebodd y cwnstabl. 'Mae hi'n meddwl mai Audi bychan neu VW Golf oedd y car, ac mi oedd o wedi'i barcio fel y gallai pwy bynnag oedd yn eistedd ynddo weld ar hyd stryd Maes y Don. Roedd gan un dyn sbienddrych. Yn anffodus, all y ddynes ddim rhoi disgrifiad o 'run o'r ddau, dim ond eu bod nhw yn agos i ganol oed ac wedi'u gwisgo mewn dillad tywyll. Mi welodd y tyst yr un car yno ugain munud yn ddiweddarach, a dim ond y gyrrwr oedd ynddo fo erbyn hynny.'

'Efallai mai edrych ar adar oedden nhw,' awgrymodd llais arall o'r llawr a swniai fymryn yn gellweirus.

'Efallai wir,' meddai Lowri, 'ac mi ddigwyddodd hyn bythefnos yn ôl, dach chi'n deud – dipyn go lew cyn y llofruddiaeth, mae'n rhaid deud.'

'Mi oedd o yna am o leiaf ugain munud, yn ôl y tyst, ond dyna'r cwbwl. Mi welodd hi o pan oedd hi'n mynd â'i chi am dro, ac yna wrth iddi basio ar ei ffordd adref,' meddai'r cwnstabl cyntaf. 'Ond does dim modd deud pa mor hir y bu'r car yno cyn ac ar ôl yr ugain munud hwnnw. Ydi, mae'r ardal yn boblogaidd efo pobl sydd â diddordeb mewn adar, ond mi ddylen ni nodi bod yr amser a dreuliwyd yno yn ddigon hir i gael golwg fanwl ar hyd Maes y Don heb deithio i'r stryd. A ble oedd yr ail ddyn pan adawyd y gyrrwr ar ei ben ei hun yn y car, tybed?'

'Pwy a ŵyr. Diolch i chi,' meddai Lowri. 'Gwnewch yn siŵr fod yr wybodaeth a datganiad y tyst ar y system, os gwelwch yn dda. Reit – oes unrhyw ddatblygiadau ynglŷn â chwilio am y fwled?' gofynnodd.

Safodd sarjant mewn iwnifform ar ei draed, pennaeth y tîm archwilio. 'Mae 'na dîm o ugain o archwilwyr wedi bod ar eu pengliniau mewn rhes yn chwilio'n fanwl ar hyd y dydd, gan ddefnyddio datgelydd metel hefyd. Dim lwc hyd yn hyn, mae gen i ofn, ond mi fyddan nhw wrthi nes iddi nosi heno, a fory os bydd raid. Os oes rwbath yno, mi fyddan nhw'n siŵr o'i gael o.'

Ar hynny, cerddodd Ditectif Sarjant Prydderch i mewn i'r ystafell yn bwysig, gan eistedd wrth ochr Lowri a sibrwd yn ei chlust. Yna, gyda chaniatâd Lowri, codod ar ei draed.

'Mae gen i wybodaeth newydd sy'n bwysig i'r ymchwiliad,' meddai. 'Mae gan Deborah Jane Slater, cariad Ifan Hughes, mab yr ymadawedig, frawd o'r enw Desmond Slater o Fanceinion, "Des" fel y mae o'n cael ei alw, sydd wedi bod yn agos iawn i Glenda Hughes yn ystod y misoedd diwethaf. Dwi wedi bod yn gwneud ymholiadau ynglŷn â fo.'

Disgynnodd ceg Jeff yn agored yng nghefn yr ystafell, a rhedodd ton o ddicter trwy ei gorff. Edrychodd i gyfeiriad Lowri, a oedd yn edrych yn ôl i'w gyfeiriad yntau, a gwelodd yr un syndod ar ei hwyneb hithau. Ond roedd hi'n rhy hwyr i atal Prydderch gan ei fod wedi dechrau ar ei lith, ac o flaen pawb. Yn amlwg, doedd o ddim yn ystyried pa mor haerllug oedd ei ymddygiad. Roedd ei weithredoedd dan din, y tu ôl i'w cefnau, yn dechrau dod yn dân ar groen Jeff a Lowri.

'Dwi wedi bod yn gwneud ymholiadau ynglŷn â Desmond Slater,' parhaodd Prydderch. 'Mae o'n rhan o is-fyd Manceinion, ac yn perthyn i deulu treisgar ofnadwy. Un o'r gangiau gwaethaf a pheryclaf ym Manceinion. Cyffuriau, mynnu arian a llofruddio ydi'u petha nhw.' Edrychai'n fawreddog wrth weld bod pawb o'i flaen yn gwerthfawrogi'r wybodaeth newydd. Pawb ond Lowri a Jeff.

Roedd hi'n anodd iawn i Jeff atal yr ysfa i neidio ar y llwyfan a tharo Prydderch yn galed yn ei wyneb. Unwaith yn rhagor roedd o wedi cyflwyno'r wybodaeth mewn ffordd a awgrymai mai ei waith o ei hun ydoedd. Tybiodd Jeff fod Prydderch wedi clywed ei sgwrs efo Lowri pan oedd o yn ei swyddfa yn gynharach, pan oedd Prydderch ei hun y tu allan i'r drws yn clustfeinio. Yna, pan adawodd Jeff ei swyddfa i ddod i'r gynhadledd, roedd Prydderch wedi chwilio'i ddesg a chael gafael ar fanylion Des Slater, a hynny'n cynnwys ei ddyddiad geni, a'u defnyddio i wneud yr ymholiad ffôn ei hun ... a chymryd y clod o flaen pawb.

Ceisiodd Lowri, yr unig berson arall a wyddai'r amgylchiadau, leihau effaith y datganiad.

'Wel, mi fydd yn rhaid i ni wneud llawer iawn mwy o ymholiadau cyn troi ffocws yr holl ymchwiliad i'r cyfeiriad hwnnw, Ditectif Sarjant Prydderch. Mi wna i benderfyniad ynglŷn â sut i ddelio â'r wybodaeth maes o law.'

Ymhen deng munud roedd Jeff yn ôl yn ei swyddfa, yn dal i gorddi, yn enwedig pan welodd fod ei bapurau a'i nodiadau wedi cael eu hailosod ar ei ddesg. Pan gerddodd Arfon Prydderch i mewn doedd o ddim yn disgwyl y derbyniad a gafodd. Rhuthrodd Jeff amdano a'i wthio yn erbyn y ddesg yn y gornel, gan afael yng ngwddf Prydderch â'i law chwith. Cododd ei ddwrn dde yn barod i roi swaden iddo na fyddai byth yn ei hanghofio, ond cafodd y Ditectif Brif Arolygydd y blaen arno.

'Ditectif Sarjant Evans. Stopiwch!' galwodd llais Lowri Davies. 'Ditectif Sarjant Prydderch – i'm swyddfa fi ar unwaith. Rŵan. Y munud yma,' cyfarthodd.

Cododd Prydderch, ei wyneb yn biws a'i anadl yn gyflym. Ar ôl iddo wneud ymdrech i dwtio'i wisg, diflannodd allan drwy'r drws.

Trodd Lowri at Jeff, ei hwyneb hithau'n fflamgoch. 'Ditectif Sarjant Evans, dwi'n gobeithio'ch bod chi'n gwerthfawrogi 'mod i newydd achub eich gyrfa chi. Mi wna i, a fi yn unig, ddelio efo hyn. Dallt?'

'Digon teg,' atebodd. 'Ond os gwelwch yn dda, DBA, peidiwch â disgwyl i mi gydweithio'n agos efo'r dyn yna eto, ac yn sicr ddim yn yr un stafell. O,' ychwanegodd, 'a diolch i chi.'

Rhoddodd hithau hanner gwên yn ôl iddo.

Roedd swyddfa Lowri Davies dri drws i lawr y coridor

o ystafell Jeff, a'r drws ynghau. Er gwaethaf hynny roedd llais Lowri i'w glywed, er nad oedd yn ddigon uchel i Jeff ddeall ei geiriau. Ymhen ychydig funudau, ailymddangosodd y ddau yn swyddfa Jeff. Heb air nac edrychiad i'w gyfeiriad, casglodd Prydderch ei holl eiddo mewn bocs a'i gario i lawr i'r swyddfa fawr ym mhen draw'r coridor lle'r oedd y staff sifil, wyth o ferched, yn llwytho gwybodaeth i system gyfrifiadurol yr ymchwiliad. Paratowyd desg a chyfrifiadur ar ei gyfer mewn cornel ym mhen draw'r ystafell ac esboniodd Lowri i'r staff y byddai'n haws i Ditectif Sarjant Prydderch oruchwylio'u gwaith o'r fan honno. Sylwodd Lowri fod y merched wedi ciledrych ar ei gilydd yn araf o'r naill i'r llall, a thybiodd ei bod yn gwybod pam.

Ym mhen arall yr adeilad, roedd Jeff yn brysur yn agor y ffenestri yn llydan agored – am y tro olaf, gobeithiai. Duw a helpo'r staff yn yr ystafell wybodaeth, meddyliodd.

'Wel, ma' hynna wedi'i sortio,' meddai Lowri.

'Gobeithio wir,' atebodd Jeff. 'Be dach chi am i mi ei wneud efo'r wybodaeth am Desmond Slater?' gofynnodd.

'Nid ymholiad i'w wneud dros y ffôn ydi hwn. Dwi am yrru tîm i Fanceinion ben bore fory i weld be 'di'r sgôr. Gobeithio y cawn ni bob tamaid o wybodaeth am Slater, a chael gafael ar y dyn ei hun, gyda lwc. Ond nid chi fydd yn mynd, Jeff. Well gen i'ch cael chi yma, yn agos i mi, ar hyn o bryd.'

'Digon teg.'

Pennod 11

Roedd y gwahaniaeth yn yr ystafell gynhadledd y bore canlynol yn drawiadol. O'i safle arferol yng nghefn y neuadd gwyliodd Jeff y ditectifs yn eistedd yng nghanol y llawr, ac Arfon Prydderch yn eu plith. Edrychai'n debyg ei fod wedi casglu clic bach a oedd yn fodlon gwrando ar ei frolio, ac roedd y dynion wedi ymgasglu o'i gwmpas. Prydderch oedd yn gwneud y rhan helaethaf o'r siarad, a'r pump arall yn amenio. Dechreuodd y Ditectif Sarjant gerdded o'u cwmpas fel petai'n dynwared rhywun, merch yn ôl pob golwg, a chwarddodd y lleill yn uchel. Roedd pleser Prydderch o gael cynulleidfa barod, sylwgar, yn amlwg ar ei wyneb. Tywysodd ei gwmni bach i'w seddi pan gerddodd Lowri i mewn, i gyfeiliant mwy o gilchwerthin anghwrtais. Coc oen, meddyliodd Jeff. Sylweddolodd fod popeth a glywodd am y dyn cyn iddo ddod i Lan Morfa yn berffaith gywir. Disgynnodd distawrwydd pan gerddodd Lowri ar y llwyfan bychan, ar ei phen ei hun.

Dechreuodd y DBA trwy ddatgan nad oedd gwybodaeth newydd wedi dod i'r amlwg yn ystod y nos, ond bod staff y shifft hwyr bellach wedi llwytho'r mwyafrif o'r wybodaeth a'r datganiadau a gasglwyd y diwrnod cynt i'r system. Roedd un tîm, yn cynnwys dau dditectif profiadol, wedi cychwyn am Fanceinion y peth cyntaf y bore hwnnw, a doedd dim disgwyl iddynt ddychwelyd nes y bydden nhw wedi cael pob darn posib o wybodaeth ynglŷn â Des Slater,

79

a'i gyfweld hefyd, os yn bosib. Rhannwyd ymholiadau'r dydd rhwng y timau, a chadarnhaodd Lowri y byddai cyfarfod eto am bump o'r gloch y prynhawn fel arfer.

Ymhen ychydig funudau roedd Jeff yn eistedd y tu ôl i'w ddesg yn cyfarwyddo'i hun â'r wybodaeth newydd. Ymhen dwyawr, a'i lygaid yn dechrau llosgi, eisteddodd yn ôl yn ei gadair pan dderbyniodd neges destun. Gwelodd y ddwy lythyren gyfarwydd 'N.N.' ar sgrin ei ffôn.

'Sut wyt ti, 'mechan i?' gofynnodd, wedi ei ffonio'n ôl.

'Iawn, iawn, ond gwranda, Jeff. Chdi ddeudodd, os fyswn i'n clywed rwbath diddorol, am i mi roi galwad fach i ti, 'te?'

'Siŵr iawn. Ti isio cyfarfod? Mi fedra i fod yn y lle arferol ymhen deng munud os leci di.'

Cyfle da i fynd allan, meddyliodd. Roedd ias oer i law mân y bore hwnnw, felly gafaelodd yn ei gôt ddyffl las tywyll oddi ar gefn drws ei swyddfa a'i rhoi amdano. Hwn oedd y tro cyntaf iddo wisgo ei hen ffefryn yr hydref hwnnw. Wrth gerdded i lawr y coridor clywodd lais Lowri y tu ôl iddo.

'O, dach chi erioed yn dal i wisgo'r hen gôt flêr 'na, Jeff?' meddai. 'Yn y bin ddylai honna fod ers blynyddoedd.'

'Gwrandwch, DBA, mae'r hen gôt yma a finna'n cadw cwmni i'n gilydd ers lot fawr o aeafau. Er bod ambell dwll ynddi yma ac acw, ma' hi'n hen ffrind a fyswn i byth yn gwneud hebddi.' Chwarddodd y ddau. Roedd y gôt neilltuol hon wedi bod yn destun llawer o bryfocio rhwng y ddau dros y blynyddoedd. 'Dwi ar fy ffordd i weld ffrind arall sy'n deud bod ganddi wybodaeth i mi. Os oes 'na rywfaint o werth iddo, mi fydda i'n siŵr o adael i chi wybod y munud ddo' i yn fy ôl.'

'Edrych ymlaen,' atebodd Lowri.

Ymhellach i lawr y coridor gwelodd fod drws ystafell fawr y staff gweinyddol yn agored, ac wrth edrych i mewn gwelodd Arfon Prydderch yn sefyll y tu ôl i un o'r merched ifanc a oedd yn eistedd wrth ei chyfrifiadur. Roedd Prydderch yn gwyro drosti, a'i fys yn pwyntio tuag at rywbeth neilltuol ar y sgrin. Roedd y ferch yn edrych yn anghyfforddus a dweud y lleiaf. Sylwodd hefyd fod y merched eraill yn yr ystafell wedi stopio gweithio a'u bod hwythau'n edrych i gyfeiriad y ddau. Teimlodd Jeff dros y ferch agosaf at Prydderch, a'r drewdod yr oedd hi'n sicr o fod yn ei ddioddef.

Yn ei gar ym mhen draw'r traeth, sylwodd Jeff am yr ail waith o fewn tridiau nad oedd cerddediad Nansi mor sionc ag arfer – ond heddiw, o leiaf, roedd hi wedi gwisgo yn debycach i'w steil arferol. Ymestynnodd i agor drws y teithiwr iddi.

'Tyrd i mewn, ar f'enaid i, Nansi, cyn i ti gael dos o annwyd.' Er mai Dilys Hughes oedd ei henw iawn hi, allai Jeff ddim meddwl am gyfeirio ati felly.

Gollyngodd Nansi ei hun yn drwm i sedd y teithiwr gan anadlu'n gyflym o ganlyniad i ruthro yno drwy'r glaw. Roedd hi'n dal i fod yn fwy syber nag arfer – mae'n rhaid bod llofruddiaeth Glenda Hughes wedi gadael ei farc arni.

'Sut wyt ti erbyn hyn?' gofynnodd Jeff.

'Fel pawb arall o gwmpas y strydoedd 'cw. Cachu yn ein trowsusau. Fedar neb ddod dros y fath beth.'

'Mae'n syndod gen i nad oeddet ti'n nabod Glenda yn well, a chitha'n byw mwy neu lai gefn wrth gefn,' meddai Jeff.

'Ro'n i'n ei nabod hi fel cymydog, oeddwn siŵr, ond

doeddan ni ddim yn ffrindia. Ond ma' pawb 'di bod yn siarad ers i'r peth ddigwydd, a dwi'n gwbod lot mwy amdani ers i ni gael ein sgwrs ddwytha. Dyna pam ro'n i isio dy weld ti. Mae'r bobol sy'n gwbod be 'di be yn y dre 'ma yn gyndyn o ddeud dim wrth y cops achos 'u bod nhw ofn cael bai am ddechra straeon am y dynion sy 'di bod yn rhoi un iddi hi. Dynion sy'n meddwl 'u bod nhw'n bobol bwysig o gwmpas y lle 'ma. Ac os fysan nhw'n ffeindio allan pwy sy 'di bod yn clebran, wel, pwy fysa'r nesa i gael ei saethu er mwyn cau eu cega nhw? Wel, dyna 'di'r sôn, beth bynnag.'

'Rargian, Nansi bach, dechra o'r dechra eto wnei di, plis. A chydig yn arafach, er mwyn i mi drio gwneud synnwyr o'r hyn ti'n ddeud.'

'O, sori, Jeff. Ma' fy nerfau i'n rhacs, cofia. Reit,' meddai, ac ochneidiodd yn uchel cyn parhau. 'Ti'n gwbod cystal â finna faint o hwrio ma' Glenda 'di bod yn neud ers i'w gŵr hi farw. Ma' pawb yn cofio pa mor brysur oedd hi pan oeddan nhw'n adeiladu'r pwerdy 'na ar dir Hendre Fawr, ond ers i'r gweithwyr diarth adael, tydi busnas ddim wedi bod mor dda. Felly mi aeth Glenda yn ôl i weithio mewn swyddi dipyn mwy parchus.'

'Glanhau swyddfeydd a siopau ti'n feddwl.'

'Ia, dyna chdi. Ond y sôn ydi na wnaeth hi roi'r gorau i werthu'i chorff, jyst ei bod hi wedi dringo'r ysgol dipyn a chael cleientiaid gwell.'

'Dwi'n gwrando,' meddai'r ditectif, ond y gwir oedd ei fod o ar binnau eisiau mwy o wybodaeth.

'Be taswn i'n deud 'that ti ei bod hi'n cynnal ei busnas efo un neu ddau o ddynion mwya parchus Glan Morfa? Perchnogion y busnesau roedd hi'n cael ei chyflogi ganddyn nhw. Nid dim ond ei thalu hi i llnau oeddan nhw ...'

Trodd meddwl Jeff tuag at y ddwy fil o bunnau mewn arian parod a gafwyd yn y gist. 'Diddorol iawn, Nansi. Oes gen ti enwau?'

'Wel, oes, ond does gen i ddim math o brawf chwaith.'

'Jyst pwyntia fi i'r cyfeiriad cywir, Nansi. Ac os oes prawf i'w gael, wel, mi ffeindia i o.'

'Ond be os ydi'r dynion yn hollol ddieuog?'

'Mi fydd yn rhaid i mi fod yn ofalus sut dwi'n mynd o'i chwmpas hi felly, yn bydd?' atebodd.

'Wel ... wyddost ti Alan Haywood, yr optegydd? Mi oedd hi'n llnau iddo fo ddwy neu dair gwaith yr wsnos, ac mae o rêl ci rownd merched tu ôl i gefn ei wraig.'

Nodiodd Jeff ei ben yn araf er bod ei feddwl yn rasio.

'Ac un arall roedd hi'n gweithio iddo fo oedd Godfrey Mills, y deintydd. Mi wyddost ti ei hanes o, yn mynd yn ôl tua thair blynedd – y gŵyn 'na yn ei erbyn o gan ddynes oedd yn deud ei fod o wedi gwneud rwbath iddi tra oedd hi'n cysgu yn ei gadair o, dan effaith y gas. Chdi ddeliodd efo'r mater hwnnw?'

'Ia, ti'n iawn,' meddai. 'Er nad oedd digon o dystiolaeth i'w gyhuddo, mi fyswn i'n rhoi bet bod y gŵyn wedi bod yn un gyfiawn.'

'Wel, dyna chdi, Jeff. Be fysa dyn parchus yn neud tasa rhywun ar fin datgelu ei fod o'n talu i Glenda am ryw, a bod ei enw da ar fin cael ei chwalu'n rhacs? Fysa fo ddim yn medru dangos ei wyneb yng Nglan Morfa byth eto, heb sôn am be fysa'n digwydd i'w briodas o tasa'i wraig o'n ffeindio allan.'

'Wel, mae gen ti bwynt, Nansi, diolch i ti. Yli, gad i mi

roi rwbath bach i ti gael prynu potel o win neu ddwy ar y ffordd adra.'

'Dim heddiw, Jeff,' atebodd. 'Yr unig beth dwi isio gen ti ydi i ti ddal y bastard laddodd Glenda, er mwyn i ni gael mynd yn ôl i ryw fath o normalrwydd yn y dre 'ma.'

Ymhell ar ôl i Jeff wylio Nansi'n brasgamu tuag adref, roedd arogl ei phersawr rhad yn dal yn ei gar. Oedd ei honiadau'n wir? Os oedden nhw, faint o ddynion oedd yn yr un cwch, tybed? A phwy fyddai mewn sefyllfa i achwyn yn erbyn y dynion? Glenda? Yn sicr. Pwy arall? Ni wyddai lawer am yr optegydd, Alan Haywood. Sais oedd o a ddaeth i'r dref o gwmpas deng mlynedd ynghynt, dyn smart yng nghanol ei bumdegau oedd bob amser yn gwisgo siwtiau drud, ac a oedd yn hynod o foneddigaidd efo pawb bob amser. Roedd wedi cyfrannu arian sylweddol i wahanol elusennau lleol dros y blynyddoedd ac wedi rhoi cymorth i nifer mewn angen. Yn sicr, byddai'n rhaid iddo droedio'n ofalus os oedd angen mynd i'r cyfeiriad hwnnw. A beth am y llall, Godfrey Mills, y deintydd? Roedd ganddo lai o feddwl ohono fo. Bu'n ddeintydd yn y dref ers cyn i Jeff ddod yno. Roedd yntau yn ei bumdegau hefyd, efallai ychydig yn hŷn erbyn hyn. Dynes smart iawn yn ei phedwardegau wnaeth y gŵyn yn ei erbyn, yn honni ei fod wedi ei chyffwrdd yn anweddus tra oedd hi dan ddylanwad y nwy. Cyflwynodd Mills dystiolaeth arbenigwr a ddywedodd fod ymennydd rhai pobl yn creu rhithwelediadau a dryswch dan ddylanwad Nitrous Oxide. Er bod y ddynes yn bendant ei fod wedi ei chyffwrdd, penderfynodd Gwasanaeth Erlyn y Goron beidio â'i gyhuddo. Ond roedd Jeff wedi ei chredu hi.

Gyrrodd yn ôl i gyfeiriad gorsaf yr heddlu a'i fol yn cnoi

o eisiau bwyd. Ar y ffordd, gwelodd Arfon Prydderch yn cerdded i gyfeiriad tafarn y Rhwydwr. Edrychodd Jeff ar gloc y car: hanner awr wedi hanner dydd. Aeth Prydderch drwy ddrws y dafarn yr un amser yn union â'r diwrnod cynt.

Pennod 12

Ar ôl iddo gael tamaid o ginio brysiog dechreuodd Jeff rannu'r wybodaeth a gafodd gan Nansi'r Nos efo'r DBA.

'Faint o bobl fusnes oedd yn ei chyflogi hi i lanhau swyddfeydd a siopau yn y dref, dach chi'n meddwl, Jeff?' gofynnodd Lowri Davies wedi iddo orffen.

'Anodd deud,' atebodd, 'ond dwi'n siŵr na chymerith o lot o amser i ni ddarganfod y cwbwl unwaith y byddwn ni wedi dechrau. Mi fydd un yn gwybod am y llall, siŵr gen i, ac ella bydd Sharon yn gwybod am rai hefyd. Ond mae 'na un neu ddau a ddylai fod ar ben y rhestr.'

Chwiliodd Lowri trwy nifer o bapurau ar ei desg, cyn codi ei phen a gofyn, 'Ydi Mr Alan Haywood, yr optegydd, yn un ohonyn nhw?

'Rargian, sut gwyddoch chi hynny?' atebodd Jeff mewn syndod.

'Nid chi ydi'r unig dditectif yn y lle 'ma, Ditectif Sarjant Jeffrey Evans, "Yr Afanc" neu beidio.' Chwarddodd y ddau. 'Yr arian parod yn y gist,' parhaodd Lowri. 'Papurau ugain punt newydd i gyd. Mae'r cwbl wedi mynd i gael eu harchwilio am DNA ac olion bysedd, yn ogystal â'r amlen oedd yn eu dal nhw, ond cyn hynny mi wnaethon ni ymholiadau ynglŷn â'r rhifau cyfresol arnyn nhw, oedd yn rhedeg mewn trefn. Mi gawson nhw eu cyflenwi, fel rhan o swm mawr o arian newydd, o'r adran ddosbarthu arian newydd ym Manceinion fis yn ôl, i fanc HSBC yng Nglan

Morfa. Mae ymholiadau yn y fan honno wedi datgelu mai i Alan Haywood y rhoddwyd yr arian, mewn un swm, a hynny dair wythnos yn ôl. Mae'r ferch y tu ôl i'r cownter yn cofio'i ymweliad yn iawn am ei fod dipyn yn anarferol. Dydi optegwyr ddim yn delio mewn arian parod fel arfer, a beth bynnag, tynnu arian allan oedd o, nid talu i mewn fel y bysach chi'n disgwyl i fusnes wneud. A pham mynd yno ei hun i nôl yr arian yn hytrach nag anfon aelod o staff? Ta waeth, sut ddaeth y dyn i'ch sylw chi, Jeff?'

'Dim byd trawiadol, dim ond ei fod o wedi cyflogi Glenda i lnau, a bod ganddo lygad am y merched. Ond wedi deud hynny, mae ganddo fo enw da yn y gymuned, ac mae o'n ddyn smart a hynod o foneddigaidd bob amser. Oherwydd hynny, fo oedd yn ail ar fy rhestr i. Ond rŵan 'mod i wedi clywed eich hanes chi, mae o wedi cael ei ddyrchafu i dop y ddalen.'

'O?' cododd Lowri ei heiliau. 'A phwy oedd y cyntaf 'ta?' Dywedodd Jeff hanes Godfrey Mills.

'Ia, wel, dyna un da i'w amau,' meddai Lowri wedi iddo orffen. 'Bydd yn rhaid i'r ddau gael eu cyfweld, a gorau po gynta.'

'Gyrrwch rywun arall i weld Mills, os gwelwch yn dda,' awgrymodd Jeff. 'Dydi o a fi ddim yn cyd-dynnu ers y tro dwytha, ac ella y gwnaiff o ymateb yn well i rywun diarth. Mi a' i i weld Mr Haywood, os 'di hynny'n iawn efo chi.'

Roedd hi'n ddau o'r gloch pan gerddodd Jeff allan o orsaf yr heddlu a dod wyneb yn wyneb ag Arfon Prydderch, a oedd yn llwytho rhyw fath o felysion mintys i'w geg. Pasiodd y ddau yn ddigon agos i'w gilydd i Jeff allu arogli'r alcohol ar ei wynt, ond ni ddywedodd yr un o'r ddau air wrth ei gilydd. Awr a hanner yn y dafarn amser cinio, myfyriodd Jeff. Byddai Arfon yn siŵr o grogi ei hun cyn hir.

Gan fod y siopau yn cau'n gynnar yng Nglan Morfa ar ddydd Iau, roedd drws siop optegydd Alan Haywood ar glo pan gyrhaeddodd Jeff, ond gwelodd symudiad y tu mewn i'r adeilad. Cnociodd ar ffenest y drws a chafodd sylw'r dyn ei hun.

'Mae'n ddrwg gen i,' meddai Haywood wrth agor y drws. 'Mi fydda i'n cau yn gynnar ar ddydd Iau fel pawb arall.' Roedd Alan Haywood yn ddyn talach na Jeff o gryn dipyn, ac edrychai mor smart ag erioed yn ei siwt dywyll. Cribwyd ei wallt du tonnog yn dwt fel bod rhesen wen i'w gweld ar ochr dde ei ben, ac roedd ei fwstásh tenau yr un mor daclus.

'Dwi'n falch o ddweud bod fy ngolwg i'n gampus ar hyn o bryd, Mr Haywood,' meddai Jeff, gan ddangos ei gerdyn swyddogol. 'Yma ynglŷn â llofruddiaeth Glenda Hughes ydw i. Dwi angen cael sgwrs efo chi, gan ei bod hi'n gweithio yma.'

Tybiodd Jeff fod Haywood wedi cymryd hanner eiliad yn ormod i ateb. Oedd rheswm am hynny, tybed?

'Well i chi ddod i mewn felly, Ditectif Sarjant,' atebodd Haywood yn foneddigaidd.

Dilynodd Jeff yr optegydd drwy'r dderbynfa i'w swyddfa, ystafell a oedd hefyd yn ystafell archwilio. Roedd y prif oleuadau wedi eu diffodd ond gallai Jeff weld bod yr ystafell wedi'i haddurno'n gelfydd er gwaethaf presenoldeb y cyfarpar optegol arferol. Wrth ochr y gadair oedd wedi'i darparu ar gyfer cleientiaid roedd bwrdd ac arno focsys o lensys ar gyfer profi golwg, a gerllaw roedd desg fawr â thop lledr gyda chyfrifiadur arni. Sylwodd Jeff ar drwch y carped moethus o dan ei draed. Olion busnes llwyddiannus. Eisteddodd Haywood ar y gadair freichiau ledr y tu ôl i'r ddesg a rhoddodd wahoddiad i Jeff eistedd yn y gadair gyferbyn ag ef.

'Mater trist iawn, llofruddiaeth Glenda,' meddai Haywood gan eistedd yn ôl i roi'r argraff ei fod wedi ymlacio'n llwyr.

'Ia, dynes glên iawn,' meddai Jeff, ond ni welodd arwydd o gyffro yn agos i wyneb y dyn pan ddefnyddiodd ran o'i llysenw enwog.

'Sut fedra i'ch helpu chi?' gofynnodd Haywood.

'Pryd welsoch chi Glenda ddwytha?'

'Nos Lun,' atebodd. 'Ychydig ar ôl saith.'

'Y noson cyn iddi gael ei llofruddio oedd hynny, Mr Haywood. Sut oedd hi pan adawodd hi?' Unwaith eto, doedd dim arwydd o nerfusrwydd o'i gwmpas.

'Perffaith normal. Dim byd o'i le cyn belled ag y gwn i.'

'Ers faint o amser oedd hi'n gweithio yma i chi, Mr Haywood?'

'Tua dwy flynedd, efallai mwy.'

'A'i chyfrifoldebau hi?'

'Glanhau, dystio, sugno llwch, twtio, paratoi'r lle ar gyfer y diwrnod canlynol – y math yna o beth.'

'Faint o oriau?'

'Dwy awr bob nos.'

'Wedi i'r busnes gau?'

'Ia.'

'Ac wedi i'ch derbynnydd chi fynd adref hefyd?'

'Ia.'

'A phwy, felly, oedd yn cloi'r siop ar ôl iddi hi orffen glanhau?'

'Fi. Dyna pryd ro'n i'n gwneud fy ngwaith papur ... tra oedd hi'n glanhau.'

'A dim ond y ddau ohonoch chi oedd yma ar yr adegau hynny?'

Am y tro cyntaf, dechreuodd Haywood symud yn anghyfforddus yn ei gadair, dim ond digon i Jeff weld ei fod yn deall i ba gyfeiriad yr oedd yr holi'n mynd. Ond eto, ni chododd yr optegydd yr un gwrthwynebiad, na chymryd arno ei fod yn cydnabod y goblygiadau.

'Pryd mae'r siop yn cau, Mr Haywood?'

'Pump o'r gloch, neu ychydig funudau wedi hynny.'

'Felly, mi oeddech chi a Glenda yma efo'ch gilydd rhwng tua phump a saith o'r gloch bob nos.'

'Ylwch, Sarjant Evans ...'

Ni roddodd Jeff gyfle iddo orffen. 'Faint o dâl oedd hi'n gael?' gofynnodd.

'Wyth bunt a naw deg un o geiniogau'r awr ydi'r isafswm cyflog, sy'n dod i wythdeg naw punt a deg ceiniog am ddwy awr, bum diwrnod yr wythnos. Ond mi oeddwn i'n rhoi canpunt iddi bob nos Wener.'

'Caredig iawn.' Ceisiodd Jeff beidio â swnio'n rhy sinigaidd. 'Sut oeddech chi'n talu iddi?'

'Arian parod, bob tro. Ond ylwch, Sarjant, lle mae'r holi 'ma yn arwain?'

Tybiodd Jeff ei fod yn gwybod yr ateb i'w gwestiwn ei hun yn iawn, ac ni allai beidio â sylwi ei fod wedi dechrau chwysu.

'Waeth i mi ofyn y cwestiwn nesaf i chi'n blwmp ac yn blaen ddim, Mr Haywood. Oeddech chi'n cael rhyw efo Glenda Hughes?'

Symudodd corff Haywood rywfaint yn ei gadair ledr,

ond dim cymaint ag yr oedd Jeff wedi'i ddisgwyl, petai'r honiad yn gywir neu beidio. Doedd hwn ddim y math o gwestiwn roedd dyn fel Haywood yn gorfod ei wynebu bob ddydd. Efallai ei fod o'n un da am guddio'i emosiynau.

'Nag oeddwn i wir, Sarjant. Dwi'n ddyn priod parchus. Rhag eich cywilydd yn gofyn y fath gwestiwn i mi.'

'Oeddech chi'n talu i Glenda am gael rhyw efo hi, Mr Haywood?' mentrodd ofyn eto.

Ceisiodd yr optegydd ei orau i gadw'i hunanfeddiant. Anadlodd yn ddwfn cyn ateb. 'Nag oeddwn,' atebodd yn ddistaw, gan syllu'n syth i lygaid y ditectif o'i flaen.

'Mae gen i reswm am ofyn y cwestiwn yna i chi, Mr Haywood. Dach chi'n gweld, mae swm sylweddol o arian yn gysylltiedig â'n hymchwiliad ni i lofruddiaeth Glenda Hughes. Pam wnaethoch chi dynnu dwy fil o bunnau o arian parod, mewn papurau ugain punt, allan o gyfrif banc eich busnes dair wythnos yn ôl?'

Sylwodd Jeff ar y datganiad yn taro Haywood yn ei dalcen. Ni wyddai ble i droi.

'Ylwch, dwi erioed wedi rhoi'r math yna o arian parod i Glenda, nac wedi talu am gael rhyw efo hi chwaith.'

Gwelodd Jeff lygaid Haywood yn chwilio am atebion. 'Os oes angen, Mr Haywood,' meddai, 'mi wna i drefniadau i gymryd eich olion bysedd chi, a'ch DNA chi hefyd, er mwyn gwneud cymhariaeth â'r arian 'ma.'

'Ac os dwi'n gwrthod?'

'Achos o lofruddiaeth ydi hwn, Mr Haywood. Rhaid i mi gael atebion ar unwaith, ac os oes rhaid, mi fydda i'n mynd â chi i orsaf yr heddlu er mwyn cymryd y samplau. Eich arestio chi ar amheuaeth o'i llofruddio, os oes rhaid.'

Safodd Haywood ar ei draed a chamu'n araf o amgylch yr ystafell wrth geisio penderfynu sut i ddelio â'r hunllef waethaf y gallai ei dychmygu. Gwyddai yn ei galon ei fod wedi'i gornelu, ei fod wedi cyrraedd pen rhyw lwybr cul na allai ddianc ohono. Cymerodd anadl ddofn a throi i wynebu Jeff.

'Reit, Sarjant Evans, dyma'r gwir i chi, Yr holl wir. Mewn ffordd, dwi'n falch fod yr holl firi wedi dod allan. Yr unig beth y galla i obeithio amdano ydi na fydd fy ngwraig yn dod i wybod am y peth. I ddechrau, wnes i ddim niwed i Glenda. Fyswn i byth yn gwneud y fath beth. Dach chi'n gweld, mi oeddan ni'n gariadon.'

Rywsut neu'i gilydd, doedd Jeff ddim wedi ei synnu. 'Ers pryd?' gofynnodd.

'Blwyddyn, ella mwy.'

'Yn lle oedd y rhyw yn digwydd?'

'Yn y fan hyn.' Gadawodd Haywood i'w ben ddisgyn i lawr yn llipa. 'Mae'n ddrwg gen i am ddeud celwydd gynna.'

'Doedd y berthynas ddim yn un ramantus felly?' Doedd Jeff ddim mewn hwyliau i gydymdeimlo â fo, na chredu'r cyfan chwaith. Dim ar hyn o bryd. 'Pa mor aml oedd y rhyw yn digwydd?' gofynnodd.

'Ddwywaith neu dair yr wythnos, tan ryw dri mis yn ôl.'

'Pam? Be ddigwyddodd bryd hynny?'

'Dwi'n meddwl ei bod hi'n gweld rhywun arall.'

'Pwy?'

'Rhyw ddyn o Fanceinion, fel dwi'n dallt.'

'A sut oeddech chi'n teimlo ynglŷn â hynny, Mr Haywood?'

'Mi o'n i'n siomedig iawn, wrth gwrs, ond be allwn i ei wneud a finnau'n ddyn priod? Codi helynt oedd y peth dwytha ro'n i isio'i wneud. Mi ddaliodd hi i weithio i mi ac roeddan ni'n ffrindiau o hyd.'

'A sut, deudwch chi, oeddech chi'n teimlo pan glywsoch chi am ei llofruddiaeth hi? Sut ddaru hynny eich taro chi, Mr Haywood?'

'Sioc, sioc fawr. Ysgytiad ofnadwy a deud y gwir, oherwydd ...' Oedodd cyn parhau yn ddistaw. 'Mi snioch chi am arian gynna. Doeddwn i ddim yn rhoi arian i Glenda am gael rhyw efo hi, er 'mod i'n ymwybodol fod dynion eraill wedi gwneud hynny yn y gorffennol. Mi oedd hi eisiau fy nghorff i gymaint ag yr oeddwn i eisiau ei chorff hithau. Ond mi oeddwn i'n prynu anrhegion iddi yn aml, wrth gwrs.'

Hael iawn, meddyliodd Jeff, ond doedd wiw iddo ddweud dim byd o'r fath yng nghanol cyfaddefiad yr optegydd, fe wyddai hynny'n iawn.

'A rŵan, yr arian ddaru chi sôn amdano fo, hwnnw sy'n gysylltiedig â'ch ymchwiliad chi. Yr arian y gwnes i ei dynnu allan o 'nghyfrif banc. Nid i Glenda rois i hwnna. Dyna pam y ces i gymaint o sioc pan snioch chi amdano fo. Cael fy mlacmelio oeddwn i. Ac nid gan Glenda chwaith. Doedd hi'n gwybod dim byd am gyfrifiaduron, a fysa hi byth wedi gwneud y fath beth i mi, dwi'n sicr o hynny.'

'Cyfrifiaduron?'

'Ia, dyna sut gefais i fy mlacmelio. Cael e-bost wnes i, wel, tri ohonyn nhw dros gyfnod. Roedd y cyntaf yn gwneud awgrymiadau fod rwbath yn digwydd rhwng Glenda a fi, heb roi manylion. Ond roedd yr un a ddilynodd yn dweud yn blwmp ac yn blaen ein bod ni yn cael affêr a bod gan yrrwr yr e-bost brawf o hynny. Lluniau, medda fo.'

'Beth oedd cyfeiriad e-bost y person oedd yn eich blacmelio?'

'Ianto69@hotmail.co.uk, ond doedd hwnnw'n golygu dim i mi. Roedd y neges ola'n cynnwys fideo ohona i a Glenda yn cael rhyw – fideo oedd wedi'i ffilmio wythnosau lawer ynghynt. Mae rhywun wedi cymryd ei amser cyn mentro mynnu arian gen i.'

'Yn lle oeddech chi'ch dau pan ffilmiwyd y fideo?'

'Yn y fan hon, ar y ddesg 'ma. Lluniau anghynnes iawn. Y peth gwaethaf oedd ei bod yn ddigon hawdd ein hadnabod ni'n dau.'

'O ble ffilmiwyd y fideo, a sut nad oeddech chi'n ymwybodol o hynny?'

'O, Sarjant Evans, defnyddiwch eich dychymyg, wnewch chi? Dim ond ar un peth ro'n i – roedd y ddau ohonan ni – yn canolbwyntio ar y pryd. Mae'n rhaid bod rhywun wedi sefyll yn y drws acw sy'n arwain o'r dderbynfa. Mae ei dop o'n wydr, fel y gwelwch chi, ac weithiau mae bwlch bychan rhwng gwaelod y ffenest a'r bleind os nad ydi hwnnw wedi'i dynnu i lawr yn ddigon pell, ac yn ôl pob golwg mi oedd hynny'n ddigon. Ma' raid bod y drws ffrynt wedi ei adael heb ei gloi pan adawodd y dderbynwraig. Fedra i ddim coelio pa mor ddiofal fues i.'

'Ac mi ydach chi wedi talu'r pris erbyn hyn, yn sicr, Mr Haywood.'

'Do wir.'

'I droi at yr arian – beth oedd y cais a'r cyfarwyddyd?'

'Digon syml. Mi oeddwn i roi amlen yn cynnwys dwy fil o bunnau yn y blwch sbwriel sydd ym mhen draw'r harbwr am un ar ddeg o'r gloch y noson honno, ac yna mynd i dafarn y Rhwydwr ac archebu un gwydr o wisgi. Mae'n siŵr mai dyna oedd yr arwydd fy mod i wedi rhoi'r arian yn y bin. Dyna wnes i. Be arall fedrwn i wneud?'

'Doeddech chi erioed yn meddwl mai dyna fyddai diwedd y mater, tra oedd y fideo yn dal i fod ym meddiant y blacmeliwr?'

'Ond be arall fedrwn i wneud?' ailadroddodd Haywood. 'Mi oedd o'n bygwth cyhoeddi'r fideo os nad oeddwn i'n ufuddhau. Dyna fysa fy niwedd i, a diwedd fy mhriodas i hefyd.'

Ni wyddai Jeff a ddylai ei gredu ai peidio, ond roedd un ffordd i weld a oedd yn dweud y gwir. 'Mi fydd yn rhaid i mi weld y fideo, a'r negeseuon e-bost,' datganodd.

'Na chewch. Maen nhw wedi'u dileu beth bynnag,' atebodd yr optegydd yn frysiog.

'Mr Haywood,' esboniodd Jeff. 'Mae hyn i gyd yn rhan o'r ymchwiliad i lofruddiaeth Glenda. Fedra i ddim gadael y swyddfa 'ma heb y dystiolaeth sydd ar eich cyfrifiadur chi. Wedi'i ddileu neu beidio, mae'n bosib adennill pethau fel hyn oddi ar eich disg galed chi. Os na wnewch chi roi caniatâd i mi i fynd â'ch cyfrifiadur chi oddi yma, mi fydda i'n gwneud trefniadau i gael gwarant.'

Ochneidiodd Haywood yn uchel. 'O'r gorau, Sarjant, ond does dim rhaid i chi fynd â dim byd o 'ma. Tydw i ddim wedi dileu dim byd, dim ond wedi cuddio'r fideo a'r lluniau ym mherfeddion fy ffeiliau. Ond mae hyn yn embaras i mi, coeliwch fi.' Yn amharod, taniodd y cyfrifiadur.

Safodd Jeff y tu ôl i Haywood a'i wylio'n pori drwy ffeiliau, un ar ôl y llall, nes y daeth at un ffeil arbennig nad oedd enw arni. Pedair eitem oedd yn y ffeil, tri e-bost ac un fideo. Agorodd Haywood yr e-bost cyntaf oedd yn cynnwys y fideo. Roedd Glenda fwy neu lai yn noeth, yn gorwedd ar y ddesg a'i choesau o amgylch ysgwyddau Haywood, oedd â'i drowsus o amgylch ei fferau a'i ben-ôl yn symud yn frwd yn ôl ac ymlaen. Parhaodd y fideo am funud llawn. Yn sicr, cytunodd Jeff ei bod hi'n hawdd iawn adnabod y ddau. Yna agorodd y negeseuon e-bost, ac fel y dywedodd Haywood, awgrym oedd y cyntaf, bygythiad oedd yr ail a gorchymyn oedd y trydydd.

Dechreuodd Jeff eu hailddarllen gan gymryd sylw o'r arddull ac, yn bwysicach fyth, y camsillafu. Roedd enghreifftiau ym mhob e-bost:

'Mae gen i lynia fidio a ma nwn edrach yn rei dda hefyd.'

'Mi fysa yn peth perig i chi anwybyddy gorchymun fi,' a

'Fedrwch chi ddim ciddio bod chi yn dyrnu Glenda dim mwy. Mi fudd nwn gwbod i gid y Glan Morfa.'

Ni allai Jeff gredu'r hyn a welai o'i flaen. Dyma'r union gamgymeriadau a welodd dridiau yn ôl ar liniadur Meira. Roedd hyn yn ormod o gyd-ddigwyddiad, a doedd Jeff ddim yn credu yn y fath gyd-ddigwyddiadau. Cyfeiriad e-bost Hotmail a ddefnyddiwyd y tro hwnnw hefyd, cofiodd.

'Bydd yn rhaid i mi gael copïau o'r rhain,' meddai.

'Tydw i ddim mewn sefyllfa i ddadlau efo chi, nac'dw?' atebodd Haywood. 'Ond mi wna i grefu arnoch chi i fod yn hynod o ofalus efo nhw, os gwelwch yn dda. Er fy mwyn i.' Agorodd Haywood ddrôr yn ei ddesg a rhoddodd gof bach o'r fan honno yn y cyfrifiadur. Lawrlwythodd y cwbl arno, yn cynnwys y fideo, a rhoi'r cof bach i Jeff. 'Ma' hwnna'n un newydd,' eglurodd. Does dim byd arall arno fo.'

'Dau gwestiwn arall, rhai pwysig,' meddai Jeff. 'Oes ganddoch chi unrhyw syniad pwy fysa eisiau lladd Glenda, a gwneud hynny mewn ffordd mor broffesiynol drwy ddefnyddio gwn pwerus?'

'Nag oes wir, dim syniad, Sarjant Evans.'

'Lle oeddech chi rhwng un ar ddeg nos Lun a thri o'r gloch y bore dydd Mawrth dwytha?'

'Mae'r cwestiwn yna'n hawdd i'w ateb, Sarjant Evans. Mi drodd yr hogyn 'cw ei droed yn chwarae pêl-droed yn gynharach y noson honno. Mi chwyddodd ddigon i ni amau ei fod o wedi torri asgwrn ei ffêr. Mi es i â fo i'r Adran Damweiniau yn Ysbyty Gwynedd ym Mangor – mi gyrhaeddon ni yno tua hanner awr wedi naw, ac ar ôl disgwyl am oriau, ddaethon ni ddim adra nes oedd hi wedi tri o'r gloch y bore. Mi oedd fy ngwraig efo ni hefyd.'

'Wel, o leia mi fydd hynny wedi'i nodi,' meddai Jeff yn ddiolchgar.

Ceisiodd Jeff ystyried ei gam nesaf. Byddai'n rhaid nodi datganiad llawn Haywood ar unwaith. A ddylai wneud yn y fan a'r lle, ei arestio dan amheuaeth o lofruddio Glenda, neu ofyn iddo ddod i orsaf yr heddlu i wneud y datganiad o'i wirfodd? Penderfynodd fynd am y trydydd opsiwn, ac i'w syndod, cytunodd Haywood heb gwyno. Mewn gwirionedd, fel yr awgrymodd ef ei hun yn gynharach, doedd ganddo ddim llawer o ddewis.

Ar ei ffordd yn ôl i'r orsaf, a Haywood yn ei ddilyn yn ei gar ei hun, ystyriodd Jeff y ffordd orau i'w gyfweld. Efallai bod achos, yn gynharach yn y dydd, i'w amau o gyflawni rhyw fath o drosedd, ond erbyn hyn, roedd o'r farn mai dioddefwr oedd Alan Haywood. Doedd dim angen rhoi'r rhybudd swyddogol iddo, na'i gyfweld ar dâp felly, gan mai datganiad tyst fyddai'n cael ei roi ganddo. Penderfynodd y byddai'n gwneud recordiad o'r cyfweliad yn ddiarwybod i Haywood fel y gallai o, neu rywun arall, wrando'n ôl ar unrhyw ran ohono. Roedd un ystafell gyfweld ar y llawr cyntaf gyda chamera a meicroffon wedi'u cuddio'n bwrpasol ar gyfer y diben hwn, ond pan aeth yno, gwelodd Jeff ei bod hi wedi cael ei thrawsnewid yn swyddfa ar gyfer un o'r staff gweinyddol. Ta waeth am hynny, meddyliodd. Roedd hi ymhell wedi pump o'r gloch erbyn hynny a doedd yna neb yn defnyddio'r ystafell, felly tynnodd Jeff y cyfrifiadur oddi ar y ddesg a'i roi ar y llawr mewn cornel. Yna aeth i ystafell arall i droi'r camera a'r peiriant recordio ymlaen cyn galw ar blismon i ddod â Haywood i mewn.

Roedd hi'n tynnu am hanner nos cyn i Jeff orffen ei holi a'i ailholi, a nodi ei ddatganiad yn drwyadl. Erbyn iddo orffen, roedd yn eitha hapus fod y gwir a'r holl ffeithiau yn ei feddiant.

Wedi i Haywood adael, ac wedi i Jeff aildrefnu'r ystafell er mwyn ei gadael fel ag yr oedd hi, aeth â'r datganiad draw i swyddfa'r ymchwiliad. Roedd dwy ferch yno yn gweithio'r shifft hwyr, ac roedd yn adnabod un ohonynt.

'Sut ma' hi, Jean? Be ti'n wneud yn dal i weithio yng nghanol y nos fel hyn?'

Cododd Jean ei phen. 'Jeff, sut wyt ti ers talwm? Gwneud chydig o oriau ychwanegol ydw i ... mi fydd hi'n Ddolig arnon ni cyn bo hir, yn bydd.'

'Bydd, ac mae pob ceiniog yn help. Gwranda, Jean, wnei di gymwynas â mi os gweli di'n dda? Mae hwn yn ddatganiad pwysig, ac mi hoffwn iddo fod ar y system erbyn y bore. Dwi'n gwybod ei fod o'n un hir, ond mi fyswn i'n ddiolchgar iawn petaet ti'n gallu troi ato fo.'

'Wel, mi o'n i i fod i orffen am ddau, ond gan mai chdi sy'n gofyn ...'

'Ti werth y byd!' atebodd Jeff. 'Ddo i â photel o win i ti am dy drafferth.'

'Well ti beidio sôn am alcohol yn y stafell yma,' meddai. 'Mae merched y shifft dydd wedi syrffedu efo'r boi Prydderch 'na, yn enwedig bob pnawn ar ôl iddo fo fod am ei ginio gwlyb dyddiol.'

'Be mae o'n wneud?' gofynnodd Jeff, yn glustiau i gyd. 'Oes 'na gwynion amdano fo?'

'Na, dim cwynion swyddogol. Tydi o ddim wedi mentro'n ddigon pell i rywun allu gwneud cwyn, dim eto beth bynnag.'

'Be mae o'n wneud, felly?'

'Dod yn rhy agos at y genod, sefyll drostyn nhw. Mae ganddo fo arferiad o drafod manylion ar sgrin cyfrifiadur drwy sefyll tu ôl i ferch, rhoi ei law chwith ar gefn y gadair, gwyro drosti a phwyntio ar beth bynnag sydd ar y sgrin.'

'Ei ddrewdod corfforol o sy'n eu poeni nhw?'

'Na ... wel, hynny hefyd. Mae o'n closio gormod, ac ma'i lygaid o ym mhob man. Ond tydi o ddim wedi gwneud dim byd gwaeth na hynny. Yn y pnawn mae hyn yn digwydd, yn ôl pob golwg, ar ôl iddo fo gael ei beint amser cinio.'

'Gwna ffafr arall i mi felly plis, Jean. Cadwa lygad ar y sefyllfa. Dwi'n gwybod nad wyt ti yma yn ystod y dydd, bob dydd, ond os gei di gyfle i holi pan wyt ti'n dechrau dy shifft, gad imi wybod os ydi'r sefyllfa yn gwaethygu.'

Pennod 13

Er ei fod wedi llwyr ymlâdd, ni chysgodd Jeff lawer y noson honno. Roedd Meira'n cysgu'n sownd pan gyrhaeddodd adref, felly llithrodd mor ddistaw ag y gallai i mewn i'r gwely wrth ei hochr. Pan estynnodd ei llaw tuag ato rhoddodd gusan ysgafn ar ei hysgwydd noeth. Yna, gorweddodd ar ei gefn a dechreuodd ei feddwl garlamu wrth iddo ystyried y goblygiadau annisgwyl. Arian a dalwyd gan Haywood i bwy bynnag oedd yn ei flacmelio oedd wedi'i adennill o ystafell wely Glenda – arian a adawyd yno gan y llofrudd neu'r llofruddion wrth iddyn nhw chwilio drwy'r ystafell am rywbeth neu'i gilydd. Oedden nhw wedi sylweddoli mai arian oedd yn yr amlen? Pwy roddodd yr arian yno? Mewn gwirionedd, doedd dim ond dau bosibilrwydd. Glenda ei hun, neu Sharon. Yna, daeth posibilrwydd arall i'w feddwl. Beth am Des, cariad Glenda a oedd, yn ôl y sôn, yn rhan o is-fyd Manceinion? Oedd hi'n bosib fod y ddwy ddynes a Des wedi cydweithio i gael arian gan Haywood? Ond beth oedd dwy fil o bunnau i ddyn o is-fyd Manceinion? Byddai'n rhaid iddo wneud mwy o ymholiadau y peth cyntaf yn y bore. A beth am y cysylltiad arall? Edrychai'n debyg erbyn hyn fod pwy bynnag oedd yn defnyddio'r cyfeiriad e-bost Ianto69@hotmail.com hefyd yn defnyddio'r enwau Siôn Cadwaladr ac Iestyn Parry. Oedd Des yn gysylltiedig â hynny hefyd? Ni ddaeth cwsg yn hawdd iddo'r noson honno.

Yn y gynhadledd y bore canlynol dadlennwyd nad oedd newyddion ychwanegol yn deillio o'r ymholiadau yng nghyffiniau lleoliad y llofruddiaeth, na datblygiad ynglŷn â'r chwiliad am y fwled. Rhoddodd y DBA grynodeb o gyfweliad Jeff efo Alan Haywood a nodi bod mwy o ymholiadau i'w gwneud i'r cyfeiriad hwnnw. Soniwyd hefyd am gyfweliad dau dditectif gyda'r deintydd Godfrey Mills. Derbyniad digon gelyniaethus gafwyd yn y fan honno. Roedd Glenda yn glanhau ei ddeintyddfa am awr a hanner yn gynnar yn y bore, bum diwrnod yr wythnos, ac anaml roedd Mills yno ar yr un pryd â hi. Roedd Glenda yn cael mynediad gan aelod arall o staff, a doedd Mills a hithau ddim yn gweld ei gilydd yn aml chwaith. Canfuwyd bod tri busnes arall yn cyflogi Glenda i lanhau ar wahanol gyfnodau o'r dydd, a rhoddwyd y gwaith o holi yn y mannau hynny i dri gwahanol dîm.

Dysgwyd hefyd bod Glenda wedi ymweld â thafarn y Rhwydwr wedi iddi adael siop optegydd Haywood y noson cyn iddi gael ei lladd, ond gadawodd ar ei phen ei hun cyn i'r miri ddechrau yno ychydig wedi naw o'r gloch. Dyna'r tro olaf, hyd y gwyddai neb, iddi gael ei gweld yn fyw.

Roedd Jeff yn awyddus i ddilyn ei ymholiadau o cyn gynted â phosib. Erbyn hanner awr wedi naw, roedd yn nhŷ Simon Collins, lle cafodd dipyn mwy o groeso y tro hwn, a chynnig paned o de. Gwrthododd y cynnig, ond yn ddiolchgar.

'Oes 'na rywun arall sy'n cael eu poenydio ar grŵp Cyfeillion Glan Morfa?' gofynnodd. 'Mae'n bwysig 'mod i'n cael gwybod,' ychwanegodd, 'oherwydd erbyn hyn, mae'n edrych yn debyg bod cysylltiad rhwng pwy bynnag sydd wedi bod wrthi a llofruddiaeth Glenda Hughes.'

'Rargian,' atebodd Collins yn syn. 'Mae hyn yn fater difrifol felly … efallai y medra i'ch helpu chi. Ar ôl i chi fynd oddi yma y bore o'r blaen, mi es i drwy weithgareddau'r grŵp, ac oes, mae 'na bostiadau lle mae merched eraill wedi cael yr un driniaeth gan yr un dynion.'

'Sut gwyddoch chi mai'r un dynion ydyn nhw?' gofynnodd Jeff.

'Yr un enwau, yr un math o gamdriniaeth a'r un fath o iaith a chamsillafu, yn union,' esboniodd. 'Mi ddangosa i i chi.'

Ymhen ugain munud, roedd Jeff wedi gweld digon o dystiolaeth i gadarnhau ei ddrwgdybiaethau, a'r rheswm tu ôl i'r cam-drin. Eisteddodd yn ei gar y tu allan i dŷ Collins yn ystyried yr wybodaeth. Nid oedd y merched eraill a oedd wedi eu sarhau wedi gwneud cwynion, ond roedd Jeff yn adnabod eu henwau, ac roedd yr achosion o fwlio yn mynd yn ôl dros gyfnod o bedair blynedd. Gaynor Thomas, Ffion Meredith a Mari Watkins oedden nhw – y genethod yr oedd Sharon Hughes wedi ymosod arnyn nhw pan oedd hi yn yr ysgol. A fo, Jeff, oedd wedi ymchwilio i'r cwynion – dyna pam, dychmygodd, fod Meira wedi cael ei thargedu hefyd. Ei frifo fo yn anuniongyrchol oedd bwriad y negeseuon, gan nad oedd ganddo fo gyfrifon ar y cyfryngau cymdeithasol. Ond pam rŵan, a beth oedd gan hyn i gyd i'w wneud â blacmelio Haywood a llofruddiaeth Glenda?

Penderfynodd fynd i ailymweld â Sioned Lloyd, a'r tro hwn daeth y ferch i lawr y grisiau i'w gyfarfod yn y lolfa. Er hynny, mynnodd Jeff fod ei mam yn aros yn yr ystafell.

'Oes gan Sharon gyfrif Facebook?' dechreuodd.

Nid atebodd Sioned.

'Oes ganddoch chi gyfrif, Sioned? Mae hyn yn bwysig.'

'Siŵr iawn bod gen ti, Sioned,' meddai ei mam, wrth ei

hochr. 'Deud wrtho fo, yn enw'r tad, Sioned. Ac ma' Sharon yn ffrind i ti arno fo hefyd.'

'Does 'na ddim byd o'i le efo hynny, nag oes?' mynnodd Sioned.

'Oes un, neu'r ddwy, ohonoch chi yn perthyn i grŵp Cyfeillion Glan Morfa?' gofynnodd Jeff. Gwyddai'r ateb eisoes. Nid oedd yr un o'r ddwy yn perthyn i'r grŵp yn ôl Simon Collins, ond roedd Jeff angen gweld ymateb Sioned i'r cwestiwn.

'Chlywais i erioed am y grŵp,' atebodd y ferch. 'Fysa gan Sharon na fi ddim diddordeb mewn petha fel'na beth bynnag. Roc a Pync ydi'n petha ni, dim ryw lol wirion yn Glan Morfa.'

Tybiodd Jeff fod yr ateb yn rhy fanwl o lawer. Roedd yr eneth yn ceisio dweud gormod, am ryw reswm. Penderfynodd newid tac. 'Dach chi'n gweld, Sioned, rhaid i mi edrych ar y posibilrwydd nad Glenda oedd y targed y noson y lladdwyd hi.'

Ni ddaeth ateb, er ei bod yn amlwg i Jeff fod yr olwynion yn troi ym mhen Sioned.

'Pwy felly?' gofynnodd Gwenllïan Lloyd.

'Wn i ddim.' Wedi plannu'r hadyn ym meddwl Sioned, roedd Jeff yn awyddus i beidio ymhelaethu. Gadael i'r gwreiddyn dyfu oedd ei fwriad. 'Ydi Sharon wedi bod yn deud petha cas am bobl ar y we?' mentrodd ofyn ymhen ychydig.

Roedd y distawrwydd yn yr ystafell yn llethol, ond nid oedd brys ar Jeff. Daeth dagrau i lygaid Sioned, cyn i'r argae dorri.

'Ydi Sharon mewn peryg?' gofynnodd y ferch. 'Ma' hi a'i mam mor debyg. Oes rhywun wedi camgymryd Glenda am Sharon?'

'Ond pam fysa rhywun eisiau gwneud niwed i Sharon?' gofynnodd Jeff.

Roedd y dagrau yn llifo erbyn hyn.

'Deud wrtho fo, Sioned bach,' meddai Gwenllïan, gan roi ei braich o gwmpas ysgwyddau ei merch.

Aeth munud a mwy o ddagrau heibio cyn iddi ateb.

'Ydi, ma' Sharon wedi bod yn deud petha ofnadwy ar Facebook am rai pobol sydd wedi bod yn ei cham-drin hi, ond 'swn i ddim yn meddwl y bysa neb isio'i lladd hi am neud y fath beth.'

'Sut gwyddoch chi fod Sharon wedi bod yn gwneud y fath beth?'

'Hi ddeudodd wrtha i.'

Yr eiliad honno derbyniodd Jeff neges destun. Anaml y byddai'n edrych ar ei ffôn ar ganol cyfweliad fel hyn, ond am ryw reswm anesboniadwy, tynnodd y teclyn allan o'i boced ac edrych ar y sgrin. 'N.N. Ffonia fi ar unwaith. Brysia.' Rhoddodd y ffôn yn ôl yn ei boced gan geisio peidio â dangos gormod o ymateb.

'Pryd ddeudodd hi hynny?' gofynnodd.

'Wsnos neu ddwy yn ôl.'

'Be ddeudodd hi?'

'Dim ond ei bod hi'n amser i rai pobol ddysgu gwers. Ddaru hi ddim deud mwy na hynny. Onest. Wn i ddim mwy, dim hyd yn oed pwy mae hi wedi bod yn ei gam-drin. Dwi ddim isio i Sharon fod mewn peryg.'

Gorffennodd Jeff yr holi. Roedd o'n weddol sicr erbyn hyn mai Sharon oedd awdur y negeseuon cas, ac yn ôl pob golwg, y blacmel yn erbyn Haywood hefyd. Ond ar ei phen ei hun, neu a oedd rhywun yn ei helpu?

'Peidiwch â chysylltu efo Sharon ar hyn o bryd,'

gorchmynnodd Jeff. 'Os oedd unrhyw un mewn perygl, tydi'r sefyllfa honno ddim wedi newid. Dallt?'

Trwy ei dagrau, dywedodd Sioned ei bod hi.

Y peth cyntaf a wnaeth Jeff wedi iddo adael y tŷ oedd ffonio Eirian Pritchard, y ditectif a oedd yn dal yng nghwmni Sharon. Rhybuddiodd hi i beidio â gadael i Sioned a Sharon gysylltu â'i gilydd.

A oedd Sioned yn meddwl y byddai rhywun yn ceisio lladd Sharon am ei bod hi wedi cam-drin rhywun ar y cyfryngau cymdeithasol? Ynteu oedd Sioned yn gwybod mwy? Rhywbeth mwy difrifol, efallai?

Ond yn gyntaf, byddai'n rhaid iddo ddarganfod beth oedd yn poeni cymaint ar Nansi'r Nos. Ffoniodd y rhif cyfarwydd.

'Gwranda rŵan, Jeff, gwranda,' meddai yn gyffrous.

'Slofa i lawr ar f'enaid i, ddynes. Be sy?'

'Mae 'na foi sy'n byw bum drws i ffwrdd oddi wrtha i, Wil Wirion ... ti'n ei nabod o?'

'Wil Wirion? Na, dwi ddim yn meddwl.'

'Wel, dyna mae'r plant yn 'i alw fo, beth bynnag. Dwi'n meddwl mai Billy Smith ydi'i enw iawn o. Hen foi, gŵr gweddw, yn byw ar 'i ben ei hun, a tydi o ddim yn llawn llathen.'

'O, mi wn i,' meddai Jeff. 'Hwnna sy'n mynd o gwmpas y dre efo berfa bren yn cario hen ddillad a sgrap? Dwi efo chdi rŵan.'

'Ia, dyna fo. Wel, gwranda di. Mae o wedi rhoi tamad o dâp dros dwll bach yng ngwydr ffenest ei gegin ryw dro yn ystod y dyddia dwytha 'ma, ac mae'n poeni y caiff o fai am ei malu hi gan y Cyngor pan fyddan nhw'n rhoi ffenestri newydd yn ei dŷ. Be ti'n feddwl o hynny?' gofynnodd.

'Swnio'n ddiddorol iawn, Nansi. Ydi o adra ar hyn o bryd?' gofynnodd.

'Wel, mi oedd o jyst cyn i mi dy ffonio di.'

'Iawn, mi a' i draw yno rŵan.'

Sut ar y ddaear oedd y tîm archwilio wedi methu'r fath beth, dychmygodd. Ond eto, ar eu gliniau yn chwilio'r ddaear oedden nhw, cofiodd.

Ymhen deng munud, cnociodd Jeff ar ddrws 28 Maes y Môr, ac wedi aros dipyn mwy nag yr oedd o'n disgwyl gorfod ei wneud, agorwyd cil y drws. Gwelodd wyneb dyn yn sbecian trwy'r bwlch.

'Yyy?' meddai.

'Sut wyt ti, Bill?' gofynnodd Jeff. 'Ti'n ddyn pwysig iawn heddiw,' meddai gyda gwên fawr ar ei wyneb.' Agor y drws 'ma'n iawn i mi gael gair efo chdi.'

Dyn bach yn ei saithdegau hwyr oedd William Smith, dyn a oedd wedi gweld dyddiau gwell, mewn mwy nag un ystyr. Roedd ei ddillad yn flêr a doedd o ddim wedi eillio ei farf wen ers dyddiau.

'Be sy?' gofynnodd.

'Isio diolch i ti am roi cymaint o gymorth i ni yn yr heddlu ydw i. Efallai fod gen ti rwbath pwysig iawn i mi yn y gegin acw.'

'Pwysig? Yn y gegin? Wn i ddim wir. Lwcus os oes gen i hanner tun o foron yno,' atebodd, heb fath o syniad beth oedd yn mynd ymlaen.

'Mi wn i'n union lle mae o,' meddai Jeff. Ga' i ddod i mewn?' gofynnodd.

'Pwysig? Yn lle?' meddai'r hen ddyn, gan gerdded drwodd i'r gegin a Jeff wrth ei gwt.

'Yn fan hyn, yli,' meddai Jeff, gan bwyntio i gyfeiriad y

tâp a oedd yn gorchuddio twll bach yng ngwydr y ffenest.

'Dim fi nath, syr. Wir rŵan,' meddai Bill yn nerfus.

'Naci siŵr, dwi'n gwybod hynny, Bill.'

Edrychodd Jeff o leoliad y twll i gyfeiriad ffenest ystafell wely Glenda hanner canllath i ffwrdd, ac yna gwnaeth linell ddychmygol o'r cyfeiriad hwnnw, drwy'r twll bychan yn y gwydr ac i mewn i'r gegin. Mewn drws cwpwrdd ar y wal gerllaw, gwelodd dwll nad oedd wedi treiddio'n gyfan gwbl drwy'r pren, a'r plwm a fu unwaith yn fwled. Gwyddai Jeff na ddylai geisio ei dynnu allan – doedd o ddim am amharu mwy fyth ar y marciau pwysig ddylai fod ar y metel meddal hwn, y marciau unigryw a adawyd arno gan faril y gwn.

'Hen bryd i ti gael cwpwrdd newydd yn fama, i fynd efo dy ffenestri newydd, Bill. Ti ddim yn meddwl?'

'Os dach chi'n deud,' atebodd yr hen fachgen heb wir werthfawrogi'r hyn oedd yn mynd ymlaen.

'Sgin ti sgriwdreifer?' gofynnodd Jeff.

Tra aeth Wil i chwilio am un, defnyddiodd Jeff gamera ei ffôn i dynnu nifer o luniau, o'r tu mewn i'r tŷ ac o'r tu allan, yn dangos yr ongl o'r fan honno i ffenest ystafell wely Glenda Hughes ac yna i'r man lle darganfuwyd y fwled. Yna, tynnodd ddrws y cwpwrdd o'i le.

Fel yr oedd o'n ei gario i'r car, trodd yn ôl at yr hen ddyn. 'Ti'n foi pwysig iawn heddiw, Bill, a chdi fydd yr unig un o gwmpas y lle 'ma efo cwpwrdd newydd yn dy gegin, a hwnnw wedi'i brynu i ti gan yr heddlu.'

'Be am sinc newydd yr un pryd?' gwaeddodd yn ôl.

Chwarddodd Jeff o waelod ei fol. Edrychai'n debyg nad oedd Wil mor wirion â hynny wedi'r cwbl.

Pennod 14

'Sut glywsoch chi am y fwled ffeindioch chi, Jeff?' gofynnodd Lowri Davies iddo dros baned o goffi yn y cantîn amser cinio, wedi iddo rannu digwyddiadau'r bore â hi.

'Un o'i gymdogion o ffoniodd fi,' atebodd. Doedd fawr neb yn gwybod pwy oedd Nansi'r Nos, na Dilys Hughes chwaith, a doedd Jeff ddim am i hynny newid.

Gwenodd Lowri'n awgrymog arno. 'Dim ond i chi fod yn ymwybodol, Jeff fod Arfon Prydderch yn dechrau gofyn cwestiynau ynglŷn â sut gawsoch chi'r wybodaeth a pham ddaru chi ddod â'r dystiolaeth i mewn eich hun, yn hytrach na galw am gymorth Swyddog Lleoliad Trosedd.'

'Pam ddiawl fod rhaid i mi roi rheswm iddo fo, o bawb?' brathodd Jeff. 'Mi es i yno, a dim ond tynnu dipyn o luniau a thynnu'r drws oddi ar y cwpwrdd oedd ei angen. Mi fysa disgwyl i John Owen ddod draw i wneud yr un peth yn union wedi cymryd awr arall o leia, ac mae'r drws a'r fwled ar eu ffordd i'r labordy'n barod. Cynta'n y byd gorau'n y byd, 'te? A pham aflwydd mae'r dyn Prydderch 'na yn gofyn y fath gwestiynau?'

'Trio'i orau i godi twrw, am wn i,' atebodd Lowri.

'Ddeudis i fod yn rhaid cadw golwg arno fo, yn do? Lle mae o rŵan, sgwn i?' Edrychodd Jeff ar ei oriawr a gweld ei bod hi'n tynnu am un o'r gloch.

'Allan yn cael ei ginio, mwya tebyg.'

Penderfynodd Jeff beidio â sôn ble'n union roedd y dyn

yn mynd am ei ginio, na beth oedd o'n ei gael yno chwaith, na sut roedd o'n ymddwyn wedi hynny. Nid ei gyfrifoldeb o oedd gwneud y fath beth. Ddim eto, beth bynnag, a dim ond os oedd rhaid. Byddai unrhyw ymyrraeth ganddo cyn i Prydderch grogi ei hun yn edrych fel gweithred o falais yn dilyn eu hanghytundebau blaenorol.

'Sut waith mae o'n ei wneud o gadw trefn ar y system gyfrifiadurol?' gofynnodd Jeff.

'Da iawn, rhaid i mi ddeud,' atebodd Lowri, 'ond mae o'n dal i drio rhoi'r argraff mai fo sy'n rhedeg yr ymchwiliad.' Gwenodd.

'Dydi hynny'n synnu dim arna i.'

'Wel, be ydi'ch cam nesa chi felly, Jeff? Mi fydd raid i chi ailgyfweld Sharon, ac yn reit handi, cyn i Sioned gael gafael arni hi. Fydd hynny ddim yn hawdd. Yr amheuaeth sydd yn ei herbyn hi erbyn hyn, a'i phrofedigaeth hi ar y llaw arall. Bydd yn rhaid i chi fod yn sensitif iawn.'

'Bydd. Dwi eisoes wedi gwneud trefniadau,' eglurodd. 'Mae Eirian Pritchard am ddod â hi i mewn yma erbyn dau. Mi fydd 'na dwrnai yma ar ei rhan hi hefyd.'

'Wrth gwrs,' sylweddolodd Lowri. 'Mae hi dan amheuaeth o flacmel rŵan hefyd, yn tydi?'

'A choeliwch chi byth, DBA, mi fedra inna fod yn sensitif pan fydd raid i mi fod, wyddoch chi.' Cadwodd olwg ddifrifol ar ei wyneb, heblaw am fymryn o fflach yn ei lygad.

Gwenodd Lowri unwaith eto.

'Wyddoch chi pam yr ydach chi yma, Sharon?' gofynnodd Jeff i'r ferch wedi i'r tapiau recordio gychwyn ar eu gwaith.

Roedd Sharon Hughes yn eistedd ar un ochr i'r bwrdd gyda'i chyfreithwraig leol, Mrs Saunders, a oedd wedi cael y manylion perthnasol o flaen llaw. Eisteddai Ditectif Gwnstabl Eirian Pritchard wrth ochr Jeff gyferbyn â nhw.

'Ditectif Sarjant Evans,' meddai Mrs Saunders cyn i Sharon ateb. 'Dwi wedi cael cyfle i siarad yn breifat efo Sharon, ac mae hi'n deall be sy'n mynd ymlaen. Dwi wedi esbonio mai rhan o'r ymchwiliad i lofruddiaeth ei mam ydi hyn, ond bod gwybodaeth wedi'ch cyrraedd chi sy'n tueddu i awgrymu camymddwyn ar ei rhan hi. Dwi wedi cyfleu fy marn iddi y dylai hi ddweud y gwir wrthoch chi. Y cwbl mae hi'n ei wybod.'

'Diolch, Mrs Saunders,' meddai Jeff. 'DC Pritchard, er mwyn y tâp, ydi ffôn symudol a dyfais tabled Sharon yma?'

'Ydyn, er mwyn y tâp, maen nhw ar y bwrdd o'n blaenau ni.'

'Sharon, wnewch chi gadarnhau mai chi biau'r rhain, os gwelwch yn dda?'

'Dach chi'n gwbod yn iawn mai fi bia nhw,' atebodd y ferch.

'Er mwyn y tâp, plis.'

Ni chododd Sharon ei phen i ateb, 'Ia, fi bia nhw.'

'Mae gen i hawl i edrych trwyddyn nhw, Sharon. Petawn i'n gwneud hynny, fyswn i'n darganfod cyfrifon Facebook yn enw Siôn Cadwaladr ac Iestyn Parry?'

'Does gan hynny ddim byd i'w wneud efo pwy bynnag laddodd Mam,' atebodd.

'Efallai fod 'na gysylltiad,' atebodd Jeff. 'Wel, be ydi'r ateb i fy nghwestiwn i? Does dim ond angen i ni roi'r ffôn a'r tabled yma ymlaen i ddarganfod y gwir, ond mi fysa'n well gen i glywed ganddoch chi.'

'Sut fysach chi'n licio mynd trwy eich holl ddyddiau

ysgol yn cael eich galw yn "Sharon Glên"? Be wnes i i haeddu hynny?'

'Dwi'n cofio'r cyfnod yn iawn,' meddai Jeff. 'Fi wnaeth ymchwilio i un achos yn ymwneud â hynny os cofiwch chi – cyhuddiad eich bod chi wedi ymosod ar Mari, Ffion a Gaynor. Wnaethon ni 'mo'ch cyhuddo chi o drosedd bryd hynny, naddo?'

'Naddo, ond mi o'n i'n disgwyl y bysan nhw wedi cael eu cosbi am fy mwlio fi. A be ddigwyddodd? Dim. Wnaethoch chi ddim byd o gwbl.'

'Ac mi oeddech chi'n siomedig.'

'Wel oeddwn, siŵr iawn.'

'A dyna pam rydw i, trwy gyfrif fy ngwraig ar un o'r cyfryngau cymdeithasol, wedi cael fy amharchu yn yr un ffordd â'r merched eraill.'

Nid ymatebodd Sharon, dim ond dal ei phen yn isel eto.

'Ta waeth am hynny ar hyn o bryd, Sharon. Does neb wedi'u brifo'n ddrwg. Ond mae'r cysylltiad hoffwn i ei wneud yn un pwysig. Dach chi'n gweld, mae'r person fu'n cam-drin y bobl yma ar Facebook hefyd wedi bod yn defnyddio'r enw "Ianto" wrth yrru negeseuon e-bost at Mr Alan Haywood.'

Parhaodd Sharon yn fud a'i phen i lawr.

'A'r cysylltiad y mae'n rhaid i ni ymchwilio iddo ydi'r cysylltiad posib rhwng blacmelio Mr Haywood a llofruddiaeth eich mam.'

Parhaodd Sharon yn ddistaw.

Er nad oedd o'n sicr o bell ffordd, roedd Jeff yn fodlon gamblo fod digon o dystiolaeth ar ei thabled a'i ffôn i gadarnhau mai hi oedd yr awdur. Os nad oedd, roedd yn sicr y byddai hi wedi gwadu'r cyfan yn groch erbyn hyn.

'Pwy dynnodd y fideo o'ch mam a Mr Haywood yn cael rhyw, Sharon?'

Symudodd yr eneth yn ei chadair ond ni chododd ei phen.

'Ydi'r fideo hwnnw ar y ffôn yma hefyd?' meddai, gan gyfeirio at ei ffôn hi ar y ddesg o'i flaen.

Pan gododd Sharon ei phen, roedd ei llygaid yn goch ac yn wlyb. Rhoddodd Mrs Saunders hances bapur iddi. Sychodd Sharon ei llygaid a'i thrwyn.

'Fi,' meddai. 'Ac ydi, mae o ar y ffôn yna o hyd. Ddylwn i fod wedi'i ddileu o.'

'Chi dynnodd y fideo, felly. Pryd?'

'Fisoedd yn ôl.'

'Deudwch yr hanes, os gwelwch yn dda. Oedd eich mam yn gwybod eich bod chi am wneud? Oeddech chi wedi cynllunio'r digwyddiad efo'ch gilydd er mwyn blacmelio Alan Haywood?'

'Esgob annwyl, na! Fysa Mam byth wedi gwneud y fath beth. Fi aeth i mewn i siop Haywood i chwilio amdani. Doedd y drws ddim wedi ei gloi, ac ar ôl mynd i mewn mi glywais i nhw wrthi. Ar ben ei ddesg o, o bob man. Gynta, mi ddechreuais i grio, ond mi drodd hynny'n gasineb ac ro'n i'n gwybod o'r eiliad honno 'mod i am ei frifo fo, gymaint ag y medrwn i. Dyn arall yn cymryd mantais o Mam.' Dechreuodd y ferch wylo.

'Sut fath o frifo oedd ar eich meddwl chi, Sharon?'

'Doedd gen i ddim syniad ar y pryd, ond mi wyddwn i y bysa llun neu fideo yn handi.'

'Sut ddaru chi lwyddo i'w ffilmio heb iddyn nhw sylwi?'

'Trwy'r gwydr yn y drws rhwng y ddwy stafell. Doedd y bleind ddim wedi cael ei dynnu i lawr yn iawn.'

Roedd hi wedi cadarnhau'r hyn ddywedodd Haywood wrtho'r diwrnod cynt.

Am y tro cyntaf yn ystod y cyfweliad – yn wir, y tro cyntaf ers iddo ei chyfarfod ddyddiau ynghynt, sylweddolodd Jeff pa mor raenus oedd ei Chymraeg llafar. Ceisiodd ddychmygu sut Gymraeg ysgrifenedig oedd ganddi.

'A dyma chi'n penderfynu ei flacmelio fo. Pam disgwyl cyhyd?'

'Dim rheswm neilltuol.'

'A pham blacmel? Pam ddim cyhoeddi'r llun rywsut neu'i gilydd? Ei ddangos o i'w wraig?'

'Mae gan ddyn fel fo faint fynnir o bres. Ond isio'i frifo fo go iawn oeddwn i. Dyna oedd y peth pwysicaf. Isio gwneud iddo fo boeni am ei ddyfodol, fel roedd lot fawr iawn o bobol wedi gwneud i mi boeni am fy nyfodol fy hun dros y blynyddoedd.'

'A thrwy e-bost yn cynnwys y fideo, dyma roi'r gorchymyn iddo adael yr arian parod. Yn lle, Sharon?'

'Y bin sbwriel ym mhen draw'r cei.'

'A'i yrru i'r Rhwydwr wedyn fel arwydd fod yr arian yno.'

'Ia.'

'Welsoch chi o yn y Rhwydwr?'

'O bell. Mi oedd o yn fy nabod i, a doeddwn i ddim isio iddo fy ngweld i.'

'Ond mae'r bin sbwriel dri neu bedwar can llath o leia oddi wrth y Rhwydwr, a does dim posib ei weld o o'r fan honno. Dwi'n ei weld o'n beth od, cymryd siawns a gadael cymaint o arian mewn bin sbwriel.'

Cododd Sharon ei hysgwyddau.

'Pwy oedd efo chi, Sharon, yn casglu'r arian?'

Dechreuodd wingo eto. 'Neb,' meddai.

'A sut ffeindiodd yr arian ei ffordd i'r gist yn stafell wely eich mam?'

'Fi ofynnodd iddi a fyswn i'n cael cadw'r amlen yno. Doedd gan Mam ddim syniad be oedd ynddi. Mae hynna'n berffaith wir.'

'Dwi ddim yn dallt,' meddai Jeff. 'Pam disgwyl cymaint o amser i ddechrau blacmelio Mr Haywood wedi i chi dynnu'r fideo?'

Nid atebodd Sharon, dim ond codi ei hysgwyddau eto gan roi'r argraff nad oedd ganddi syniad. Ond doedd Jeff ddim yn credu hynny. Dim am funud. Tynnodd ei ffon ei hun allan o'i boced gan esbonio fod ganddo yntau gopi o'r negeseuon e-bost a yrrwyd at Haywood.

'Ydach chi'n cofio cynnwys y negeseuon e-bost?' gofynnodd.

'Dim air am air,' atebodd.

Rhoddodd Jeff bapur a phensil iddi a gofyn iddi ysgrifennu'r geiriau fel yr oedd o'n eu hadrodd. Darllenodd y tri e-bost gan roi digon o amser iddi ysgrifennu. Wedi iddi orffen edrychodd Jeff ar y llawysgrifen a phasio'r papur at Mrs Saunders ac yna at Eirian Pritchard. Roedd Sharon wedi ysgrifennu'r cwbl yn berffaith, heb wallau na chamsillafu.

'Oeddach chi mewn set uchel yn eich gwersi Cymraeg yn yr ysgol, Sharon?' gofynnodd iddi.

Gwingodd Sharon yn ei chadair eto.

'Wel?'

'Oeddwn,' atebodd o'r diwedd. 'Ond mi adewais yr ysgol cyn i mi sefyll yr arholiad TGAU ... oherwydd fy mhroblemau.'

'Mae ganddoch chi Gymraeg da, Sharon. Rhy dda i fod wedi gwneud yr holl gamgymeriadau sydd yn y negeseuon hyn.' Dangosodd Jeff nhw i Mrs Saunders. 'Pwy yrrodd y rhain?' gofynnodd Jeff. 'Nid chi, dwi'n sicr o hynny. Ai'ch mam chi wnaeth?'

'Na, dwi wedi deud unwaith yn barod. Doedd ganddi hi ddim byd i'w wneud hefo hyn.'

'Be am Des? Ydi o'n siarad Cymraeg?'

'Nac'di siŵr, Sais ydi o.'

'Dim ond un person arall sy'n dod i'm meddwl i. Mae Sioned o dan yr argraff ei bod hi'n bosib nad eich mam oedd y targed y noson o'r blaen; ei bod yn bosib mai chi oedd i fod i gael eich lladd. Bod rhywun eisiau dial arnoch chi am ddefnyddio blacmel yn erbyn Mr Haywood. Ac, wrth gwrs, mi oeddach chi a'ch mam mor debyg i'ch gilydd. Yn enwedig yn y tywyllwch ... byddai'n hawdd gwneud camgymeriad. Oes 'na gamsyniad wedi digwydd, tybed, Sharon? Oes rhywun â'i fryd ar ladd pwy bynnag sy'n blacmelio pobl?'

Roedd meddwl Sharon ar chwâl, ond edrychai'n amlwg mai'r syniad bod ei mam wedi cael ei llofruddio yn ei lle hi oedd yn achosi'r mwyaf o loes iddi. Dechreuodd feichio crio a gadawodd Jeff iddi wneud hynny am rai munudau.

'Dynion! Blydi dynion! Arnyn nhw mae'r bai am hyn i gyd!' Cododd Sharon ei llais a tharo'i dyrnau ar y ddesg o'i blaen. 'Does neb ond Sioned yn dallt. Hi ydi'r unig un sy'n fodlon gwrando arna i. Y blydi dynion na sy 'di bod yn hel eu tinau efo Mam ar hyd y blynyddoedd. Nhw sy wedi dechrau hyn i gyd.'

'Ac os mai Sioned sydd wedi bod yn rhoi cymorth i chi i flacmelio Haywood, wel, mae'n bosib ei bod hithau mewn perygl rŵan hefyd.'

'Gwnewch rwbath i'w hachub hi, plis,' plediodd Sharon. 'Sioned ydi'r unig un dwi wedi ei charu go iawn erioed.'

'Syniad pwy oedd bwlio pobl ar y cyfryngau cymdeithasol, Sharon?'

'Sioned. Ond dim ond trio edrych ar fy ôl i oedd hi.'

'A blacmelio Mr Haywood?'

'Ia, ei syniad hi oedd hynny hefyd, ar ôl i mi ddangos y fideo iddi fisoedd wedyn. Fedrwn i ddim gwneud ar ben fy hun. Gwnewch yn siŵr nad oes neb yn gwneud niwed i Sioned plis.' Llifodd ei dagrau.

'Mi ofynna i hyn i chi eto, Sharon. Oes gan Des rwbath i'w wneud â hyn i gyd? Y blacmel dwi'n feddwl.'

'Nag oes siŵr.'

'Be ydach chi'n feddwl ohono fo?'

'Blydi dyn arall yn cymryd mantais o Mam eto. Yn dod i'n tŷ ni fel y mynno fo, unrhyw bryd lecith o.'

'A be oedd eich mam yn feddwl o hynny?'

'Dwi'n meddwl fod Mam yn ffond iawn ohono fo. Dyna oedd yn gwneud petha'n waeth yn fy marn i. Y peth dwytha o'n i isio oedd dyn yn y tŷ. Pa hawl oedd gan y ddau?'

Trodd Jeff i gyfeiriad Eirian Pritchard. 'Mi wyddoch chi be i'w wneud ynglŷn â diogelwch Sioned Lloyd,' meddai.

Aeth y blismones allan ar unwaith gyda'r bwriad o arestio Sioned Lloyd am flacmel.

Ond lle'r oedd hyn i gyd yn ffitio yng nghanol yr ymchwiliad i lofruddiaeth Glenda Hughes? Ac er bod gan Alan Haywood alibi yn Ysbyty Gwynedd pan laddwyd Glenda, nid oedd yn amhosib ystyried iddo gael gafael ar lofrudd proffesiynol i wneud y gwaith ar ei ran. Ond ar y llaw arall, tybed ai Sharon oedd y gwir darged, yn hytrach na'i mam? Un peth oedd yn sicr, roedd bywyd Glenda Hughes wedi cael effaith ddwys ar iechyd meddwl Sharon.

Pennod 15

Roedd Jeff wedi bod adref am swper cynnar cyn dod yn ôl i'w waith am saith o'r gloch y noson honno. O leiaf roedd wedi cael cyfle i dreulio dipyn o amser gwerthfawr yng nghwmni Meira a'r plant, a phrin roedd hynny'n digwydd ar ganol achos mawr.

Tyllu trwy domen o waith papur yn ei swyddfa oedd o pan ganodd y ffôn. Roedd Alan Haywood, yr optegydd, wrth y dderbynfa i lawr y grisiau, ac eisiau gair efo fo. Aeth i lawr i'w gyfarfod.

Ar ôl symud i leoliad mwy preifat, dywedodd Haywood, 'Ylwch, Sarjant Evans, dwi wedi bod yn meddwl am ein sgwrs ni ddoe, a chynnwys fy natganiad i. Am resymau fydd yn amlwg i chi, mae'n edrych yn debygol i mi mai Sharon, merch Glenda sydd y tu ôl i'r busnes blacmel 'ma.'

'Wel, mae hynny'n un o'r posibiliadau dan ni'n ymchwilio iddo,' atebodd Jeff. Nid oedd angen i Haywood wybod mwy na hynny, dim ar hyn o bryd, beth bynnag.

'Os ydi hynny'n wir,' parhaodd, 'fyswn i ddim yn teimlo'n gyfforddus petai'r mater yn dod o flaen y llys. Hoffwn i chi wybod na fyswn i'n fodlon gwneud cwyn yn ei herbyn hi fy hun.'

'Pam hynny, Mr Haywood?' Gofynnodd Jeff y cwestiwn er mwyn clywed yr ateb amlwg o enau'r dyn ei hun.

'Y rheswm pennaf ydi na fyswn i eisiau i'r stori gael ei chyhoeddi, fel fysa'n siŵr o ddigwydd. Mi fysa'r papurau newydd yn llawn o'r hanes, a'r canlyniadau yn ofnadwy i mi. Ac yn ail, mae Sharon yn mynd trwy fwy na digon o drafferthion ar hyn o bryd. Fedrwch chi gadarnhau y byddwch chi'n derbyn hynny?'

'Na allaf, ddim ar hyn o bryd,' atebodd Jeff, 'ond mi wna i nodi'ch dymuniad chi.'

'Diolch i chi, Sarjant Evans, ac ...'

'Ylwch, Mr Haywood, dwi'n dallt yn iawn be sydd ar eich meddwl chi. Mae'r fideo ohonoch chi a Glenda yn ein meddiant ni erbyn hyn. Fedra i ddim bod yn hollol sicr nad oes copïau eraill, wrth gwrs, ond mi ydw i naw deg naw y cant yn siŵr na fydd y fideo'n gweld golau dydd.'

'Diolch i'r nefoedd am hynny!' Roedd rhyddhad Haywood yn amlwg.

'Ond mae'n rhaid i chi gofio bod hyn i gyd yn rhan o'r ymchwiliad i lofruddiaeth Glenda, ac y bydd yr holl wybodaeth a roesoch chi i mi ddoe yn fyw ar ein system ni nes byddwn ni wedi darganfod y llofrudd.'

'Dwi'n dallt, Sarjant.'

'Mae'n rhaid i chi fod yn ymwybodol hefyd, Mr Haywood, y byddwn ni'n dal i wneud ymholiadau ynglŷn â chi. Dwi'n gwybod bod ganddoch chi alibi ar gyfer y noson honno, ond tydi hynny ddim yn golygu nad oes rhywfaint o amheuaeth yn parhau yn eich cylch chi. Er enghraifft, byddai'n hollol bosib i rywun sy'n cael ei flacmelio drefnu i lofrudd proffesiynol wneud y gwaith ar ei ran o.'

Ochneidiodd Haywood yn uchel. 'Be wnaeth i mi roi fy hun mewn sefyllfa fel hyn, deudwch?' Ysgydwodd ei ben yn isel.

'Nid chi ydi'r cyntaf i gario'ch bai lle mae'ch balog, Mr Haywood. Ac nid chi fydd yr olaf chwaith.' Ochneidiodd

Haywood eto. 'Cyn i chi fynd,' ychwanegodd Jeff. 'Oes 'na rwbath arall y dylech chi adael i mi wybod? Unrhyw beth o gwbl?'

'Nag oes, dim.'

Ar y ffordd yn ôl i fyny'r grisiau, daeth Jeff ar draws Ditectif Gwnstabl Eirian Pritchard.

'Sut aeth hi efo Sioned Lloyd?' gofynnodd iddi.

'Dim rhyfedd eich bod chi wedi rhoi'r gwaith o ddelio efo hi i mi, Sarj,' atebodd.

'O, sut felly?' gofynnodd.

'Tydi hi'n llond llaw, deudwch, heb sôn am ei rhywioldeb amlwg hi.'

Cerddodd y ddau i swyddfa Jeff am sgwrs, ac fe'u dilynwyd nhw yno gan y Ditectif Brif Arolygydd Lowri Davies.

'Dwi'n gweld bod Sharon a Sioned yn dal i fod i mewn,' meddai hithau.

'Ydyn, ac yma fyddan nhw hefyd nes y bydd Sarjant y ddalfa wedi gwneud penderfyniad a fydd o'n eu cyhuddo nhw neu beidio,' atebodd Eirian.

Ar hynny, cododd Jeff y ffôn a gofyn i'r Sarjant ar ddyletswydd yn y ddalfa beidio â'u cyhuddo heb gysylltu â fo neu'r DBA yn gyntaf.

'Mi esbonia i pam i chi rŵan, DBA,' meddai.

Dechreuodd trwy adrodd hanes y digwyddiadau trist roedd Sharon wedi'u profi, a gorffen gyda chais Haywood funudau ynghynt. 'Be ydi hanes Sioned?' gofynnodd i Eirian ar ôl gorffen.

'Mi gawson ni dipyn o drafferth efo hi yn y tŷ,' eglurodd Eirian. 'Mi geisiodd hi gael gwared ar ei ffôn a'i thabled, ond maen nhw'n saff, peidiwch â phoeni. Gwadu popeth oedd hi pan ddechreuon ni ei holi hi, ond wedi i ni archwilio'r ffôn a'r tabled, a gweld yr hyn oedd arnyn nhw, doedd ganddi hi ddim llawer o ddewis ond cyfaddef.'

'Be yn union oedd arnyn nhw? Rwbath diddorol, neu annisgwyl?' gofynnodd Jeff yn awyddus.

'Faint fynnir,' atebodd Eirian. 'Yn rhyfeddol, roedd y fideo o Glenda a Haywood ar ei ffôn hi yn ogystal â ffôn Sharon, a'r negeseuon e-bost hefyd. Mae'n edrych yn debyg mai Sioned oedd wedi drafftio'r cwbl, a'u gyrru nhw i Sharon. Sharon yrrodd nhw at Haywood. Mae'r postiadau a roddwyd ar Facebook yno hefyd.'

Diolchodd Jeff fod y cwbl ym meddiant yr heddlu, yn enwedig wedi iddo gadarnhau hynny i Haywood yn gynharach.

'Rwbath arall o ddiddordeb?' gofynnodd Lowri.

'Nifer fawr o luniau a fideos o'r ddwy ohonyn nhw efo'i gilydd.' Oedodd Eirian am rai eiliadau. 'Mi allwch chi ddychmygu'r math o beth. Ddeudwn ni fel hyn, mae'n amlwg mai Sioned ydi'r feistres yn y berthynas, ym mhob ystyr.'

'Eglurwch,' meddai Lowri.

'Ar ôl eistedd trwy gyfweliad Ditectif Sarjant Evans efo Sharon, delio efo Sioned fy hun, ac yna gweld y deunydd ar ei ffôn, dwi'n sicr mai Sioned sy'n hudo, neu hyd yn oed reoli, Sharon i wneud y cwbl. Mae Sioned yn hŷn na Sharon, yn graff ac yn awdurdodol, ac mae hi wedi manteisio ar Sharon, sydd wedi'i niweidio'n seicolegol o ganlyniad i ymddygiad ei mam. Fy marn i ydi bod Sioned yn ei defnyddio hi er ei lles ei hun. Ac mae Sharon yn ei charu hi, wrth gwrs, ond fedra i ddim deall sut na pham.'

'Sgwn i fyddai Sharon wedi gwneud rhywfaint o hyn heb ddylanwad Sioned drosti?' gofynnodd Jeff.

'Efallai ddim,' cytunodd Lowri. 'Dwi am gael gair efo Sarjant y ddalfa ac awgrymu iddo beidio â chyhuddo'r naill na'r llall am y tro. Caiff y ddwy fynd allan ar fechnïaeth, heb eu teclynnau clyfar wrth gwrs, ac mi ofynnwn ni i Wasanaeth Erlyn y Goron daro golwg dros yr achos. Yn enwedig gan nad ydi'r achwynwr, Alan Haywood, eisiau i'r achos fynd o flaen y llys. Ond sut mae hyn i gyd yn gysylltiedig â llofruddiaeth Glenda? Wn i ddim. Yr unig newydd sydd gen i heno ydi bod y tîm a yrrais i Fanceinion yn cael dipyn o drafferthion. Tydi ein cyd-weithwyr ni yn y ddinas honno ddim yn rhoi'r cymorth y byswn i'n disgwyl ei gael ganddyn nhw mewn achos fel hwn.'

'Dew, mae hynny'n anarferol,' meddai Jeff yn syn. 'Fel arfer, mae cydweithrediad rhwng heddluoedd Prydain yn cael ei gymryd yn ganiataol mewn achosion o bob math, yn enwedig llofruddiaeth.'

'Wel, mi fydd y tîm yn ôl erbyn fory. Efallai cawn ni fwy o wybodaeth yr adeg honno.'

Wedi i Lowri ac Eirian ei adael, trodd Jeff yn ôl at y gwaith papur ar ei ddesg. Gwelodd fod gwaith y ddau dditectif oedd yn gyfrifol am ddelio â throseddau eraill y dref wedi pentyrru. Roedd yn amlwg nad oedd troseddwyr lleol wedi newid eu hymddygiad er bod llofruddiaeth wedi digwydd o dan eu trwynau. Edrychodd ar ei watsh. Deng munud i un ar ddeg. Rhwbiodd ei lygaid blinedig. Amser da i roi'r gorau iddi, meddyliodd, ond daeth cnoc ar y drws.

'Dewch i mewn,' galwodd. 'Jean, sut wyt ti?' gofynnodd pan agorwyd y drws. 'Ty'd i mewn. Stedda. Diolch yn fawr iawn i ti am deipio'r datganiad hir 'na neithiwr. Mae'r DBA yn hynod o ddiolchgar hefyd.'

'Dim problem, Jeff,' atebodd. 'Mi wnaeth o greu dipyn mwy o oramser i mi. Bob munud yn help.'

'Be ydi'r hanes diweddaraf?' gofynnodd Jeff, heb ymhelaethu.

'Dipyn bach mwy o glebran ymysg y genod eto heno, ond mi ddaeth Prydderch i mewn i'r ystafell pan oedden nhw'n siarad, a bu'n rhaid iddyn nhw gau eu cegau. Maen nhw'n trin y peth fel dipyn o jôc dwi'n meddwl, ond wedi deud hynny, mae un neu ddwy ohonyn nhw yn cymryd y peth dipyn yn fwy o ddifri.'

'Pam dim ond un neu ddwy?'

'Am mai arnyn nhw mae o i weld yn pigo fwya, am wn i. Ond mae un ferch yn cael mwy o'i sylw fo na neb arall. Ceinwen ydi hi.'

'Wn i … merch dlos yn ei thridegau cynnar, efo gwallt hir, coch?'

'Ia dyna chdi, ac mae'n gas ganddi hi fod yn agos i'r dyn. Mae o wastad y tu ôl iddi yn edrych ar y sgrin, a'i wyneb bron â chyffwrdd ei boch hi.'

'Pam mae o'n rhoi mwy o sylw iddi hi na neb arall ti'n meddwl, Jean?'

'Dau reswm. Mae hi'n gweithio ar ei phen ei hun yn yr ystafell fach 'na sy'n cael ei defnyddio i gyfweld pobol weithiau.'

'Wn i. A deud y gwir, mi ddefnyddiais i hi fy hun i gyfweld rhywun neithiwr,' cadarnhaodd Jeff.

'A'r ail reswm, yn ôl rhai o'r merched,' parhaodd Jean, 'ydi ei bod hi wedi cael ysgariad ychydig fisoedd yn ôl, a'i fod o'n ffansio'i jansys efo hi. Mae'n gas gan Ceinwen y dyn.

Ond wedi deud hynny, tydi o ddim wedi gwneud dim o'i le. Hyd yn hyn, beth bynnag.'

Mater o amser oedd hynny, tybiodd Jeff.

'A pheth arall,' ychwanegodd Jean. 'Does neb o'r genod yn gwerthfawrogi'r ffaith ei fod o'n defnyddio geiriau mor ddilornus i gyfeirio at Lowri Davies.'

Teimlodd Jeff ei gasineb tuag at Prydderch yn cynyddu. Roedd o wedi dod yn eitha agos at Lowri yn ystod y blynyddoedd diwethaf, a gwyddai fod Lowri yn ei barchu yntau yn yr un modd.

'Wel, diolch i ti, Jean bach,' meddai. 'Wnei di ddal i roi gwbod i mi be sy'n mynd ymlaen, os gweli di'n dda?'

'Siŵr iawn,' cytunodd hithau.

Eisteddodd Jeff yn ôl yn ei gadair i ystyried y sefyllfa. A ddylai wneud rhywbeth yn syth ynglŷn ag ymddygiad Prydderch? Ond beth? Pryd? Roedd Arfon Prydderch wedi bod yn ofalus iawn i beidio â gwneud dim byd amlwg o'i le o flaen tystion. Penderfynodd mai cadw golwg ar y sefyllfa fyddai'r cynllun gorau.

Pennod 16

Yn y gynhadledd fore trannoeth rhannwyd yr wybodaeth ynglŷn â Sharon Hughes a Sioned Lloyd, a'u hymdrech i flacmelio Alan Haywood. Er nad oedd yr ymholiadau hynny wedi arwain yn uniongyrchol at fwy o wybodaeth am lofrudd Glenda Hughes, penderfynwyd bod angen ymchwilio ymhellach i ddarganfod pwy yn union oedd wedi cyflogi Glenda yn ystod y misoedd blaenorol. Roedd hanes Glenda o buteinio yn dal i gael ei ystyried yn allweddol i ddatrys ei llofruddiaeth, er nad oedd llawer mwy o wybodaeth wedi dod i'r fei ynglŷn â hynny. Rhoddwyd ditectifs ar waith i ddarganfod pob un o'i chyflogwyr ac i geisio dirnad a oedd unrhyw un o'r cysylltiadau proffesiynol hynny wedi mynd ymhellach nag y dylai, fel yn achos Haywood. Oherwydd y goblygiadau, roedd yr ymholiad hwn yn hynod o sensitif. Pa ddyn fyddai'n barod i gyfaddef ei fod yn talu putain am ryw?

Wedi i'r cyfarfod orffen, gofynnodd Lowri i'r tîm a fu ym Manceinion aros ar ôl. Gofynnodd i Jeff aros hefyd. Gwagiodd yr ystafell ar wahân i un dyn: roedd Ditectif Sarjant Prydderch yn loetran o gwmpas, yn disgwyl, yn ôl pob golwg, i gael gwahoddiad i ymuno â'r cyfarfod bychan.

'Does 'mo'ch angen chi ar hyn o bryd,' meddai Lowri Davies wrtho. 'Mi gewch chi weld adroddiad Sarjant Edwards cyn bo hir.'

Daeth mymryn o wên i wyneb Jeff wrth ei wylio'n gadael heb ddweud gair, a'i gynffon rhwng ei goesau.

Roedd Ditectif Sarjant Peter Edwards yn blismon profiadol, tua hanner ffordd trwy ei yrfa, un a oedd wedi cydweithio efo Jeff fwy nag unwaith yn y gorffennol. Alun Thomas oedd y cwnstabl a fu yn ei gwmni yn ystod y deuddydd blaenorol ym Manceinion.

'Reit,' dechreuodd Lowri. 'Be ydi'r hanes o Fanceinion, Sarjant Edwards?'

'Mae 'na faint fynnir o hanes,' atebodd yntau, 'ond y tamaid cyntaf o wybodaeth y dylech chi gael gwybod amdano ydi bod teulu Debbie yn rhan greiddiol o'r gweithgareddau troseddol mwyaf difrifol ym Manceinion, ac wedi bod ers hanner canrif dda. Er hynny, does gan Debbie ei hun ddim cysylltiad amlwg â'r byd hwnnw. Ar y llaw arall, mae ei brawd Desmond, neu Des fel mae'n cael ei alw, dros ei ben a'i glustiau yn y fenter droseddol.'

'Sut fath o droseddau?' gofynnodd Jeff.

'Bob math,' atebodd Edwards. 'Cyffuriau, clybiau amheus, siopau betio didrwydded, twyll trwy gwmnïau ... ond y dyddiau hyn, fel ym mhobman arall, cyffuriau sy'n cymryd y flaenoriaeth. Ac wrth gwrs, mae hynny'n golygu rhyfela rhwng gwahanol gangiau am yr hawl i ddelio mewn ardaloedd neilltuol o'r ddinas.'

'Ac fel y gwyddon ni, yn aml mae hynny'n golygu lladd unrhyw un sy'n ceisio mentro cystadlu,' meddai Lowri.

'Yn hollol.' Thomas atebodd y tro hwn. 'Gynnau, cyllyll, unrhyw arf sy'n digwydd bod wrth law. Newidiwyd enw'r ddinas o Manchester i Gunchester ar un adeg, pan oedd y rhyfela rhwng gangiau ar ei waethaf. Dydi bywydau'n golygu dim i'r rhai sydd ynghlwm â'r byd troseddol yno.'

'Sut yn union mae'r teulu Slater yn ffitio i mewn i'r darlun?' gofynnodd Lowri.

'Gadewch i mi ddechrau o'r dechrau wrth sôn am Albert Slater, y tad,' cynigiodd Edwards. 'Mi gafodd o, y penteulu, ei saethu'n farw bum mlynedd yn ôl pan oedd o'n saith deg a dwy oed. Dipyn yn hen i fod angen cael ei ladd gan rywun oedd yn cystadlu yn ei erbyn, meddyliais, ond dwi'n deall mai gwneud datganiad oedd pwy bynnag a'i lladdodd o. Roedd rhywun angen gwneud enw iddo'i hun – angen ennyn parch – a'r pris oedd corff Albert Slater, un o enwogion byd troseddol Manceinion. Rhaid cofio bod Albert yn ddyn caled pan oedd yn iau, ac mi oedd o'n dal i reoli ei deyrnas.'

'Ddaru nhw ddarganfod pwy saethodd o?' gofynnodd Jeff.

'Cafodd un ei gyhuddo, ond lluchiwyd yr achos allan o'r llys pan newidiodd un o'r tystion ei stori, a diflannodd dau dyst arall, sydd heb gael eu gweld ers hynny. Mi adawodd Albert bedwar mab ac un ferch. Michael ydi'r hynaf, sy'n bum deg a phump, John, sy'n bum deg un, Anthony, neu Tony, sy'n bedwar deg naw a Des sy'n bedwar deg chwech. Hanner chwaer ydi Debbie a anwyd i ail wraig Albert. Hi, yr unig ferch, oedd ffefryn yr hen ddyn, a gwnaeth Albert i'w feibion addo na fyddai hi byth yn cael ei thynnu i fusnes troseddol y teulu.'

'Oes unrhyw rai ohonyn nhw wedi'u dyfarnu'n euog o droseddau treisiol?' gofynnodd Jeff.

'Dim ond John a Des,' atebodd Edwards. 'A hynny pan oedden nhw'n ifanc – y ddau am achosion o ymosod. Aeth John i'r carchar am ddwy flynedd pan oedd o'n ugain oed am hanner lladd dyn mewn ffeit mewn tafarn. Doedd yr amgylchiadau ynglŷn â'r cyhuddiadau yn erbyn Des ddim yn ddigon difrifol i'w garcharu.'

'Oes ganddyn nhw hanes o ddefnyddio gynnau?' gofynnodd Jeff.

'Eu gang? Faint fynnir,' atebodd Edwards. 'Ond tydi'r brodyr eu hunain ddim yn baeddu eu dwylo y dyddiau yma. Mae'r pedwar yn gweithredu o dan y radar ... wel, pawb ond John. Mae hynny'n anghyffredin iawn o'u cymharu â gangiau eraill yn y ddinas sydd wrth eu bodd o gael eu gweld yn y llefydd gorau. Prin y bysa rhywun yn nabod Mike, Tony a Des allan ar y strydoedd – llanciau ifanc sy'n gwneud y gwaith budr y dyddiau hyn. A choeliwch chi fi, mae digon o hynny'n mynd ymlaen, yn ddyddiol. John ydi'r unig un sy'n dangos ei wyneb yn gyhoeddus, ond mae Des yn ddigon brwnt ac abl efo gynnau os oes rhaid.'

'Sut na chawsoch chi afael ar Des, Sarjant Edwards?' gofynnodd Lowri.

'Dyma be sy'n fy mhoeni fi, braidd,' atebodd Edwards gan edrych i gyfeiriad Alun Thomas. 'Mi gawson ni gymorth gan dditectif gwnstabl o'r enw Bill Carson, os mai cymorth ydi'r gair cywir i'w ddefnyddio. Roedd o'n ddigon parod i roi trosolwg o'r sefyllfa a'r teulu i ni, y ffeithiau dwi newydd eu trosglwyddo i chi, ond roedd o'n gyndyn iawn o roi unrhyw fanylion ychwanegol, na sôn am y dyfodol.'

'Fel?' gofynnodd Lowri.

'Unrhyw fanylion am eu busnesau troseddol cyfredol nhw, lleoliad a natur y busnesau hynny, y math o gyffuriau maen nhw'n delio ynddyn nhw, pwy sy'n codi yn eu herbyn ar y strydoedd, ac ati.'

'Roeddan ni'n amau ei fod o, Carson, wedi cael gorchymyn o rywle i beidio â rhoi mwy o wybodaeth i ni,' ychwanegodd Thomas, 'neu, yn hytrach, i ddatgelu cyn lleied â phosib.'

'Be? Er eich bod chi'n gweithio ar achos o lofruddiaeth? A Des Slater yn ddyn mor allweddol?' rhyfeddodd Jeff.

'Maen nhw'n gyndyn iawn o roi mwy i ni. Mi wnaethon ni'n gorau i gael cyfeiriad i Des Slater, ond yn ôl Carson, does ganddyn nhw ddim cofnod o un. Wedyn, pan ddywedais 'mod i angen mynd i'r cartref teuluol mewn cymuned foethus yn Wilmslow, chydig filltiroedd tu allan i'r ddinas, aeth Carson i chwilio am uwch swyddog i ofyn caniatâd. Duw a ŵyr pam roedd o angen gwneud hynny. Pan ddaeth o yn ei ôl, dywedodd fod mynd yno yn amhosib. "Allan o'r cwestiwn" oedd ei eiriau o. Yn ôl pob golwg, mae Heddlu Manceinion ar ganol ymchwiliad sensitif ar hyn o bryd sy'n ymwneud â'r teulu Slater. Rhy sensitif i ni gael mynediad agos at y teulu.'

'Beth am gudd-wybodaeth?' gofynnodd Lowri. 'Siawns gen i fod 'na faint fynnir o hwnnw.'

'Mi ofynnais i amdano, ond doedd gan neb ganiatâd i'w ddangos o i mi. Yr ymchwiliad sensitif oedd y rheswm, meddan nhw.'

'O ble daeth y gorchymyn i beidio'i rannu?' gofynnodd Lowri.

'Chefais i 'mo'r enw. Dim ond "Y Ditectif Brif Uwch Arolygydd", dyna'r oll ddeudon nhw. Mi driais i fy ngorau i gael ei weld o, pwy bynnag oedd o, ond doedd o ddim ar gael. Neu dyna'r ateb ges i, beth bynnag.'

'Mae hyn yn anarferol iawn,' meddai Lowri, 'ond mae'n dibynnu'n hollol be ydi natur yr ymchwiliad sensitif 'ma, am wn i. Gadewch i mi feddwl sut i ddelio efo'r broblem. Mi fydd yn rhaid i ni gael gafael ar Des ryw ffordd neu'i gilydd, a gorau po gyntaf.'

Ar hynny, gwelodd Jeff fod Arfon Prydderch yn hofran yn nrws yr ystafell yn dal tamaid o bapur yn ei law. Roedd gwên anferth ar ei wyneb pan gerddodd i'w cyfeiriad.

'Mae'n ddrwg gen i'ch poeni chi, DBA,' meddai. 'Ro'n i'n meddwl y bysa'n well i chi weld hwn cyn gynted â phosib gan ei fod o mor bwysig. Mae'r adroddiad fforensig wedi cyrraedd yn ôl yn dilyn yr archwiliad balistig ar y fwled ffeindiaist ti, Jeff. Yr un a laddodd Glenda. Dwi wedi ffeilio'r gwreiddiol wedi i mi lwytho'r wybodaeth ar y system, a dyma grynodeb o'r canlyniad.' Rhoddodd gopi o'r crynodeb yn nwylo Lowri.

'O, diolch i chi, Sarjant Prydderch.'

Gwenodd Prydderch o glust i glust wrth adael yr ystafell.

Cymerodd Lowri ychydig funudau i'w ddarllen yn drwyadl. Yna, cododd ei phen i syllu ar wynebau'r tri o'i blaen.

'Mae'r gwn a ddefnyddiwyd i ladd Glenda Hughes wedi cael ei ddefnyddio fwy nag unwaith mewn llofruddiaethau sy'n gysylltiedig â throseddau difrifol a chyfundrefnol. Yn ochrau Manceinion mae'r gwn wedi cael ei ddefnyddio amlaf, ac unwaith yng nghyffiniau Southport ym Mehefin eleni. Y tro cyntaf iddo gael ei ddefnyddio oedd i ladd dyn yng Ngogledd Iwerddon yng nghyfnod y Trafferthion. Yr unig achos arall oedd mewn cysylltiad â llofruddiaeth dyn yn Telford ym mis Ebrill, er nad ydi hynny'n hollol eglur am ryw reswm.'

'Wel,' meddai Jeff, 'mae is-fyd Manceinion yn drywydd na allwn ni ei anwybyddu o hyn ymlaen.'

'Ac mae crynodeb Sarjant Prydderch yn cloi trwy ddweud mai gan Heddlu Manceinion y cawn ni fwy o wybodaeth,' meddai Lowri. 'Mae'n edrych yn debyg y bydd yn rhaid i ni dyrchu i mewn i ymchwiliad sensitif Heddlu Manceinion yn llawer cynt nag yr oeddwn i'n bwriadu gwneud.'

Daeth Ceinwen, un o'r staff gweinyddol, i'r drws. 'DBA Davies,' meddai. 'Mae'n ddrwg gen i'ch poeni chi, ond mae uwch-swyddog o Fanceinion ar y ffôn isio siarad efo chi ar unwaith, os gwelwch yn dda.'

Edrychodd y pedwar ar ei gilydd mewn syndod. Cyd-ddigwyddiad oedd hwn?

Pan aeth Lowri Davies allan er mwyn ateb yr alwad yn ei swyddfa ei hun, cymerodd Jeff y cyfle i dynnu Ceinwen i'r naill ochr. Wnaeth o ddim rhagymadroddi.

'Ydi Sarjant Prydderch yn bihafio'r dyddiau yma?' Nid atebodd Ceinwen. 'Beth bynnag sy ganddoch chi i'w ddeud, aiff o ddim pellach, os mai dyna'ch dymuniad chi, Ceinwen.'

'Wn i ddim be dach chi wedi'i glywed,' atebodd o'r diwedd. 'Ond ydi, mae o wedi bod yn gwneud i mi deimlo'n anghyfforddus. Ar ôl cinio fel arfer, pan mae 'na oglau diod anghynnes ar ei wynt o. Mae o'n dod lawer iawn yn rhy agos ata i, gan ddeud petha awgrymog iawn.'

'Fel be?'

'Sut mae arogl fy mhersawr yn ei blesio fo, a be mae o'n ei wneud iddo fo ... petha felly. Ond dwi ddim yn teimlo y medra i wneud cwyn am beth mor fychan a dibwys â hynny.'

'Os ydi ei ymddygiad o'n gwaethygu, peidiwch â bod ofn dod ata i, Ceinwen. Cofiwch chi hynny.'

'Diolch, Sarjant Evans.'

Pennod 17

Cododd Lowri'r ffôn o'i grud.

'Rhowch o drwodd,' gofynnodd i'r person ar y switsfwrdd. Disgwyliodd am eiliad.

'Ditectif Brif Arolygydd Davies,' meddai, ar ôl clirio ei gwddf.

'Ditectif Brif Arolygydd,' meddai'r llais Seisnigaidd ar yr ochr arall. 'Ditectif Brif Uwch Arolygydd Adams, Heddlu Manceinion sydd yma. Rŵan ta, gwrandewch arna i os gwelwch chi'n dda, Davies. Rydan ni wedi rhoi cymaint o gymorth ag y gallwn ni i'r ddau dditectif a yrroch chi yma. Dywedwyd wrthynt nad ydi hi'n bosib i ni roi mwy o wybodaeth iddyn nhw. Mae rheswm da am hynny, un na fedra i ei ddatgelu. A rŵan, ychydig funudau'n ôl, mae rhyw dditectif sarjant yn ffonio'r swyddfa 'ma'n taflu ei bwysau o gwmpas ac yn mynnu ein bod ni'n agor pob drws i chi, a gadael i chi bori drwy bob tamaid o wybodaeth sydd yn ein meddiant ynglŷn â'r teulu Slater.' Roedd ei lais yn uchel, yn gadarn a mwy na thipyn yn anghwrtais. 'Mi ydw i'n cydnabod eich bod chi'n ymchwilio i lofruddiaeth. Un llofruddiaeth! Mi fyswn i'n falch iawn petai 'na ddim ond un llofruddiaeth ar fy mhlât i ar hyn o bryd, Ditectif Brif Arolygydd. Ac mi ydw i o 'nghof fod y dyn yma, Prydderch dwi'n meddwl oedd ei enw fo, yn meddwl fod ganddo hawl i roi cyfarwyddiadau i fy swyddogion i, i wneud rhywbeth dwi wedi gorchymyn iddyn nhw beidio â'i wneud, sef rhannu unrhyw wybodaeth sensitif efo Heddlu Gogledd Cymru. O hyn ymlaen mae unrhyw gymorth i chi o'r fan hon wedi'i ddiddymu yn gyfan gwbl. Dwi'n gobeithio eich bod chi'n deall y sefyllfa.'

'Ond ...' dechreuodd Lowri.

'Ond dim. Dyna ydi'r penderfyniad. A dyna ddiwedd y mater.'

Aeth y ffôn yn farw cyn iddi gael y cyfle i ymateb.

Eisteddodd Lowri yn llonydd yn ei chadair yn ceisio dirnad y datblygiad annisgwyl. Sylweddolodd ar unwaith fod Prydderch wedi bod yn gwrando ar y cyfarfod yn gynharach, neu ran ohono, o leiaf. Cofiodd hefyd fod Prydderch yn ymwybodol o gynnwys yr adroddiad balistig. Cododd y ffôn drachefn.

'Ditectif Sarjant Prydderch. I'm swyddfa i, ar unwaith,' meddai, ei llais yn llym.

Ymhen dim, daeth cnoc ar y drws a cherddodd Prydderch i mewn. Gafaelodd yn y gadair a oedd o flaen y ddesg a'i symud fel petai am eistedd arni.

'Wnes i ddim rhoi caniatâd i chi eistedd, Prydderch,' meddai Lowri'n siarp, ei llygaid yn danllyd.

Safodd Prydderch o flaen y ddesg fel bachgen ysgol yn disgwyl am gerydd. Anadlai'n drwm ac yn gyflym er mai dim ond ar hyd y coridor roedd o wedi cerdded.

'Be goblyn oeddach chi'n feddwl oeddach chi'n wneud?' gofynnodd Lowri, gan eistedd yn syth yn ei chadair a rhythu ar Prydderch.

'Be dwi ...?' atebodd.

'Peidiwch â dechrau chwarae'r gêm yna efo fi. Mi wyddoch chi yn iawn be. Pa awdurdod oedd ganddoch chi i fynd dros fy mhen i a ffonio rhywun ym Manceinion? Mae uwch swyddog o'r fan honno newydd fod yn chwarae'r diawl efo fi ar y ffôn.'

'Dim ond trio gwneud fy rhan er mwyn i ni fedru symud ymlaen yn well o'n i. Pa hawl sydd ganddyn nhw i'n hatal ni rhag cael gwybodaeth am Des Slater, yn enwedig pan mae 'na gysylltiad rhwng y gwn a Manceinion?'

'A sut, meddach chi, roeddach chi'n ymwybodol eu bod nhw wedi bod yn gynnil efo'r wybodaeth ynglŷn â'r teulu Slater?'

Chwiliodd Prydderch am unrhyw ffordd o ateb a fyddai'n ei achub o'i sefyllfa argyfyngus. Petai'r ymateb o Fanceinion wedi bod yn fwy ffafriol, yn bositif, hyd yn oed, fo fyddai'n cael y clod. Sut gwyddai o y byddai eu hymateb mor negyddol?

'Am faint y buoch chi'n clustfeinio tra buon ni'n trafod yr ymweliad â Manceinion?'

'Digwydd clywed wnes i, DBA,' atebodd, heb fod yn barod i syrthio ar ei fai.

'Digwydd clywed, wir. Choelia i ddim. Mi glywsoch chi'r cwbl a rhoi eich dwy droed fawr i mewn lle nad oedd ganddoch chi ddim math o hawl. Mi ddefnyddioch chi ryw awdurdod dychmygol, a difetha unrhyw gyfle prin i ni allu cydweithio â Heddlu Manceinion yn y dyfodol. Mae pob cydweithrediad posib wedi diflannu o ganlyniad i'ch cysylltiad annoeth chi. Does neb i fynd y tu ôl i 'nghefn i – nid felly mae petha'n gweithio pan ydw i wrth y llyw. Mi wnes i hynny'n berffaith eglur i chi ar eich diwrnod cyntaf yma. A be sy'n gwneud petha'n llawer iawn gwaeth ydi nad oedd ganddoch chi hawl i'r wybodaeth a ddefnyddioch chi yn y lle cyntaf. Wn i ddim be i'w wneud efo chi, wir.' Roedd ei llais wedi codi gryn dipyn erbyn hyn, a'i hwyneb wedi cochi.

'Ond ... yr adroddiad balistig ...,' dechreuodd Prydderch.

'Dydw i ddim isio clywed mwy, Ditectif Sarjant Prydderch,' torrodd Lowri ar ei draws, ei llais yn uwch fyth. 'Ewch o 'ngolwg i ar unwaith tra dwi'n penderfynu be i wneud efo chi. A dwi'n rhoi gorchymyn i chi eto, am y tro olaf, i wneud dim, dim byd ond rheoli'r ffordd mae'r ymchwiliad yma'n cael ei gofnodi ar y system. Ydach chi'n dallt hynny, Ditectif Sarjant Prydderch?'

'Ydw,' atebodd.

'Ydw, be?'

'Ydw, DBA,' meddai, cyn troi i adael. Wrth i dymer Arfon Prydderch gorddi o'i ben i'w sawdl, caeodd y drws yn glep ar ei ôl a brasgamu i lawr y coridor. Wrth iddo gerdded i mewn trwy ddrws ystafell y staff gweinyddol at ei ddesg ei hun, cododd yntau ei lais:

'Y gotsan hyll,' poerodd. 'Wn i ddim pwy mae'r ffycin deic 'na'n feddwl ydi hi. Mi o'n i'n plismona pan oedd hi yn dal i biso yn ei chlwt.'

Dim ond ar ôl iddo gerdded ymhellach i mewn i'r ystafell y sylweddolodd fod Jeff yn sefyll tu ôl i'r drws. Rhewodd Prydderch, ei wyneb yn glaer wyn: nid oherwydd bod y merched yn yr ystafell wedi'i glywed – wedi'r cyfan, nhw oedd ei gynulleidfa – ond bod Jeff yn dyst i'w eiriau hefyd. Ni wastraffodd Jeff ennyd o amser. Cerddodd ato a sefyll droedfedd yn unig o'i flaen. Siaradodd yn ddistaw ac yn eglur.

'Nid dyna sut mae cyfeirio at dy brif swyddog, ac nid dyna'r iaith y dylai swyddog fel chdi, na neb arall, ei ddefnyddio o flaen y merched yma.'

Heb ddweud yr un gair arall, trodd Jeff a cherdded

allan. Roedd Prydderch yn berwi â dicter, ond allai o wneud dim y munud hwnnw, o flaen y staff gweinyddol, i adfer ei hunan-barch. Dyma'r ail waith iddo gael ei fychanu o fewn dau funud, a doedd Arfon Prydderch *ddim* yn gwerthfawrogi hynny. Ddim o gwbl.

Ceisiodd Jeff benderfynu a ddylai ddweud wrth Lowri ai peidio. Penderfynodd beidio am y tro, ond roedd o angen gwneud rhywbeth. Cawsai fwy na llond bol o'i gyd-weithiwr newydd erbyn hyn.

Cododd y ffôn a deialu rhif swyddfa'r ditectifs yn Wrecsam. Cafodd siarad â Ditectif Gwnstabl Kevin Rees – roedd y ddau wedi cyfarfod ddwy flynedd ynghynt pan oedd Kevin yn gweithio fel swyddog y Crwner tra oedd Jeff yn ymchwilio i farwolaeth amheus yn Ysbyty Maelor. Dywedodd Kevin wrtho bryd hynny mai ei uchelgais oedd ymuno â'r CID, a byddai'n cysylltu â Jeff o bryd i'w gilydd pan fyddai angen gair o gyngor o le da.

'Sut wyt ti, Kev? Dwi'n falch mai chdi atebodd – dwi angen gair go gall efo chdi ... gair cyfrinachol.'

'Gair call? Dydach chi byth yn newid, Sarj,' atebodd Kevin yn ysgafn. 'Dal i falu cachu ydach chi bob tro dach chi isio rwbath.'

Chwarddodd y ddau.

Wedi peth rhagymadroddi, newidiodd Jeff y pwnc. 'Ti'n llygad dy le, Kev, dwi isio gofyn rwbath i ti. Dwi'n gorfod diodda'r blydi Arfon Prydderch 'na i lawr yma yng Nglan Morfa ar hyn o bryd.'

'Rargian, efo chi mae o? Ro'n i'n meddwl mai wedi cael ei wahardd dros dro oedd o tra mae'r ymchwiliad cudd 'na'n digwydd.'

'Ymchwiliad cudd? Wn i ddim byd am hynny. Fedri di

ddeud wrtha i?' Roedd Jeff ar binnau eisiau cael gwybod mwy.

'Arhoswch am funud i mi gael cau'r drws 'ma ... mae'r peth i fod yn gyfrinachol.' Clywodd Jeff y drws yn cael ei gau cyn i lais Kevin ddychwelyd. 'Tydi pawb ddim yn gwbod yr hanes, a chydig iawn dwinna'n wbod hefyd. Mae'r boi Prydderch 'na'n meddwl na all neb ei gyffwrdd o, ac y caiff o wneud fel y mynno fo. Mynd allan am beint bob amser cinio a dod yn ôl yn drewi o gwrw. Mae o'n trio'i guddio fo, wrth gwrs, ac yn llwyr haeddu'r llysenw mae o wedi'i gael yma: "Fisherman's Friend".'

'Fedra i ddim gweld bod angen ymchwiliad cyfrinachol i hynny, Kev,' meddai Jeff. 'Dim ond ei ddal o wrthi sydd isio.'

'O na, Sarj, mae mwy iddi na hynny. Cwynion. Un o'r merched i fyny'r grisiau ddeudodd wrth ei rheolwr ei fod o wedi closio'n agos iawn ati un pnawn, ac wedi iddi hi ddechrau holi o gwmpas y lle 'ma, mae nifer o ferched wedi deud yr un peth.'

Gwenodd Jeff. 'Oes 'na gwynion o ymosodiadau anweddus wedi'u gwneud yn 'i erbyn o?' gofynnodd.

'Wn i ddim, a deud y gwir, Sarj. Mae popeth yn cael ei drin mor gyfrinachol.'

'Pwy sy'n ymchwilio i'w ymddygiad o, Kev?'

'Y DBA yn fan hyn. Dwi ddim yn meddwl fod y mater wedi'i yrru i fyny'r grisiau i'r pencadlys eto. Mae hynny'n beth od, ond Prydderch ydi Prydderch, ac ae o'n eitha agos i'r DBA ei hun. Ella mai dyna sut mae o wedi cael get-awê efo'i ymddygiad cyhyd.'

'Wel, diolch i ti Kev. Mi wyt ti wedi ateb fy nghwestiwn i.'

Wedi iddo roi'r ffôn i lawr yn ei grud, eisteddodd Jeff yn ôl er mwyn ystyried ei gam nesaf. Yn y prynhawn roedd y camymddwyn yn digwydd, hyd y gwyddai, ar ôl ymweliadau Prydderch â'r dafarn. Be fysa'n digwydd petai Prydderch yn yfed dipyn bach mwy o alcohol nag arfer, ystyriodd? Edrychodd ar ei watsh. Deng munud i hanner dydd. Estynnodd ei ffôn symudol o'i boced a phwyso'r sgrin i ddeialu'r rhif oedd yn cyfateb i'r cofnod 'N.N.'.

'Nansi bach, sut wyt ti, 'nghariad i?'

'Lot gwell ar ôl i ti ffonio, yr hync i ti. Ond be 'di'r busnes "nghariad i" 'ma? Swnio i mi fel tasat ti isio rwbath.'

'Ti'n fy nabod i'n rhy dda, Nansi,' meddai. 'Dwi isio prynu diod neu ddwy i ti. Wyt ti'n rhydd rŵan, ac yn gêm?'

'Wel o'r diwedd, Jeff Evans, ar ôl yr holl flynyddoedd. Wyt ti am fynd â fi allan am ddêt?'

'Nac'dw i wir, Nansi. Dim y tro yma, ond mi bryna i dipyn o lysh i ti beth bynnag, os wnei di ffafr â mi.'

'Be ti isio felly? Ti'n gwbod 'mod i'n fodlon gwneud rwbath i ti, er na wnei di byth adael i mi …'

'Dos i'r lle arferol gynted ag y medri di. Gwisga'n smart a rhywiol, ond paid â'i gorwneud hi. Dwi'n gwbod sut un wyt ti.'

Chwarddodd y ddau.

Pennod 18

Chwarter awr yn ddiweddarach roedd Jeff yn ei gar, yn gwylio Nansi'n cerdded tuag ato. Chwarae teg iddi, meddyliodd, roedd hi wedi gwisgo yn union yn ôl ei ddymuniad: sgert eitha smart, ddim yn rhy gwta, ac yn ddigon llac i guddio'r ffordd roedd Nansi druan wedi byw ei bywyd ers blynyddoedd. Roedd ganddi siaced o'r un defnydd â'r sgert dros flows felen. Synnodd Jeff ar y gwahaniaeth rhwng y wisg hon a'i hiwnifform arferol o jîns tyn, crys T gwyn a siaced ledr ddu. Eisteddodd Nansi yn sedd y teithiwr, a sylwodd Jeff fod ei cholur yn fwy ceidwadol nag arfer hefyd, er bod ei phersawr rhad yn dal i lenwi ei ffroenau. Rhoddodd Jeff gyfarwyddiadau iddi a digon o arian papur ar gyfer ei gynllun. Yna, gyrrodd y car at dafarn y Rhwydwr.

Am hanner awr wedi hanner dydd ar y dot, cerddodd Arfon Prydderch o gyfeiriad gorsaf yr heddlu gan anelu at ddrws y dafarn, y dicter at bawb a phopeth, yn enwedig Lowri Davies, yn dal i gorddi yn ei grombil. Roedd o angen ei beint heddiw.

'Dyna fo,' meddai Jeff. 'Hwnna ydi o.'

'Gad o i mi, y bastard digywilydd iddo fo,' meddai Nansi.

'Jyst gwna'n siŵr 'i fod o'n cael digon i yfed,' atgoffodd Jeff hi.

Nid dyma'r tro cyntaf iddo ddefnyddio Nansi'r Nos

mewn amgylchiadau tebyg, a hyd yma, doedd hi erioed wedi'i siomi. Teimlai Jeff yn aml ei bod hi wedi cael ei geni ar gyfer y math yma o her – byddai'n gwneud ysbïwr penigamp.

Gan ei bod yn ddydd Sadwrn roedd y dafarn yn eitha llawn, er bod nifer o fyrddau gwag. Sefyll wrth y bar oedd Arfon Prydderch pan gerddodd Nansi i mewn. Gwenodd y barman arni wrth iddi sefyll wrth ochr Prydderch, a oedd yn dal bwydlen yn un llaw a'i beint o gwrw yn y llall. Roedd wedi gwagio'i hanner mewn un llwnc. Winciodd Nansi yn ôl ar y barman, a chododd Prydderch ei drwyn o'r fwydlen wrth iddo arogli persawr y ddynes wrth ei ochr. Gwenodd arni. Gwenodd hithau'n ôl.

'Neis gweld rhywun diarth yma bob rŵan ac yn y man,' meddai Nansi wrtho.

Gwenodd Prydderch eto a chodi ei wydr i'w chyfeiriad. 'Pasio trwodd,' atebodd.

Parhaodd Prydderch i ddarllen y fwydlen tra oedd Nansi yn archebu hanner o seidr iddi hi ei hun. Dewisodd Prydderch bastai cig eidion a sglodion a pheint arall, rhag iddo orfod dod at y bar am yr eildro, medda fo.

'Www, dyn efo syched,' meddai Nansi, gan glosio ato heb fod yn rhy amlwg. 'Tra ti wrthi, Sam, ty'd â'r un peth i mi,' meddai wrth y barman.

Trodd Prydderch i'w hwynebu ac edrych arni'n araf o'i phen reit i lawr at ei thraed, heb wneud math o ymdrech i guddio hynny. 'Dwi wedi bod ar y lôn fawr ers toc wedi chwech y bore 'ma,' esboniodd. 'Mae oriau hir a gweithio'n galed yn codi syched ac archwaeth ar ddyn.'

'Yn enwedig ar ddyn mawr 'fatha chdi,' Rhoddodd Nansi yr un sylw manwl iddo yntau gan orffen drwy syllu i'w lygaid. 'Be ydi dy waith di felly?' gofynnodd.

'Teithiwr masnachol,' meddai Prydderch.

'A ti'n gweithio ar ddydd Sadwrn?'

'Os ydi'r siopau yn agored, mi ydw innau hefyd.'

'Teithiwr masnachol, ia? Dyna'n union wnes i feddwl, cofia,' atebodd Nansi. 'Ac mi fetia i 'mod i'n gwbod be ti'n 'i werthu hefyd.'

'Gamp i ti wneud hynny,' atebodd Prydderch. 'Ond os fyddi di'n gywir, fi sy'n prynu'r drinc nesa i ti.'

'Gad i mi feddwl,' meddai Nansi, gan godi ei llaw dde a gadael i'w bys canol orffwys yn rhywiol ar ei gwefus isaf goch. Edrychodd yn ddireidus i'w lygaid. 'Fyswn i'n meddwl mai gwerthu dillad merched wyt ti. Dillad *isa* merched,' ychwanegodd, gan biffian chwerthin. 'O, tydw i'n ofnadwy o bowld?'

'Powld neu beidio, ti'n berffaith gywir,' atebodd yntau. 'A dyma fi wedi colli fy met. Be gymeri di i yfed?'

''Run peth eto, plis. Oes gen ti rwbath ar werth fasa'n fy siwtio fi?' gofynnodd yn bryfoclyd. 'Rhywbeth du … neu goch …' Ceisiodd yn aflwyddiannus i edrych yn swil.

'Tro rownd i mi gael golwg iawn arnat ti,' gorchmynnodd Prydderch.

Gwnaeth Nansi yn union fel y gofynnodd iddi wneud, a wnaeth hi ddim synnu pan deimlodd ei law yn cyffwrdd ei phen-ôl wrth iddi droi ei chefn arno. Roedd disgrifiad Jeff o natur y dyn yn berffaith. Roedd Nansi yn dechrau mwynhau hyn.

'Dwi'n siŵr bod gen i rwbath fysa'n dy siwtio di yn y car,' meddai. 'Pam na ddoi di i eistedd i lawr efo fi i fwyta, er mwyn i mi gael dysgu mwy am be fyddi di'n wisgo dan y dillad 'na?' Cododd Prydderch ei aeliau'n awgrymog.

Dilynodd Nansi o at fwrdd gwag mewn cornel. Roedd

y dasg a roddwyd iddi am fod yn haws nag yr oedd hi wedi ei rhagweld, meddyliodd.

Ar ôl eistedd, gofynnodd Nansi, 'Ers faint wyt ti wedi bod yn delio efo dillad isa merched felly?'

'Ers pan o'n i'n dair ar ddeg,' atebodd gan chwerthin. 'Bob cyfle dwi'n gael.'

'O, ti'n ddoniol,' meddai Nansi, gan roi slap bryfoclyd ar ei ysgwydd.

Parhaodd y sgwrs yn yr un cywair am ugain munud tra oedd y ddau yn disgwyl am eu bwyd, a Prydderch wedi gorffen ei ail beint erbyn hyn. Cododd Nansi a daeth yn ôl o'r bar yn cario dau wydryn mawr o win coch. 'Fydd hwn yn neis efo'r bastai cig eidion,' meddai. 'Iechyd da.' Closiodd yn agosach fyth ato a sylwi fod yr alcohol eisoes wedi dechrau cael effaith arno. 'Oes gen ti lot o waith i'w wneud pnawn 'ma, 'ta wyt ti'n cael dod allan i chwarae?' gofynnodd, gan gyffwrdd pen-glin Prydderch o dan y bwrdd.

'Mi fydda i'n rhydd ar ôl tua chwech,' atebodd. 'Lle ti'n byw?'

'Mi ddo' i'n ôl fan hyn i ddisgwyl amdanat ti,' meddai. 'Be ydi dy enw di, gyda llaw?' gofynnodd.

'Bobi,' atebodd.

'O, enw neis. Well na Robert. Dil ydw i. Wyt ti'n cofio'r gân 'na ers talwm "I want to be Bobby's Girl"?'

Chwarddodd y ddau.

Dros ginio bu mwy o sgwrsio pryfoclyd, mwy o glosio, mwy o chwerthin a mwy o gyffwrdd. Wedi iddynt orffen eu prydau, dywedodd Prydderch y byddai'n rhaid iddo archebu coffi cyn mynd i gyfarfod ei gwsmeriaid y prynhawn hwnnw. Neidiodd Nansi ar y cyfle.

'Mi a' i i'w nôl nhw,' meddai, ac mi gei ditha brynu potel o win i ni heno.' Cododd a cherdded at y bar cyn i Prydderch gael cyfle i ddadlau.

'Dau goffi Gwyddelig plis, Sam,' meddai wrth y bar. 'Tri wisgi ym mhob un, os gweli di'n dda.'

Funudau yn ddiweddarach, pan gymerodd y dracht cyntaf o'i goffi drwy'r hufen, ebychodd Prydderch. 'Rargian Dafydd, be 'di hwn?'

'Neis, tydi?' atebodd Nansi. 'Dwi wrth fy modd efo'r rhain. Mi wna i un i ti yn nes ymlaen hefyd, os lici di. Yfa fo i gyd.' Gafaelodd yng nghoes y plismon hanner ffordd i fyny ei glun a gwasgu'n dyner, ac yfodd Arfon Prydderch y cwbl mewn chwinciad.

'Wela i di yma toc ar ôl chwech felly, Bobi,' meddai Nansi wrth godi a cherdded allan o'r Rhwydwr heb air arall. Roedd ei gwaith hi ar ben a doedd ganddi hi ddim bwriad o aros yng nghwmni'r sglyfath dyn am eiliad arall.

Chwiliodd Prydderch drwy ei bocedi am y paced Fisherman's Friend a thaflu dau neu dri i'w geg wrth ei chychwyn hi'n ôl i gyfeiriad gorsaf yr heddlu. Ymhen ychydig funudau roedd yn eistedd y tu ôl i'w gyfrifiadur, ac er ei fod yn syllu ar y sgrin roedd ei feddwl ar beth bynnag oedd gan Dil i'w gynnig iddo ar ddiwedd y prynhawn. Ymhen hanner awr, cododd o'i gadair a cherdded i lawr y coridor i'r ystafell fechan lle'r oedd Ceinwen yn llwytho gwybodaeth i mewn i'r system gyfrifiadurol, ar ei phen ei hun. Caeodd Prydderch y drws ar ei ôl gan egluro ei fod eisiau trafod camgymeriad roedd hi wedi'i wneud yn gynharach yn y dydd. Safodd reit tu ôl i Ceinwen, a phlygu drosti yn ei ffordd arferol er mwyn edrych ar y sgrin o'i blaen. Llanwodd ei phersawr ei ffroenau. Roedd ei foch bron â chyffwrdd ei boch hi. Tynnodd Ceinwen ei phen ymhellach i ffwrdd oddi wrtho, ond wrth iddi wneud hynny estynnodd Prydderch ei law dde allan i afael yn ei bron a'i gwasgu. Neidiodd Ceinwen ar ei thraed a'i wthio o'r neilltu gyda sgrech cyn rhedeg allan trwy'r drws yn syth i swyddfa Lowri Davies.

'Be sy, Ceinwen?' gofynnodd Lowri.

Dechreuodd Ceinwen wylo.

'Dewch, Ceinwen, deudwch,' gofynnodd Lowri eto. 'Be sy?'

'Ditectif Sarjant Prydderch, DBA. Mae o wedi fy nghyffwrdd i, wedi ymosod arna i yn anweddus. Gafael yn fy mron.'

Cododd Lowri ar ei thraed mewn syndod. Ar ôl iddi hebrwng Ceinwen i eistedd a gwrando arni'n adrodd yr hanes, galwodd Lowri ar blismones i ddod i gadw cwmni i'r ferch. Daeth Lowri wyneb yn wyneb â Jeff yn y coridor.

'Mi wn i be sy wedi digwydd, DBA,' meddai hwnnw.

Edrychodd Lowri arno'n syn.

'Trystiwch fi,' ychwanegodd. 'Mi fydd popeth yn glir cyn bo hir.'

Y munud hwnnw, ymddangosodd Arfon Prydderch allan o'r toiled dynion ymhellach i lawr y coridor. Gafaelodd Jeff yn ei ysgwydd a'i arwain i mewn i'w swyddfa. Dilynodd Lowri'r ddau i mewn a chau'r drws ar ei hôl.

'Hei, be 'di hyn?' gofynnodd Prydderch, gan ysgwyd ei fraich yn rhydd o afael Jeff.

'Arfon Prydderch, dwi'n dy arestio di am ymosod yn anweddus ar Ceinwen Williams,' meddai Jeff. Rhoddodd y rhybudd swyddogol iddo.

'Fues i ddim yn agos ati,' atebodd Prydderch yn hunangyfiawn.

'Yn ei swyddfa hi ddigwyddodd yr ymosodiad, ychydig funudau'n ôl.'

'Dwi ddim wedi bod yn agos i'w swyddfa hi heddiw,' mynnodd Prydderch. 'Ei gair hi yn erbyn fy ngair i ydi hyn. Pa iws ydi hynny? Pwy wnaiff gredu slwten fel hi drosta i?'

Trodd Jeff i wynebu Lowri. 'DBA,' meddai. 'Mae'r ystafell lle mae Ceinwen yn gweithio yn cael ei defnyddio i gyfweld pobl fregus o dro i dro. Mi ddefnyddiais i hi echnos i gyfweld Alan Haywood gan nad oeddwn i'n hollol hapus efo'i stori o, a 'mod i isio recordio'r cyfweliad. Mae camera cudd yno ar gyfer y pwrpas hwnnw. Ro'n i wedi anghofio tynnu'r disg o'r peiriant recordio y noson o'r blaen felly mi es i yno i'w nôl o gynna. Yn ddamweiniol, mi rois y camera ymlaen pan gerddodd Sarjant Prydderch i mewn i'r ystafell. Ro'n i wedi clywed si fod Sarjant Prydderch yn rhoi gormod o sylw i rai o'r merched, a sylwais ei fod o wedi cau'r drws ar ei ôl. Doedd dim rheswm teilwng iddo wneud y fath beth yn fy marn i, felly mi rois i'r disg yn ôl yn y peiriant er mwyn recordio'r hyn oedd ar fin digwydd. Fy mwriad i oedd ceisio gweld a oedd sail i'r straeon, a dyma be ddigwyddodd ...'

Rhoddodd Jeff y disg yn ei gyfrifiadur er mwyn ei chwarae, a neidiodd yn gyflym drwy gyfweliad Alan Haywood. Sylwodd Lowri ac yntau fod chwys yn rhedeg i lawr talcen Prydderch, a'i wyneb yn wyn fel y galchen. Roedd yr hyn a welwyd ar y sgrin yn union fel y disgrifiwyd y digwyddiad gan Ceinwen.

Safodd y tri yn fud. Trodd Lowri a Jeff i wynebu Prydderch, oedd yn prysur ddod i'r casgliad fod ei yrfa yn yr heddlu ar ben.

144

'Ewch â fo i lawr i'r ddalfa, Ditectif Sarjant Evans,' meddai Lowri. 'Rhowch o yn y gell tra dwi'n galw swyddogion o'r Adran Safonau Proffesiynol, a gadael i'r Prif Gwnstabl wybod beth sydd wedi digwydd.'

Doedd Jeff ddim angen anogaeth, a gafaelodd ym mraich Prydderch unwaith eto – yn fwy cadarn y tro hwn.

'Dwi isio twrnai,' mynnodd Prydderch.

'Ti'n deud wrtha i dy fod ti!' atebodd Jeff.

Wedi iddynt fynd trwy'r defodau arferol a rhoi Prydderch dan glo, aeth Jeff allan i'r iard gefn er mwyn gwneud galwad ffôn.

'Nansi, jyst isio diolch i ti ydw i. Mi weithiodd petha'n iawn.'

'Grêt, ond gwranda rŵan, Jeff, wnes i ddim gwario dim jyst o'r pres 'na ges i gen ti.'

'Cadwa'r gweddill, Nansi. A chofia, dim gair am hyn wrth neb. Byth! Wyt ti'n dallt?'

'Siŵr iawn, cariad.'

Doedd cydwybod Jeff ddim yn ei boeni'n aml, ond roedd heddiw yn eithriad. Roedd ei weithredoedd yn pwyso'n drwm arno. Ar ôl dychwelyd i fyny'r grisiau cnociodd ar ddrws swyddfa Lowri Davies.

'Pwy sy 'na?' galwodd llais y DBA.

'Jeff Evans.'

'Arhoswch, os gwelwch yn dda.' Agorwyd cil y drws ac ymddangosodd wyneb Lowri yn y bwlch bychan.

'Wnewch chi ofyn i Ceinwen ga' i ddod i mewn i'w gweld hi am eiliad, os gwelwch yn dda?'

'Ceith,' daeth llais Ceinwen o'r tu ôl i'r drws.

Cerddodd Jeff i mewn. Gwenodd Ceinwen arno a theimlodd Jeff yn falch o hynny.

'Ceinwen,' meddai Jeff, 'mae'n wir ddrwg gen i am yr hyn ddigwyddodd i chi heddiw. Dwi'n siomedig iawn fod y fath beth wedi digwydd.' Trodd i adael. Beth arall allai o ei ddweud?

Safodd Lowri yn y drws yn edrych arno'n troedio'n araf i gyfeiriad ei swyddfa ei hun a'i ben yn isel. Roedd rhywbeth yn bod, ond ni wyddai beth.

Pennod 19

Disgynnodd cwmwl annifyr dros orsaf yr heddlu yng Nglan Morfa y prynhawn hwnnw wrth i bawb ddysgu am yr hyn a ddigwyddodd i Ceinwen a chanlyniad hynny i Prydderch. Cyrhaeddodd dau swyddog o'r Adran Safonau Proffesiynol o fewn yr awr i ddechrau eu hymchwiliad i ymddygiad Arfon Prydderch, a lledaenodd y stori fel tân gwyllt.

Roedd y cwmwl ar ei fwyaf trwchus yng nghynhadledd diwedd y pnawn. Er bod y mwyafrif o'r staff wedi gweld gwir natur Prydderch yn ystod y dyddiau blaenorol, gwyddai Lowri Davies fod ganddo edmygwyr ymysg ei gyd-weithwyr. Penderfynodd mai camgymeriad fyddai iddi anwybyddu'r digwyddiad, ond allai hi ychwaith ddim dweud gormod am ddigwyddiad a fyddai'n debygol o arwain at gyhuddo Prydderch. Felly, ar ddechrau'r cyfarfod, esboniodd fod Ditectif Sarjant Prydderch wedi'i wahardd dros dro yn dilyn digwyddiad, a bod ymchwiliad ar waith yn dilyn cwyn gan aelod o'r staff. Gofynnwyd i bawb barchu'r sefyllfa ac i beidio â thrafod y mater, yn enwedig tu allan i'r adeilad.

Byr iawn oedd y gynhadledd, ac ni wyddai Lowri sut yn union yr oedd hi am godi ysbryd y tîm er mwyn parhau â'r ymchwiliad i lofruddiaeth Glenda Hughes. Efallai y byddai yfory'n ddiwrnod gwell, gobeithiodd.

Ar ôl i'r cyfarfod orffen, eisteddodd Jeff o flaen desg Lowri Davies yn ei swyddfa, y ddau yn fwy syber nag arfer.

'Reit, amser i symud ymlaen,' meddai Lowri. 'Mae'n rhaid i ni ganolbwyntio ar y dyfodol rŵan.'

'Pwy fydd yn arolygu'r system yn ei le fo?' gofynnodd Jeff. 'Nid pawb sy'n ddigon cyfarwydd â'r dechnoleg. Dwi ddim, yn sicr.'

'O, peidiwch â phoeni, Jeff. Dydw i ddim yn bwriadu gofyn i chi i wneud y fath beth. Mae gan Ditectif Sarjant Edwards dipyn o brofiad yn y maes, ac mae gen i ffydd ynddo fo.' Daeth hynny a gwên fach i wyneb y ddau, a thipyn o ryddhad i Jeff. 'Rhaid i ni oresgyn yr anawsterau o gyfeiriad Manceinion. Dwi am gael gair efo'r Dirprwy Brif Gwnstabl i weld a fedrwn ni roi'r Ditectif Brif Uwch Arolygydd Adams hwnnw yn ei le.'

'Dilyn trywydd y gwn sydd ar flaen fy meddwl i, DBA,' awgrymodd Jeff. 'Dwi'n teimlo nad oes llawer o bwynt canolbwyntio ar Sioned a Sharon a'u cysylltiad nhw efo Alan Haywood, ddim heb fwy o dystiolaeth. Os ydi Haywood yn gyfrifol am ei lladd hi mewn rhyw ffordd neu'i gilydd mi fydd unrhyw wybodaeth gawn ni drwy ddilyn hanes y gwn yn debygol o ddod â ni'n ôl ato fo. Fe hoffwn i gael eich caniatâd chi, felly, i fynd i Telford. Dwi'n bwriadu gwneud ymholiadau ynglŷn â llofruddiaeth dyn o'r enw Dennis Chancer efo'r un gwn yn y fan honno.'

'Pam llofruddiaeth Chancer yn Telford?'

'Am mai hwnnw oedd y tro cyntaf i'r gwn gael ei ddefnyddio yn ddiweddar yn yr hyn sy'n ymddangos fel cyfres newydd o lofruddiaethau.'

'Esboniwch.'

'Mae tystiolaeth i'r gwn gael ei ddefnyddio, i gychwyn,

yng Ngogledd Iwerddon yn nyddiau'r Trafferthion, ond mae hynny'n mynd yn ôl i'r saithdegau. Mae'n anodd credu bod cysylltiad efo'r fan honno bellach. Does dim sôn amdano'n cael ei ddefnyddio wedyn nes iddo gyrraedd dwylo gangiau'r is-fyd ym Manceinion. Ychydig iawn o ddefnydd cyson wnaethpwyd ohono yn y nawdegau a dechrau'r ganrif hon, nes iddo gael ei ddefnyddio dair gwaith eleni – i saethu Dennis Chancer, Sydney Boswell yn Southport ac yna Glenda Hughes. Dyna ydw i'n ei ystyried yn "gyfres newydd" ac mae gen i deimlad yn fy mol sy'n deud wrtha i fod rhyw fath o gysylltiad rhwng y tri.'

'Atgoffwch fi, plis Jeff, beth oedd dyddiad llofruddiaeth Dennis Chancer yn Telford?'

'Y pymthegfed o Ebrill. Ar yr ugeinfed o Fehefin y cafodd Sydney Boswell ei saethu yn Ainsdale, ger Southport, ac wrth gwrs Glenda Hughes yma ar y pumed o Hydref.'

'A dyna'ch cyfres chi?'

'Ia, oherwydd na chafodd y gwn ei ddefnyddio yn ystod y ddwy flynedd flaenorol. Tair llofruddiaeth o fewn saith mis, a dwy ohonyn nhw â rhyw fath o gysylltiad efo Manceinion. Mi wyddon ni fod Sydney Boswell yn hanu o ochrau Manceinion er mai yn Southport y cafodd ei ladd. Ac mi wyddon ni hefyd fod gan Glenda gysylltiad â Des Slater a'i deulu treisgar ym Manceinion.'

Sylwodd Jeff ar Lowri'n ystyried yr wybodaeth.

'Dwi'n cytuno,' meddai hithau. 'Chawn ni ddim cymorth gan Heddlu Manceinion ar hyn o bryd, felly bydd yn rhaid i ni ddechrau yn rhywle arall. Telford amdani felly.'

Ni chymerodd Jeff lawer o amser i ddarganfod pwy

oedd pennaeth y tîm fu'n ymchwilio i lofruddiaeth Dennis Chancer a chysylltu â'r swyddog a benodwyd yn gyswllt iddo. Trefnodd deithio i Telford ar y bore Llun. Byddai'n braf cael diwrnod o seibiant ar y Sul, llofruddiaeth i'w datrys neu beidio. Edrychai ymlaen at gael mynd â'r plant am dro hir, a rhoi chydig o seibiant i Meira druan, oedd yn gorfod ymdopi â nhw mwy neu lai ar ei phen ei hun pan fyddai yng nghanol ymchwiliad mawr fel hwn.

Ychydig wedi saith o'r gloch ar y bore Llun, felly, roedd o ar ei ffordd. Cyrhaeddodd orsaf yr heddlu ym Malingsgate, Telford, am chwarter wedi naw, a pharciodd ei gar mewn maes parcio mawr gerllaw'r adeilad modern tri llawr. Roedd y glaw trwm a oedd wedi bod yn disgyn am y rhan fwyaf o'r siwrnai wedi ysgafnu, ond roedd yn dal yn ddigon trwm i orfodi Jeff i godi cwfl ei got ddyffl am ei ben. Diolchodd amdani – roedd y gaeaf ar ei ffordd. Diolchodd hefyd nad oedd Lowri Davies yno i'w weld yn mynd i mewn i orsaf un o heddluoedd eraill Prydain yn gwisgo'r gôt flêr.

Tynnodd ei gôt a'i phlygu dros ei fraich, a gwenu ar y ddynes mewn iwnifform sifiliad yr heddlu oedd y tu ôl i'r dderbynfa.

'Jeff Evans, Ditectif Sarjant o Heddlu Gogledd Cymru, wedi dod i weld Ditectif Sarjant Peters os gwelwch yn dda. Mae o yn fy nisgwyl i.'

Gwenodd hithau'n ôl. 'Arhoswch funud,' meddai. Cododd y ffôn ac wedi iddo ganu am ychydig eiliadau, siaradodd. 'Arnold? Mae 'na dditectif sarjant o ogledd Cymru yma i'ch gweld chi.' Rhoddodd y ffôn yn ôl yn ei grud. 'Eisteddwch, os gwelwch yn dda. Mi fydd o i lawr mewn munud.'

Eisteddodd Jeff ar fainc bren ac ymhen ychydig o

funudau agorodd drws y lifft ym mhen draw'r dderbynfa. Yno safai dyn oedd yn agosáu at oed ymddeol, dychmygodd Jeff; dyn tal, smart a solet yr olwg, yn cario mymryn mwy o bwysau nag y dylai. Safodd yn filwrol unionsyth mewn siwt lwyd dridarn â streipen fân ynddi, ei wallt brown golau wedi'i gribo'n ôl a'i locsyn clust wedi'i siapio'n dwt wrth waelod ei glustiau. Gwisgai dei a oedd yn amlwg â rhyw gysylltiad milwrol. Cerddodd yn araf ac urddasol i gyfeiriad Jeff ac estyn ei law dde tuag ato. Sylwodd Jeff fod ei law yn anferth, yn gryf a chroesawgar.

'Bore da,' meddai. 'Gobeithio na wnaeth y glaw amharu llawer ar eich taith chi. Arnold Peters ydw i. Mi wnaiff Arnold yn iawn, Jeff.'

Synnodd Jeff ei fod yn cael ei gyfarch mewn Cymraeg glân gloyw, ond yn fwy na hynny, roedd llais bas Arnold Peters yn araf a'i eirio'n hynod o eglur, yn debyg iawn i bregethwr, meddyliodd. 'Bore da,' atebodd yntau. 'Do'n i ddim yn disgwyl cyfarfod Cymro fan hyn.'

'Un o Sir Fôn ydw i, hogyn ffarm,' meddai. 'Ty'd, awn ni i fyny.' Amneidiodd tuag at y lifft a'i arwain i'r cyfeiriad hwnnw.

'Sut mae dyn o Sir Fôn yn dod i fyw yn y rhan hon o'r wlad?' gofynnodd Jeff.

'Wel, i dorri stori hir iawn yn fyr, mi dreuliais i beth amser yn y Gwarchodlu Cymreig, a phan oeddwn i lawr yn Llundain mi syrthiais mewn cariad efo merch o'r ochrau yma. Mi ymunais i â'r heddlu yn fama ar ôl gadael y Fyddin, ei phriodi hi, a dyma lle'r ydw i byth.'

Sylweddolodd Jeff ei fod wedi cael ateb ynglŷn â'r tei yn y fargen.

Agorodd drws y lifft ar y llawr uchaf. 'Mi a' i â chdi i'r

ystafell lle rydan ni'n cydlynu'r ymchwiliad i lofruddiaeth Dennis Chancer,' eglurodd Arnold.

Cerddodd y ddau ar hyd coridor hir a thrwy ddrws yn y pen draw, i mewn i ystafell fawr. Roedd nifer o ddesgiau gwag a dim ond pedair oedd yn ymddangos fel petaen nhw'n cael eu defnyddio. Cododd tri ditectif eu pennau o sgriniau eu cyfrifiaduron ac amneidio eu cyfarchiad. Edrychodd Jeff o'i gwmpas mewn syndod.

'Ia,' meddai Arnold. 'Mi wn i'n iawn be sy'n mynd drwy dy feddwl di, Jeff. Prin chwe mis sydd ers llofruddiaeth Dennis druan, a dyma ni, dim ond hanner dwsin ohonan ni sydd yma erbyn hyn i geisio datrys mater mor ddifrifol. Mae cymaint o achosion eraill sy'n tynnu dynion oddi yma bron yn ddyddiol. Llofruddiaeth arall nid nepell o fama, ac achosion o gam-drin plant sy'n parhau am fisoedd maith. Dim ond bob hyn a hyn mae'r swyddog sydd i fod yn rheoli'r ymchwiliad yn dangos ei wyneb, a fi sy'n edrych ar ôl y cwbl o ddydd i ddydd.'

Gwelodd Jeff ddau o'r ditectifs ifanc yn codi eu pennau ac yn edrych ar ei gilydd yn sarhaus, eu llygaid yn codi i gyfeiriad y nenfwd.

'O, paid â chymryd sylw ohonyn nhw, Jeff,' meddai Arnold. 'Mae ganddon ni hawl i siarad ein hiaith ein hunain unrhyw le yn y byd. Ond rŵan 'ta, deud wrtha i be ydi dy ddiddordeb di ym marwolaeth Dennis Chancer.'

'Y gwn a ddefnyddiwyd i'w ladd o, Arnold. Defnyddiwyd yr un gwn i saethu dynes o'r enw Glenda Hughes yng Nglan Morfa chydig ddyddiau'n ôl, yn ôl ein harchwiliadau balistig ni.'

Gwelodd Jeff wyneb Arnold Peters yn cymylu. 'Wn i ddim sut mae modd profi hynny, Jeff. Mae'n ddrwg gen i dy

152

siomi di. Ti'n gweld, ddaethon ni ddim o hyd i'r fwled –
dim ond y cas ddaru ni adennill. Cas bwled 9mm a gafodd
ei daflu allan o siambr gwn rhannol awtomatig. Gwir, mae
marc y morthwyl ar y cas yn creu argraff arno, ond tydi o
ddim yn creu'r math o argraff y gellir ei gymharu â marciau
ar unrhyw gas bwled arall. Dim i sicrwydd, beth bynnag.
Dim ond marciau'r baril ar y fwled blwm ei hun all
gadarnhau defnydd o wn, fel ti'n gwybod.'

'Ond mae'r adroddiad fforensig sydd yn ein dwylo ni'n
awgrymu mai'r un gwn ydi o. Gwn rhannol awtomatig
9mm.'

'Mi fydd yn rhaid i ti wneud mwy o ymchwil felly, Jeff.'

Penderfynodd Jeff ffonio Lowri yng Nglan Morfa. Wedi
iddo drosglwyddo'r newyddion annisgwyl, gofynnodd iddi
ailedrych ar y system er mwyn cadarnhau'r wybodaeth
ynglŷn â'r gwn a gafwyd o'r adroddiad fforensig. Daeth yr
ateb yn ôl cyn hir. Yn ôl Lowri, roedd yr adroddiad o'r
labordy yn datgan fod tebygrwydd rhwng y marc a
argraffwyd ar gas y fwled a ddefnyddiwyd i lofruddio
Dennis Chancer, a'r marc ar gas y fwled a laddodd Glenda
Hughes. Tebygrwydd – dyna'r cwbl. Er hynny, roedd y
cofnod ar system gyfrifiadurol yr ymchwiliad yn gwneud
cysylltiad pendant rhwng y ddau. Arfon Prydderch oedd yn
gyfrifol am greu'r cofnod a'r crynodeb o'r adroddiad a
roddwyd ar y system.

'Deud i mi Arnold,' gofynnodd Jeff ar ôl gorffen yr
alwad, 'ddaru eich adroddiad balistig chi daflu unrhyw
oleuni ar farc y morthwyl ar y cas, ei gymharu â marciau
ar gasys unrhyw fwledi eraill a daniwyd gan y gwn yn y
gorffennol?'

'Naddo,' atebodd.

'Felly ddaru chi ddim gwneud cysylltiad rhwng y gwn ag unrhyw droseddau ym Manceinion, neu yng Ngogledd Iwerddon?'

'Dim cysylltiad o gwbl. Does 'na ddim cysylltiad fforensig o gwbl rhwng llofruddiaeth Dennis Chancer a Manceinion nag unrhyw le arall, cyn belled ag y medrwn ni weld.'

Llifodd siom drwy gorff Jeff. Oedd y darganfyddiad hwn yn chwalu ei ddamcaniaeth am gyfres o dair llofruddiaeth? Ceisiodd gadw gafael yn y syniad bod rhyw fath o gysylltiad o hyd, er ei fod yn un teneuach erbyn hyn. Gresynodd nad oedd Peters â'i dîm wedi darganfod y fwled a laddodd Dennis Chancer.

Pennod 20

'Dwi am barhau â'r ymchwiliad hwn yn union fel petai yna gysylltiad cryf rhwng y ddwy lofruddiaeth, Arnold,' datganodd Jeff.

'Dyna'n union be fyswn i'n ei wneud hefyd, Jeff,' atebodd yntau. 'Os oes 'na unrhyw siawns fod cysylltiad rhwng llofruddiaeth Dennis Chancer a Glenda Hughes mae dyletswydd arnon ni'n dau i fod yn drwyadl.'

'Reit, Arnold, be ydi cefndir marwolaeth Mr Chancer – dechrau o'r dechrau, os gweli di'n dda.'

'Dyn ifanc wyth ar hugain oed oedd Dennis. Hogyn wedi'i eni a'i fagu yn y dref 'ma. Dipyn o wariar oedd yn adnabyddus i ni'r heddlu, er na chafodd o erioed ei arestio, na'i gyhuddo o unrhyw drosedd. Er hynny, mi oedd o ar gyrion y byd cyffuriau, a byddai ei enw'n codi bob hyn a hyn. Roedd ganddo dipyn o enw am weiddi hai efo'r cŵn a hwi efo'r geinach, ac yn aelod o deulu mawr yn yr ardal 'ma. Teulu eitha da, a deud y gwir. Mae ei chwaer o, Yvonne, a'i bryd ar ddod yn gwnstabl arbennig ... neu mi oedd hi ar un adeg, beth bynnag.'

'Be oedd ei waith o?' gofynnodd Jeff.

'Llenwi silffoedd yn archfarchnad Tesco yn y dref. Y shifft nos oedd o'n weithio gan amlaf, ond ar nos Fawrth y pedwerydd ar ddeg o Ebrill eleni, ychydig cyn hanner nos, mi ffoniodd ei reolwr ei gartref yn gofyn ble roedd o.'

'Ei gartref?'

'Ia, roedd o'n dal i fyw efo'i fam a'i dad a'i chwaer, Yvonne, oedd dair blynedd yn iau na fo. Doedd ei rieni ddim yn poeni'n ormodol amdano y noson honno, am ryw reswm, ond ddaru o ddim dod adref am wyth y bore yn ôl ei arfer chwaith. Ganol y bore, dyma nhw'n penderfynu cysylltu â'r heddlu i gofnodi ei fod ar goll, er nad oedd pedair awr ar hugain wedi mynd heibio. Y prynhawn hwnnw daethpwyd o hyd i'w gar ar dir anial, ger chwarel mewn lle o'r enw Buildwas, sydd ar y ffordd i Much Wenlock, tua dwy neu dair milltir allan o'r dref 'ma. Mi a' i â chdi yno yn nes ymlaen os leci di.'

'Be am y car?' gofynnodd Jeff.

'Vauxhall Corsa 1.3, pedair oed oedd ganddo fo, un coch. Cafodd y car ei weld ar CCTV am hanner awr wedi deg y noson honno hanner milltir o gartref Dennis yn teithio i gyfeiriad Tesco, ond doedd dim golwg ohono yn mynd ar gyfyl maes parcio'r archfarchnad lle'r oedd o i fod i ddechrau gweithio am un ar ddeg. Dyna'r tro olaf i'r car gael ei weld y noson honno. Doedd dim golwg ohono ar 'run camera arall, yn anffodus, a doedd dim posib deud faint o bobl oedd yn y car chwaith.'

'Y nifer o bobl ... ydi hynny'n bwysig?'

'Ydi, ac mi wna i egluro hynny mewn munud. Mae'n rhaid i ni ganolbwyntio ar y cyfnod rhwng hanner awr wedi deg ac un ar ddeg pan oedd o i fod i ddechrau ei waith. Unwaith mae rhywun yn gadael canol y dref, lonydd bach cul sy'n mynd i gyfeiriad Buildwas. Cyn belled ag y gwyddon ni, doedd gan Dennis ddim rheswm i fynd yno. Mae'n edrych yn debyg ei fod wedi cyfarfod â rhywun yn y cyfamser, a'i fod wedi cael ei berswadio rywsut i yrru ei gar yno. Mwy na thebyg gan rywun arall a oedd yn teithio efo fo yn y car. Ond mae'n amlwg fod mwy nag un person ynghlwm yn y llofruddiaeth.'

'Un i fynd â fo yno ryw ffordd neu'i gilydd, efallai drwy bwyntio'r gwn tuag ato, ac un arall i yrru'r ail gar er mwyn gyrru oddi yno wedi'i ladd o?' awgrymodd Jeff.

'Cywir, ond rŵan 'ta. Y llofruddiaeth ei hun. Rheolwr y chwarel gyfagos ddaeth o hyd iddo fo, ac roedd hi'n amlwg ar unwaith mai llofruddiaeth oedd hi. Ugain munud i dri y prynhawn hwnnw gawson ni'r alwad. Tir anial, fel y soniais i, tir garw allan o'r ffordd ac allan o olwg unrhyw un nad oedd â rheswm i fynd yno.'

'Rhywle na fyddai'n gyfarwydd i unrhyw un nad ydyn nhw'n lleol, ella?' cynigiodd Jeff.

'Dyna fyswn i'n ei feddwl hefyd, a dyna pam rydan ni wedi bod yn canolbwyntio ein hymholiadau yn lleol, yn enwedig gan fod Dennis wedi bod ar gyrion masnach gyffuriau'r ardal. Eistedd yn sedd y gyrrwr oedd Dennis pan gafwyd hyd iddo fo, ac yn y fan honno y cafodd ei saethu hefyd – yn y sedd, tu ôl i'r llyw. Roedd drws ochr gyrrwr y car yn agored ac roedd y golwg mwyaf ofnadwy ar ochr ei ben o, lle daeth y fwled allan. Roedd yn amlwg fod baril y gwn wedi'i bwyso yn erbyn ei arlais chwith, yn ôl y marciau powdwr a gafodd eu gadael yn y fan honno.'

'Swnio'n debyg i ddienyddiad i mi, llofruddiaeth broffesiynol arall.'

'Arall?'

'Ia, llofruddiaeth broffesiynol oedd yr un yng Nglan Morfa hefyd.' Dywedodd Jeff rywfaint o'r hanes wrtho.

'Proffesiynol, ia yn sicr, ond mae 'na fwy,' parhaodd Arnold. 'Roedd marciau o gwmpas gwddf Dennis – marciau croglath, rhyw fath o gortyn nad ydan ni wedi dod o hyd iddo. Mi ddaethon ni i'r canlyniad fod rhywun yn eistedd y tu ôl iddo fo yn y car, tu ôl i sedd y teithiwr, a bod hwnnw wedi rhoi'r groglath o amgylch ei wddf er mwyn ei ddal yn llonydd tra oedd y llall yn dal y gwn yn erbyn ochr ei dalcen a thynnu'r glicied. Y fwled laddodd o, wrth reswm, nid y crogi.'

'Ac roedd drws y car yn agored ... dyna pam na chawsoch chi'r fwled. Doedd dim byd i atal ei thaith. Roedd y fwled a laddodd Glenda Hughes wedi teithio ymhell wedi iddi fynd trwy ei phen hithau hefyd, ond drwy dipyn o lwc mi ddaethon ni o hyd iddi.'

'Fysat ti byth yn credu'r ymdrech wnaethpwyd i chwilio am y fwled, ond na, doedd 'na ddim sôn amdani, yn anffodus.'

'Ble oedd y cas?' gofynnodd Jeff.

'Yng nghefn y car. Sy'n tueddu i brofi mai gwn rhannol awtomatig gafodd ei ddefnyddio.'

'Yn debyg iawn i'n llofruddiaeth ni,' meddai Jeff eto. 'Oedd rhywfaint o dystiolaeth ychwanegol, fforensig neu fel arall, yn lleoliad y drosedd?' gofynnodd.

'Dim,' atebodd Arnold. 'Chlywodd neb na siw na miw. Yn ôl y patholegydd, rhwng deg a hanner nos gafodd o ei ladd, sy'n cyd-fynd â gweddill y dystiolaeth, a fyswn i ddim yn disgwyl i neb fod o gwmpas y cyffiniau yr adeg honno o'r nos. Doedd dim tystiolaeth fforensig yn y Corsa o gwbl, a doedd dim olion olwynion car arall yn agos chwaith. Cyflwr y tir caregog, garw oedd y rheswm am hynny.'

'A lle mae'r ymchwiliad wedi mynd â chi felly, Arnold?'

'Yn erbyn un wal frics ar ôl y llall, mae gen i ofn. Yr unig ddamcaniaeth sydd ganddon ni ydi fod Dennis wedi croesi rhywun, a bod hynny'n ddigon difrifol i rywun orfod delio efo fo yn barhaol. Ond rhaid i mi ddeud na welais i drosedd fel hyn o'r blaen, ddim yn y cyffiniau yma. Mi fyswn i'n rhoi fy ngheiniog olaf mai ym myd cyffuriau mae'r ateb.'

'Pam?' gofynnodd Jeff.

'Am nad oedd Dennis yn hogyn drwg iawn. Ella 'i fod o wedi potsian efo cyffuriau yn ei amser, fel lot fawr o bobl ifanc y dyddiau hyn, ond doedd dim sôn ei fod o'n defnyddio cyffuriau caled nac yn delio. Ei unig wendid oedd ei fod o'n ffond o gymysgu efo pobl oedd yn llawer iawn dyfnach yn y byd hwnnw, a brolio am hynny.'

'Heblaw am yr un amlwg, oes mwy o gwestiynau heb eu hateb?'

'Un neu ddau, ond yr un mwyaf diddorol ydi na allwn ni olrhain un car a welwyd ym maes parcio Tesco tua chwarter wedi deg y noson honno. Er ein bod ni wedi gwneud cannoedd o ymholiadau i geisio darganfod y gyrrwr, a holi perchnogion pob car tebyg o fewn hanner can milltir i Telford, chawson ni ddim lwc.'

'Sut gar oedd o?'

'Audi du. Mi welwyd o ar CCTV o bell – rhy bell, yn anffodus, i gael disgrifiad da ohono, nodi ei rif cofrestru na gweld sawl person oedd ynddo.'

'Mae hynny'n ddiddorol dros ben, Arnold. Cafodd Audi du, neu gar tebyg iawn, ei weld nid nepell o leoliad ein llofruddiaeth ni, er bod hynny wythnos neu ragor cyn y digwyddiad. Cael ei weld gan dyst wnaeth hwnnw, a does ganddon ninnau ddim mwy o ddisgrifiad na chitha.'

'Difyr iawn. Mae'n edrych yn debyg erbyn hyn fod mwy nag un tebygrwydd rhwng y ddwy lofruddiaeth.'

'Gad i ni feddwl, Arnold. Yr Audi du i ddechrau. Ddyddiau lawer cyn ein llofruddiaeth ni roedd o wedi'i barcio ger cartref yr ymadawedig – ai gwneud gwaith ymchwil oedden nhw? Paratoi am lofruddiaeth Glenda Hughes? Y gwn a ddefnyddiwyd, 9mm rhannol awtomatig, ydi'r ail debygrwydd. Llofruddiaeth broffesiynol – y gwn yn cael ei ddal yn erbyn y pen – dyna i ti dri. Y pedwerydd tebygrwydd ydi bod dau berson, o leiaf, yn rhan o'r llofruddiaethau, a chafodd dim tystiolaeth fforensig ei adael ar ôl. Swnio'n debyg i mi nad oes raid cael y fwled i brofi bod cysylltiad.'

'Ac ym Manceinion mae'r atebion yn debygol o fod, meddat ti, Jeff.'

'Ia, ond paid â mynd i chwilio yn y fan honno ar hyn o bryd, os gweli di'n dda, Arnold. Mae'r heddlu ym Manceinion wedi bod dipyn yn lletchwith efo ni am ryw reswm, ac mae fy mòs i ar fin gwneud ymdrech i oresgyn hynny.'

'Siort orau. Hoffet ti gael golwg ar gar Dennis Chancer? Mae o yn y garej i lawr y grisiau, ac yna mi awn ni i leoliad y saethu?'

'Siort ora, ond cyn i ni fynd, fysat ti mor garedig â mynd trwy eich system chi i chwilio am un neu fwy o'r enwau yma? Ifan Hughes, Sharon Hughes, Sioned Lloyd, Deborah Slater, Desmond, neu Des Slater, ac Alan Haywood.'

Edrychodd Arnold Peters trwy'r system gyfrifiadurol a chadarnhaodd nad oedd cofnod o'r enwau.

Roedd y Vauxhall Corsa coch wedi ei orchuddio â chynfas a fu unwaith yn ddi-haint. Doedd dim byd anghyffredin i'w weld mewn difrif, ond manteisiodd Jeff ar y cyfle i geisio cael rhyw fath o deimlad o'r achos. Yn achlysurol byddai gwneud hyn yn taro goleuni annisgwyl ar ryw achos neu'i gilydd, ond heddiw chafodd o 'run fflach o ysbrydoliaeth, dim ond delwedd annymunol o'r cerbyd bychan coch lle daeth bywyd gŵr ifanc i ben o flaen ei amser.

Cerddodd y ddau i'r maes parcio ac i gyfeiriad car Jeff er mwyn teithio i'r chwarel ger Buildwas.

'Na, ty'd yn fy nghar i,' meddai Arnold. 'Mae gen ti ddigon o waith gyrru o dy flaen i gyrraedd adra.'

Arweiniwyd Jeff tuag at Jaguar XF glas smart tua dwy oed ym mhen draw'r maes parcio. Fflachiodd y goleuadau ym mhob cornel wrth i Arnold wasgu'r botwm ar yr allwedd i'w ddatgloi. Gwenodd Jeff – petai ganddo fo gar tebyg, mi fyddai yntau'n manteisio ar bob cyfle i'w arddangos.

Ymhen ugain munud, siwrnai hwy nag yr oedd Jeff wedi'i disgwyl – cyrhaeddodd y ddau Buildwas. Stopiodd Arnold y car ychydig cyn cyrraedd y tir garw, a cherddodd y ddau weddill y ffordd.

'Dyma ni,' meddai. 'Dyma ble daeth bywyd Dennis Chancer i ben.'

Os oedd Jeff wedi disgwyl man anial, ni chafodd ei siomi. Tybiodd nad oedd llecyn gwell i gyflawni llofruddiaeth yn agos i ardal Telford. Yn wir, roedd rhywun gyda thipyn go lew o wybodaeth leol wedi dewis y llecyn hwn. Ond pwy? Sylweddolodd Jeff hefyd pam nad oedd y fwled wedi'i darganfod – doedd dim ond llystyfiant garw i'w weld ym mhob cyfeiriad.

Ond marciau ar fwled neu beidio, roedd nifer o gysylltiadau rhwng llofruddiaeth Dennis Chancer yn Telford a llofruddiaeth Glenda Hughes yng Nglan Morfa wedi dod i'r amlwg erbyn hyn. Ai yma yn Telford roedd yr atebion, tybed? Dyna oedd ar feddwl Jeff yr holl ffordd adref.

Pennod 21

Fore trannoeth roedd awyrgylch dipyn gwell yng nghynhadledd y bore. Wedi'r cyfan, roedd tridiau wedi mynd heibio ers i Arfon Prydderch gael ei arestio, a doedd Jeff ddim wedi dangos ei wyneb yn agos i orsaf heddlu Glan Morfa yn y cyfamser. Nid bod llawer o ots ganddo, ond gwyddai Jeff nad oedd o'n un o'r ditectifs mwyaf poblogaidd ymysg rhai o'i gyd-weithwyr o'r tu allan i'r ardal. Roedd y rheiny'n dueddol o deimlo ei fod yn cael ei roi ar ryw bedestal nad oedd o'n deilwng ohono yn ystod pob ymchwiliad mawr – doedd dim gorfodaeth arno i ddilyn cyfarwyddiadau na gweithio ochr yn ochr â ditectif arall. Fo oedd 'cerdyn gwyllt' yr ymchwiliad, yn rhydd i ddilyn ei drwyn. Ac yn sicr roedd ei berthynas o â Lowri Davies yn fater o genfigen i rai hefyd, heb sôn am anrhydedd y Q.P.M. a roddwyd iddo rai blynyddoedd ynghynt. Yn rhyfeddol, nid oedd ei lwyddiant yn datrys nifer o achosion mawr yn y gorffennol yn berthnasol.

Beth bynnag, ar ôl iddo arestio Prydderch, roedd ei absenoldeb tra oedd yn Telford yn amlwg wedi rhoi amser i'r llwch setlo. Rhoddodd grynodeb byr o'r newyddion a ddysgodd yn y fan honno, ac ar ôl i'r gynhadledd orffen dywedodd Jeff wrth Lowri am ei fwriad nesaf i deithio i Southport.

'Mi ddysgais i dipyn go lew gan Arnold Peters yn Telford,' eglurodd, 'a siawns y bydd llawer i'w ddysgu yn

Southport hefyd. Dwi wedi cysylltu â Ditectif Arolygydd Mike Hamer, oedd yn un o arweinwyr yr ymchwiliad i lofruddiaeth Sydney Boswell. Mae o yn fy nisgwyl i unwaith y ca' i ganiatâd ganddoch chi i fynd yno. Mi adawa i ar unwaith, os ydi hynny'n iawn efo chi.'

'Dim heddiw, Sarjant Evans,' atebodd Lowri yn annisgwyl. 'Mae'r Prif Arolygydd Pritchard a'r Arolygydd Bevan o'r Adran Safonau Proffesiynol yn dod draw i'ch cyfweld chi ynglŷn â'u hymholiadau i'r gŵyn yn erbyn Arfon Prydderch. Mi fyddan nhw i lawr yma erbyn canol y bore.'

'I be? Mi fedra i wneud datganiad fy hun ynglŷn â be ddigwyddodd. Mae gen i ddrafft yn barod ac mi wna i yrru hwnnw iddyn nhw.'

'Mi wyddoch chi'n well na hynny, Sarjant Evans. Nid fel'na mae petha'n gweithio yn achos ymchwiliad i un ohonon ni. Nhw sy'n holi a chymryd y datganiadau gan bob un o'r tystion.'

'Wel, dyna wastraff o ddiwrnod.'

'Gwnewch y gorau ohoni. Rhowch adroddiad llawn o'ch ymweliad â Telford ddoe ar y system er mwyn i mi fedru penderfynu oes digon o dystiolaeth i mi wneud cais i brif gwnstabl West Mercia i uno eu cronfa ddata nhw ar lofruddiaeth Chancer efo'n cronfa ddata ni yn fan hyn.'

'O'r gorau,' atebodd Jeff. 'Be mae Pritchard wedi bod yn ei wneud yma hyd yn hyn?' gofynnodd.

'Fel bysach chi'n disgwyl, maen nhw wedi bod yn drwyadl ofnadwy. Mae pob un o'r staff gweinyddol wedi cael eu holi, yn ogystal â Ceinwen, wrth gwrs. Nid Ceinwen oedd y gyntaf i deimlo'n anghyfforddus yn ei gwmni chwaith. Dwi wedi dod o dan rywfaint o feirniadaeth fy hun, hyd yn oed.'

'Sut felly?'

'Yn ôl pob golwg, mae gan Prydderch dipyn o broblem yfed. Roedd o'n mynd am ddrinc bob amser cinio, ac roedd hynny'n amlwg i rai o'r genod yn ystod y prynhawniau. Y cwestiwn sy'n cael ei ofyn ydi pam nad oeddwn i'n gwybod am ei broblem, a pham na wnes i roi stop arno?'

'Fedrwch chi ddim bod ym mhob man, na fedrwch?' Penderfynodd Jeff beidio â dweud mwy.

'Ond os oedd rhywun arall yn y lle ma'n gwybod, pam ddiawl na fysan nhw wedi deud wrtha i?'

Nid atebodd Jeff. Aeth i dawelwch ei swyddfa ei hun a dechrau teipio'r wybodaeth a gafodd o Telford. Am ugain munud wedi un ar ddeg clywodd gnoc ar ddrws ei swyddfa, ac ymddangosodd y Prif Arolygydd Pritchard a'r Arolygydd Bevan. Roedd Bevan wedi cael ei ddyrchafu ers iddynt gyfarfod bum mlynedd yn ôl, a Pritchard yn ôl yn yr un adran wedi iddo gael dyrchafiad dros dro. Ni fyddai'n hir cyn iddo yntau ddringo'r ysgol ymhellach. Yn ôl y sôn, roedd y ddau ar eu ffordd i uchelfannau'r gyfundrefn. Nid oedd Jeff wedi bod ar delerau da efo 'run o'r ddau y tro diwethaf iddynt gyfarfod, nes i Pritchard ddangos cryn dipyn o ddewrder drwy achub bywyd Jeff ar lethrau dibyn serth yn Uwchmynydd pan laddwyd y cyn-gwnstabl Dan Foster. Anafwyd Pritchard yn y broses. Hwnnw oedd y diwrnod y syrthiodd Pritchard ar ei fai ar ôl sylweddoli nad Jeff oedd y drwg yn y caws yn heddlu Glan Morfa.

Doedd Pritchard na Bevan wedi newid fawr ddim yn y cyfamser. Pritchard oedd yr hynaf, dyn tal a smart, a doedd dim blewyn o'i le yn ei wallt syth, tywyll na'i fwstásh du. Roedd Bevan dipyn yn fyrrach ond yn lletach, a'i wallt golau yn gyrliog. Yn eu siwtiau drud edrychai'r ddau fel petaent newydd gerdded allan o ffenest siop yn Saville Row.

Cododd Jeff ar ei draed ac estyn ei law dde tuag atynt gyda gwên ar ei wyneb. Gwenodd Pritchard hefyd, a Bevan wrth ei ochr. Ysgydwodd y ddau law Jeff.

'Mi wyddoch chi pam rydan ni yma, Ditectif Sarjant Evans.' Pritchard agorodd y drafodaeth.

'Siŵr iawn,' atebodd Jeff. 'Ond mi fyswn i wedi gyrru datganiad llawn i chi petaech chi wedi gofyn.'

'Dwi'n deall, ac yn gwerthfawrogi hynny, Sarjant Evans, ond wrth gwrs, ni sy'n rheoli'r ymchwiliad a ni sy'n cyfweld yr holl dystion. Efallai y bydd yn rhaid i ni ofyn cwestiynau i chi mewn ymateb i ddatganiad tyst arall … er mwyn bod yn drwyadl, wrth gwrs.'

'Dallt yn iawn. Steddwch i lawr.' Gwibiodd nifer o ystyriaethau trwy feddwl Jeff. Gwyddai mor drwyadl oedd y ddau yma, a gwyddai hefyd eu bod eisoes wedi holi nifer o dystion. Beth oedd y rheiny wedi'i ddweud? Byddai'n rhaid iddo fod yn eithriadol o ofalus wrth gyflwyno'i atebion.

Tynnodd Bevan lyfr nodiadau allan o'i ges a'i roi ar y ddesg o'i flaen, yn barod i gofnodi'r cyfweliad.

'Efallai y bydd y rhain o ddefnydd i chi,' meddai Jeff wrth ddatgloi ac agor drôr yn ei ddesg a phasio nifer o ddarnau o bapur A4 i Pritchard. 'Dyma ddrafft o ddatganiad y gwnes i ei gofnodi yn fy llawysgrifen fy hun yn syth ar ôl y digwyddiad. Dydw i ddim wedi'i arwyddo fo eto.'

Cymerodd Pritchard sawl munud i ddarllen y cynnwys – yr union fanylion roedd Jeff wedi'u cyfleu i Lowri Davies yn ystod, ac yn syth wedi'r digwyddiad.

'Defnyddiol iawn. Diolch i chi, Sarjant Evans. Ond mi sylweddolwch, wrth gwrs, fod yn rhaid i mi fynd dipyn yn ddyfnach mewn achos mor bwysig â hwn.'

Doedd Jeff ddim yn disgwyl llai.

'Rydw i am fod yn hollol ddidwyll efo chi, Sarjant Evans, yn berffaith agored. Ydych chi'n deall?' Edrychodd Pritchard i fyw ei lygaid. Roedd unrhyw arwydd o wên wedi hen ddiflannu erbyn hyn. 'Dwi'n ei chael hi'n gyd-ddigwyddiad rhyfeddol eich bod chi'n digwydd bod yn yr ystafell lle mae'r camera yn cael ei reoli pan gerddodd Sarjant Prydderch i mewn i ystafell Ceinwen.' Plygodd ymlaen yn ei gadair fel petai'n pwysleisio'r pwynt.

'Mae cyd-ddigwyddiadau yn digwydd o dro i dro, Brif Arolygydd, ond fel ditectif fy hun, mi fedra i ddeall eich safbwynt chi. Mi fydda innau'n amau rhai cyd-ddigwyddiadau o dro i dro hefyd.'

'Wel, o leiaf mi ydyn ni'n deall ein gilydd yn hynny o beth, Sarjant. Beth oeddech chi'n ei wneud yn adennill y disg ddau ddiwrnod ar ôl cyfweliad Mr Haywood? Pam cymaint o oedi?'

'Anghofio amdano wnes i. Roedd hi'n hwyr erbyn i mi orffen cyfweld Mr Haywood. Mi es i i ofyn i un o'r staff gweinyddol deipio ei ddatganiad y noson honno er mwyn sicrhau ei fod ar y system erbyn y bore wedyn, yna mi es i adref yn syth. Roedd y diwrnod wedyn yn eithriadol o brysur. Un digwyddiad ar ôl y llall, a chofiais i ddim am y disg tan ar ôl amser cinio dydd Sadwrn.'

'Peth arall rhyfeddol yn fy marn i ydi bod y camera wedi bod ymlaen yr union adeg honno.'

'Rhaid i chi gofio, Brif Arolygydd, fy mod i wedi bod yn yr ystafell am dros funud cyn y digwyddiad. Dydw i ddim yn arbenigwr ar ddefnyddio'r teclyn recordio. Mi oeddwn i ar fin tynnu'r disg oedd yn cynnwys cyfweliad Mr Haywood allan pan wnes i'r camgymeriad o droi'r camera ymlaen – damwain oedd hynny. A dyna pryd y gwelais i Arfon, ar y sgrin o 'mlaen, yn cerdded i mewn i'r swyddfa a chau'r drws y tu ôl iddo.'

'Cau'r drws?'

'Ia, dyna be dynnodd fy sylw i. Pa reswm oedd ganddo fo i wneud y fath beth?'

'Oedd rhywbeth arbennig ar eich meddwl chi'r eiliad honno, Sarjant Evans?'

Oedodd Jeff fymryn cyn ateb. Y tebygrwydd oedd bod y ddau eisoes wedi holi Jean. 'Oedd, Brif Arolygydd,' meddai. 'Mi oeddwn i wedi clywed si fod Arfon yn agosáu'n ormodol at ferched y swyddfa, gan wneud iddyn nhw deimlo'n anghyfforddus.'

'Os felly, pam na ddaru chi riportio'r mater i'r Ditectif Brif Arolygydd Lowri Davies?'

'Riportio be?' gofynnodd Jeff. 'Doedd Arfon ddim wedi cyflawni unrhyw drosedd bryd hynny. Ddim i mi fod yn gwybod, beth bynnag. Petawn i wedi clywed neu weld unrhyw dystiolaeth ei fod o wedi troseddu mewn unrhyw ffordd o gwbl, mi fyswn i wedi sôn wrth y Prif Arolygydd Davies ar unwaith. Y peth dwytha fyswn i am ei wneud fysa cuddio'r fath ddigwyddiad.'

'Pryd glywsoch chi fod Sarjant Prydderch wedi camymddwyn, a chan bwy y clywsoch chi hynny?'

'Arhoswch am funud. Chlywais i ddim sôn am unrhyw gamymddwyn. Dim ond bod y merched yn teimlo'n anghyfforddus yn ei gwmni pan oedd o'n mynd yn rhy agos atyn nhw.'

'Sut roedd o'n gwneud iddyn nhw deimlo'n anghyfforddus?'

'Edrych dros eu hysgwyddau ... plygu drostyn nhw. Nid fy lle i ydi deud, ond mae Arfon yn ... wel, does 'na ddim ffordd arall o'i ddeud o, mae o'n drewi.'

'Drewi?'

'Drewi o chwys. Arogl corfforol anghynnes. Digon drwg i wneud i rywun deimlo'n anghyfforddus. Yn enwedig os oedd o'n agos atyn nhw.'

'Gan bwy felly y clywsoch chi'r honiadau, a phryd?'

'Yn hwyr y noson honno, wedi i mi orffen efo Mr Haywood, pan es i i swyddfa'r ymchwiliad efo'i ddatganiad o. Jean oedd y ferch welais i yn y fan honno – rydan ni'n adnabod ein gilydd yn eitha da. Hi ddeudodd wrtha i, ond fel ro'n i'n deud, doedd dim sôn am drosedd.'

Trwy gornel ei lygad gwelodd Jeff fod Arolygydd Bevan yn ciledrych ar Pritchard, ac yntau'n cydnabod y cyswllt. Tybiodd Jeff ei fod wedi pasio'r prawf. Yr un cyntaf, o leia.

'Glywsoch chi fwy o'i hanes o?'

'Dim ond gan Jean y diwrnod wedyn, yn dweud bod ymddygiad Arfon yn parhau, a'i bod yn amau fod Ceinwen yn cael mwy o sylw Arfon na gweddill y merched. Dyna pam y gofynnais i Ceinwen a oedd hi eisiau rhywfaint o gymorth gen i ynglŷn â'r mater.'

'Pryd oedd hynny?'

'Y bore wedyn. Bore Sadwrn.'

'Digwyddodd nifer o bethau y diwrnod hwnnw fel dwi'n deall, ond i ddechrau, beth oedd gan Ceinwen i'w ddweud?'

'Gofynnais iddi sut oedd Arfon yn bihafio. Dwi ddim yn meddwl ei bod hi wedi disgwyl y fath gwestiwn, ond cadarnhaodd yr hyn roedd Jean wedi'i ddweud wrtha i. Pan ofynnais iddi beth oedd natur ei ymddygiad, dywedodd ei fod o'n dod yn rhy agos ati, ei fod wedi dechrau sôn am ei phersawr, ond dim mwy na hynny. Ro'n i'n dechrau meddwl ei bod hi'n bryd i mi sôn wrth DBA Davies, ond dywedodd Ceinwen nad oedd angen. Nad oedd yna ddim byd wedi digwydd i warantu hynny. Gadewais y mater efo hi, gan bwysleisio fod fy nrws yn agored petai hi angen siarad.'

'Oeddech chi'n gwybod fod Ditectif Sarjant Prydderch yn yfed yn ormodol yn ystod ei awr ginio?'

'Nag oeddwn. Dim yfed yn ormodol, er bod arogl alcohol ar ei wynt, yn ôl y sôn.'

'Beth ddigwyddodd rhyngddoch chi a Ditectif Sarjant Prydderch y bore hwnnw o flaen y staff gweinyddol?'

Ochneidiodd Jeff. Doedd y cyfweliad ddim yn mynd mor rhwydd ag yr oedd o wedi gobeithio, ond gwrthododd y demtasiwn i ddechrau dadlau. 'Roedd y DBA wedi rhoi Arfon yn ei le ar ôl iddo gamymddwyn. Mi aeth o dros ei phen hi a ffonio'r heddlu ym Manceinion i gwyno nad oedden ni'n cael digon o gymorth a chydweithrediad ganddyn nhw. Daeth Arfon yn ei ôl i swyddfa'r ymchwiliad a defnyddio iaith anweddus i'w disgrifio hi, y DBA, o flaen y staff gweinyddol – yn ferched i gyd. Doedd o ddim yn gwybod fy mod i yn yr ystafell. Mi oedd o'n amharchus tuag at y DBA a'r merched yn y swyddfa, ac ro'n i'n teimlo bod dyletswydd arna i i ddweud wrtho sut ro'n i'n teimlo ynglŷn â'i araith a'i ymddygiad yn gyffredinol.'

'Dwi wedi sylwi, Ditectif Sarjant Evans, eich bod chi, drwy gydol y cyfweliad, wedi cyfeirio at Ditectif Sarjant Prydderch yn ôl ei enw cyntaf. Mae hynny'n awgrymu rywfaint o gyfeillgarwch rhyngoch chi. Ydi hynny'n wir, neu ai ceisio taflu llwch i'n llygaid ni ydych chi?'

Oedodd Jeff cyn ateb, ond nid ateb a roddodd ychwaith. Roedd o angen amser i feddwl er y gwyddai o brofiad beth oedd i ddod. 'Taflu llwch i'ch llygaid chi?'

Syllodd Pritchard arno. 'Roeddech chi a Sarjant Prydderch yn rhannu'r swyddfa hon i ddechrau, yn doeddech chi?'

Doedd Jeff ddim mewn hwyl i barhau â'r holi ac ateb plentynnaidd hwn. Edrychai'n debyg fod Pritchard wedi gwneud llond trol o waith cartref cyn dechrau'r cyfweliad ac roedd hi'n hen bryd iddo wneud ymdrech i afael yn y llyw erbyn hyn. 'Mae'n amlwg i chi, dwi'n siŵr – ac yn sicr i bawb arall sydd wedi bod yn gweithio yma yn ystod yr wythnos ddiwethaf – nad ydi Arfon Prydderch a finna'n cyd-dynnu. Mae'n gas gen i'r dyn, os ydach chi isio i mi fod yn berffaith agored. Pam? Am ei fod o'n amharchus tuag at bobol eraill, yn enwedig y DBA. Tu ôl i'w chefn hi, wrth gwrs. Mae o wastad yn ceisio rhoi'r argraff mai fo sy'n rhedeg y sioe. Mae o'n dwyn gwybodaeth mae eraill wedi'i darganfod a'i rhoi ar y system yn ei enw ei hun. Mae o'n gweithredu uwchben ei safle a heb awdurdod, a chreu embaras i'r DBA. Ac ar ben hynny mae o'n cam-drin merched. Sut ar y ddaear ydach chi'n disgwyl i mi deimlo tuag ato fo? A rŵan, mae'r holi yma'n tueddu i awgrymu fod rhyw fai arna i, ac mae hynny'n anodd iawn gen i gredu. Do wir, mi fu bron iawn i mi roi dwrn iddo fo y diwrnod o'r blaen, a diolch i'r nefoedd fod y DBA wedi fy atal i, neu fi fysa mewn miri yn hytrach na fo. Rŵan 'ta, Brif Arolygydd Pritchard, dwi'n gobeithio fy mod i wedi esbonio sut dwi'n teimlo ynglŷn ag Arfon Prydderch a pham.'

'Mi ydach chi wedi gwneud gwaith campus o esbonio i mi, Ditectif Sarjant Evans. Yr unig gwestiwn sydd gen i ydi hwn: a oedd eich barn chi ohono yn ddigon o ysgogiad i chi osod trap ar ei gyfer?'

'Dau ateb sydd gen i i'r cwestiwn yna, Brif Arolygydd. Dydi person fel Prydderch ddim angen trap. Mi wnaiff y gwaith ei hun yn hen ddigon da. A'r ail ydi mai fo ei hun ymosododd yn rhywiol ar Ceinwen druan, heb unrhyw fath o gymorth o unrhyw le arall.'

Roedd hi'n amser cinio erbyn i'r cyfweliad ddod i ben. Eisteddodd Jeff yn ôl yn ei gadair. A ddylai synnu fod y cyfweliad yn un mor fanwl? Na, meddyliodd. Wedi'r cyfan, roedd yr achos yn un difrifol lle'r oedd gyrfa a phensiwn plismon yn y fantol. Byddai wedi disgwyl i Pritchard fod yr un mor drwyadl petai o mewn helynt tebyg ei hun. Wedi dweud hynny, roedd yn rhaid iddo yntau feddwl am unrhyw ddiffyg yn ei ymddygiad ei hun. Tynnodd ei ffôn symudol o'i boced. Edrychodd ar y sgrin, a newid ei feddwl. Aeth allan o'r orsaf a cherdded o amgylch canol y dref. Oedd y ffasiwn beth â blwch ffôn cyhoeddus yn bodoli bellach, tybed? Ni wyddai beth oedd o'i flaen na pha mor drwyadl roedd Pritchard a Bevan yn bwriadu bod. Ymhen munudau, roedd o y tu allan i'r orsaf drenau a gwên fawr ar ei wyneb. Edrychodd o'i gwmpas cyn mynd i mewn i'r blwch ffôn. Cododd y derbynnydd a rhoi arian yn y twll, cyn deialu'r rhif oedd ar sgrin ei ffôn symudol. Atebwyd yr alwad.

'Nansi. Fi sy 'ma.'

'Lle wyt ti? Be ti'n neud yn fy ffonio fi o rif diarth? Mi fu bron i mi beidio ateb.'

'Gwranda, dim ond gair sydyn,' meddai. 'Amser cinio dydd Sadwrn dwytha. Os fydd 'na ddau blismon o'r pencadlys yn dy holi di, cofia beidio sôn gair amdana i. Ydi hynny'n glir? Dwi angen i ti addo.'

'Ydi tad, ond pam fysan nhw'n fy holi fi?'

'Mae'n annhebygol iawn y byddan nhw'n gwneud hynny, ond dwi'n dy rybuddio di o flaen llaw ... rhag ofn.'

'Wna i byth dy adael di i lawr, Jeff. Paid ti â phoeni.'

Pennod 22

Roedd yn rhaid i Jeff gyfaddef nad oedd yn canolbwyntio fel y dylai wrth iddo yrru i gyfeiriad Southport y bore canlynol. Ni allai anghofio am ei gyfarfod gyda Pritchard a Bevan y diwrnod cynt. Beth oedd ffiniau eu hymchwiliad, dyfalodd? Y gŵyn a wnaeth Ceinwen yng Nglan Morfa yn unig, neu a oedd eu hymholiadau yn debygol o gwmpasu ymddygiad Prydderch yng nghyffiniau Wrecsam hefyd? Y drefn arferol fyddai i un ymchwiliad gynnwys pob cwyn yn erbyn un person, swyddog yr heddlu neu beidio, waeth ble roedd y drosedd wedi digwydd. Os oedd hynny'n wir, byddai gan y ddau o Adran Safonau Proffesiynol y pencadlys lond eu dwylo am y dyfodol agos.

Roedd hi'n tynnu am un ar ddeg y bore pan gyrhaeddodd Jeff bencadlys Heddlu Glannau Merswy yn Albert Road, Southport. Gŵr yng nghanol ei bedwardegau oedd y Ditectif Arolygydd John Michael Hamer. Nid oedd yn ddyn tal iawn ond roedd yn ffit a chadarn yr olwg wrth iddo frasgamu'n sionc ar draws y cyntedd. Siaradai yn araf ac yn ddistaw mewn acen yr oedd Jeff yn dyfalu oedd yn tarddu o Swydd Gaerhirfryn. Ysgydwodd y ddau ddwylo'i gilydd a gwenodd Mike arno'n groesawgar.

'Reit, Mike ydw i, a chithau?'

'Jeff Evans.'

Aeth Mike Hamer yn syth at wraidd y mater. 'Iawn, Jeff. Llofruddiaeth Sydney Boswell. Dwi'n deall fod yr un gwn wedi cael ei ddefnyddio i ladd merch yng ngogledd Cymru.'

Syth at y pwynt, ac roedd Jeff yn gwerthfawrogi hynny. 'Yng Nglan Morfa,' atebodd er mwyn bod yn fanwl gywir.

'Lle braf,' meddai Hamer.

'O ydach chi'n adnabod gogledd Cymru, felly?'

'Yn eitha da. Mae gen i garafán yn Sir Fôn, ond ta waeth am hynny rŵan.' Aeth yn syth yn ôl i'r achos dan ystyriaeth. 'Be fedra i wneud i'ch helpu chi, Jeff?'

'Dwi angen y cwbl sydd ganddoch chi am lofruddiaeth Boswell os gwelwch chi'n dda, Mike.'

'A chroeso, ond mi ro' i rybudd i chi – peidiwch â bod yn rhy siomedig. Does gen i ddim gwybodaeth sy'n mynd i ddatrys eich llofruddiaeth chi. Y peth gorau fedra i ei wneud ydi mynd â chi'n syth i'r man lle lladdwyd o, ac mi esbonia i'r cyfan i chi yn y fan honno. Ydi hynny'n eich siwtio chi?'

'Siort orau,' cytunodd Jeff.

Dilynodd Jeff gyfarwyddiadau Mike Hamer a dilyn ffordd a redai ar hyd arfordir y dref ac yna i'r de am ychydig filltiroedd cyn dod i draeth Ainsdale.

Llecyn rhyfedd i lofruddio rhywun, meddyliodd Jeff, wrth ddod â'r car i stop ar ochr Lôn y Traeth nid nepell o wersyll Pontins, Ainsdale-on-Sea. Nid oedd y gwersyll yn un mawr, ond roedd nifer o arcêds ac ati gerllaw – dim llawer mwy.

'Dyma ni,' meddai Hamer. 'Dyma lle saethwyd Syd Boswell.'

'Anodd gen i gredu,' atebodd Jeff. 'Mi ddigwyddodd hyn ar yr ugeinfed o Fehefin, yng nghanol yr haf, drws nesaf i wersyll Pontins, ddiwrnod cyn hirddydd haf. Mi fysa hi wedi bod yn olau tan un ar ddeg o'r gloch y nos, a channoedd o bobl o gwmpas.'

Gwenodd Hamer. 'Tydi o ddim yn gwneud llawer o synnwyr, nac'di? Dim cynllun, a dim paratoi o flaen llaw, mae'n amlwg. Neu efallai fod rhywbeth wedi mynd o'i le. Ond wedi dweud hynny, y tebygrwydd ydi nad oedd llawer o bobl o gwmpas. Roedd hi'n bwrw glaw yn drwm y noson cynt, y pedwerydd ar bymtheg, ac mae'n debygol bod y saethu wedi digwydd yn oriau mân y bore wedyn, cyn iddi ddechrau gwawrio. Rhwng dau a thri o'r gloch y bore oedd amcangyfrif y patholegydd.'

'Pwy ddaeth o hyd iddo fo, yn lle a phryd?' gofynnodd Jeff.

'Dau fachgen ifanc yn eu harddegau cynnar, yn gynnar ar fore Sadwrn, yr ugeinfed. Welwch chi'r coed acw i'r dde yn y pellter? Yn fanno y cafodd Boswell ei saethu. Mae yna lyn o'r enw Broadwalk Lake, allan o'n golwg ni yn fan'cw, a llwybr cyhoeddus yn mynd o'i amgylch. Mae rhan o'r llwybr yn mynd drwy'r coed a'r llystyfiant trwchus yna a welwch chi yn y pellter.'

Dringodd y ddau allan o'r car. Edrychodd Jeff o'i gwmpas. Doedd y twyni, y traeth a'r môr tu hwnt ddim ond hanner canllath i ffwrdd, a'r tywod heddiw wedi'i adael yn lluwch ar y ffordd gan wyntoedd cryfion cynnar yr hydref. Roedd nifer o bobl o gwmpas o hyd, yn mwynhau gwyliau hwyr.

'Fel hyn rydan ni'n ei gweld hi,' meddai Hamer. 'Fe gymerodd ddiwrnod neu ddau i ni ddarganfod pwy oedd y dioddefwr a dysgu tipyn amdano fo. Dyn hanner cant oed oedd Sydney Boswell, un a oedd yn adnabyddus i'r heddlu ym Manceinion efo nifer o euogfarnau i'w enw. Dim byd

175

ofnadwy, ond roedd o wedi bod yn y carchar ddwywaith am fân bethau – dwyn ac ati. Dydi Manceinion ddim yn bell o'r fan hon – o gwmpas awr a chwarter, awr a hanner mewn car os ydi'r traffig yn caniatáu. Yr M62, yr M57, yr A5758 ac yna'r A565 sy'n dod â chi i gylchfan sydd hanner milltir i fyny'r lôn acw.'

'Oedd 'na rywun ym Manceinion wedi riportio ei fod o ar goll?' gofynnodd Jeff.

'Nag oedd,' atebodd Hamer. 'Byw ar ei ben ei hun. Dim llawer o fywyd, a deud y gwir. Roedd yn rhaid i ni ddefnyddio ei DNA a'i olion bysedd i ddarganfod pwy oedd o. Yn fan hyn y parciodd y car a ddaeth â fo yma, ac mae'r union fan lle daethpwyd o hyd iddo tua dau gan llath i ffwrdd.'

'Sut gwyddoch chi fod car wedi dod â fo i fama?'

'Ein rhesymeg ni ydi ei fod o wedi cael ei ddanfon yma'n bwrpasol i gael ei saethu. Dyma'r lle agosaf i leoliad y drosedd y gall rhywun barcio car.'

'Oes tystiolaeth i brofi hynny?'

'Roedd marciau a briwiau o amgylch ei arddyrnau sy'n awgrymu bod ei ddwylo wedi cael eu clymu efo'i gilydd y tu ôl i'w gefn. Yn ystod y daith, neu ynghynt hyd yn oed, ond yn sicr cyn cyrraedd yma. Mi gafodd ei lusgo allan o'r car a'i arwain i'r cyfeiriad acw lle ffeindiwyd o, ond rhywsut roedd o wedi llwyddo i ddatod ei ddwylo, a cheisiodd ddianc.'

Gwrandawodd Jeff yn astud. Dyma ddarlun gwahanol iawn i'r ddwy lofruddiaeth arall yn y gyfres. Neu o leiaf yr hyn roedd o wedi eu hystyried yn gyfres o dair.

'Sawl llofrudd oedd 'na?'

'Mwy nag un, ond dim ond damcaniaeth ydi hynny.

Fuasai un dyn ddim wedi medru gwneud y cwbl. Tarodd yr ergyd gyntaf a daniwyd o'r gwn ei goes chwith, tua hanner canllath o'r fan hyn. A rhywsut neu'i gilydd llwyddodd Boswell i redeg ymhellach i ffwrdd, ar hyd y llwybr i gyfeiriad y coed acw. Roedd diferion o'i waed o mewn sawl man ar hyd y ffordd draw.'

Cerddodd y ddau i'r cyfeiriad hwnnw.

'Mi wnaeth o'n dda i allu dianc cyn belled yn y tywyllwch,' meddai Jeff.

'Rydan ni'n cymryd bod tipyn o olau yn dod o'r gwersyll. Ond wedi iddo fynd ymhellach, ac i fwy o dywyllwch, un ai mae o wedi disgyn neu mae'r llofrudd wedi dal i fyny efo fo. Ac fe'i saethwyd bum gwaith yn lle disgynnodd o.'

'Ym mha ran o'i gorff gafodd o'i saethu, Mike?' Crwydrodd meddwl Jeff at gyrff Chancer a Glenda.

'Ar ei fol y syrthiodd o, ac fe'i saethwyd yn ei gefn bum gwaith, o fan eitha agos, ond doedd 'na ddim marciau powdr gwn ar ei ddillad o.'

'A'i ladd ar unwaith, siŵr gen i.'

'Na. Mi gymerodd y creadur oriau poenus i waedu i farwolaeth.'

'Gwahanol iawn i'r ddwy lofruddiaeth arall. Ddaru nhw ddim aros er mwyn sicrhau ei fod o wedi marw.'

'Dwy lofruddiaeth arall?' gofynnodd Hamer yn syn.

'Ia,' atebodd Jeff. Esboniodd ei ddamcaniaeth, gan adrodd manylion llofruddiaeth Dennis Chancer a'r cyswllt tenau rhwng y ddau achos arall. 'Ond,' parhaodd, 'cafodd Chancer a Glenda Hughes eu saethu yn eu pennau. Llofruddiaethau proffesiynol. Dim byd tebyg i be ddigwyddodd i Boswell, ac mae hynny'n ddiddorol. Yn ddigon i wneud i mi feddwl nad yr un person sy'n gyfrifol. Mae'r achos yma'n chwalu fy syniad fod y tair llofruddiaeth yn rhan o'r un gyfres. Lle gawsoch chi hyd i'r bwledi?'

'Roedd y pump yn y ddaear o dan ei gorff, a dyna pam yr ydan ni mor sicr ei fod wedi baglu a disgyn cyn iddo gael ei saethu. Roedd y casys yn y llystyfiant i'r dde o'r man lle taniwyd y gwn. Cawsom y cês cyntaf yn agos i'r man lle taniwyd y gwn i'w saethu yn ei goes, ond chawson ni 'mo'r fwled.'

'Wel, mae hyn yn annisgwyl,' meddai Jeff. 'Tair llofruddiaeth, tri achos o saethu. Dau, yn sicr, yn cael eu cyflawni efo'r un gwn – Ainsdale a Glan Morfa. A dau yn edrych yn debyg i lofruddiaeth broffesiynol, un yn Telford a'r llall yng Nglan Morfa. A dwi'n dal i gredu bod cysylltiad rhwng y tri, er na wyddon ni ddim am gysylltiad rhwng Chancer a Manceinion. Ydi gweithgareddau is-fyd y ddinas honno yn rhan o'ch ymholiadau chi, Mike?'

'O, peidiwch â sôn wrtha i am Fanceinion!'

Gwenodd Jeff.

'I ddechrau, roedd popeth yn edrych yn hynod o dda. Unwaith ddaru ni ddarganfod fod Boswell yn byw ar gyrion yr is-fyd troseddol ym Manceinion, penderfynodd penaethiaid CID y ddau heddlu gynnal ymchwiliad ar y cyd. Ni yn gwneud yr ymholiadau lleol yn y fan hyn, a hwythau yn gwneud eu hymholiadau hwythau ym Manceinion. Welais i erioed ymchwiliad ar y cyd mor unochrog yn fy nydd. Roeddan ni'n rhoi pob tamaid o wybodaeth iddyn nhw ac yn cael y nesaf peth i ddim yn ôl.'

'Dwi'n synnu dim,' atebodd Jeff. 'Mae'r un peth wedi digwydd i ni. Oes ganddoch chi unrhyw syniad pam?'

'Dim i sicrwydd. Ond mae pawb yn gwybod nad ydi

petha wedi bod yn wych rhwng Lerpwl a Manceinion erioed – a dwi ddim yn sôn am bêl-droed.' Gwenodd. 'Heddlu Glannau Merswy ydan ni, wedi'r cwbwl, er mai yn Southport ydan ni.'

'Ydi enw y Ditectif Brif Uwch Arolygydd Adams yn golygu rwbath i chi?'

Gwenodd Hamer. 'Ia, Adams. Fo sy'n rheoli petha yn y cefndir ym Manceinion.'

'Be ydach chi'n wneud o'r diffyg gwybodaeth a gawsoch chi o Fanceinion, Mike? Rhaid bod ganddoch chi ryw fath o ddamcaniaeth.'

Meddyliodd Hamer am rai eiliadau cyn ateb. 'Does dim amheuaeth o'n hochr ni fod llofruddiaeth Sydney Boswell yn rhywbeth i'w wneud ag is-fyd y ddinas. Maen nhw'n fodlon dweud mai dyna lle cafodd y gwn ei ddefnyddio yn y gorffennol, ond roedd hynny beth amser cyn ein llofruddiaeth ni yma. A chyn y llofruddiaeth yn Telford hefyd, os oes 'na gysylltiad yn fanno. Maen nhw'n bendant nad oes cysylltiad rhwng llofruddiaeth Boswell â'r rhai cynt. Rhy bell yn ôl, meddan nhw, ac mae'r achosion hynny wedi'u cau ers tro byd. Wnân nhw ddim ailagor y ffeiliau, na gadael i ni wneud hynny chwaith. Wn i ddim pryd y dechreuodd ymchwiliadau i achosion o lofruddiaeth gael eu cau.'

'Beth am y tro cyntaf i'r gwn droi i fyny, yng Ngogledd Iwerddon yn y saithdegau?' gofynnodd Jeff.

'Mi yrrais i ddau dditectif i Belfast,' atebodd Hamer. 'Cafodd y gwn ei ddefnyddio i saethu dyn o'r enw Brian McClusky. Diflannodd hwnnw yn 1972, ac ni ddarganfuwyd ei gorff o tan 1996, ddwy flynedd cyn Cytundeb Gwener y Groglith. Ffeindiwyd o wedi'i gladdu mewn twyni, efo'r fwled a'i lladdodd o yn y tywod oddi tano. Un fwled trwy ei ben.'

'O'r un gwn.'

'Ia. Dienyddiad gan yr IRA oedd o, a 'swn i'n dychmygu mai rhyw fath o gonsesiwn cyn y cytundeb ddaeth â'r corff i'r amlwg.'

'Oes 'na amheuaeth fod gan yr IRA unrhyw gysylltiad â'r llofruddiaethau presennol?' gofynnodd Jeff. 'Mae'n rhaid archwilio'r posibilrwydd, siŵr gen i?'

'Ddeugain mlynedd ynghynt? Fyswn i ddim yn meddwl, Jeff. Doedd dim sôn i'r gwn gael ei ddefnyddio yng Ngogledd Iwerddon yn y cyfamser, ond mi fysa'n gamgymeriad i wrthod y syniad yn gyfan gwbl.'

'Dwi'n cytuno,' meddai Jeff. 'Ond mi hoffwn i wybod be ydi'r cysylltiad, os oes un, rhwng yr IRA a phwy bynnag sydd wedi defnyddio'r gwn ym Manceinion yn y cyfamser, waeth faint o flynyddoedd sydd wedi mynd heibio. Oes 'na rywfaint o CCTV sy'n debygol o fod o gymorth i ni?'

'Mae ganddon ni oriau maith o ffilm o'r lonydd rhwng Manceinion a'r fan hon y noson honno, ond y gwir ydi fod yna nifer fawr o ffyrdd eraill y byddai modd i rywun eu cymryd, i osgoi'r camerâu.'

'Edrychwch oes 'na Audi bychan du yn ymddangos yn rwla, os gwelwch yn dda, Mike. Tydi hynny ddim llawer o wybodaeth, mi wn, ond mae car o'r math hwnnw wedi cael ei gofnodi fel rhan o'r ymchwiliadau yn Telford ac yng Nglan Morfa.'

'Dyna beth rhyfedd,' atebodd Hamer. 'Mi fu bron i ddyn gael ei daro i lawr gan gar bach du yn oriau mân yr ugeinfed o Fehefin. Ychydig funudau wedi dau yn y bore, tua hanner milltir oddi yma.'

'Oes 'na ddisgrifiad?' gofynnodd Jeff yn frwdfrydig.

'Nag oes, mae gen i ofn. Ar y ffordd yn ôl i Pontins oedd

180

y dyn, wedi meddwi'n gaib. Roedd o'n lwcus iawn na chafodd ei ladd. Er ei fod o'n sicr mai car bach du oedd o, fysa fo ddim yn gwneud tyst tra mae 'na dwll yn ei din o.'

Chwarddodd y ddau.

Erbyn hynny, tybiodd Jeff ei fod wedi dysgu cymaint ag y gallai. Gofynnodd am broffil llawn o'r hyn a wyddai'r heddlu yn Southport am Sydney Boswell, ac ar ôl cinio cyflym yng nghwmni'r Ditectif Arolygydd Mike Hamer, brysiodd yn ôl i gyfeiriad Glan Morfa.

Pennod 23

Roedd dros wythnos wedi mynd heibio ers i gorff Glenda Hughes gael ei ddarganfod yng Nglan Morfa, ac er nad oedd canlyniadau'r ymchwiliad yn ffafriol hyd yma, roedd gwaith yr heddlu wedi bod yn ddiddiwedd. Fel arfer, yn ystod ymchwiliadau mawr o'r math hwn, byddai'r system gyfrifiadurol yn taflu tasgau o'i grombil yn ddyddiol, a'r rheiny'n cael eu rhannu rhwng y timau o dditectifs bob bore. Roedd hi'n anochel felly fod rhai pobl yn cael eu holi fwy nag unwaith wrth i wybodaeth newydd gyrraedd y system. Roedd y rhan fwyaf o drigolion Glan Morfa yn gwerthfawrogi'r angen am fod yn drylwyr ac eraill wedi hen ddiflasu, naw diwrnod yn ddiweddarach. Roedd Dilys Hughes, neu Nansi'r Nos, yn un o'r rheiny. Doedd hi ddim yn hoff o rannu unrhyw wybodaeth, na siarad efo ditectifs dieithr chwaith.

Clywodd Dilys gnoc drom ar ddrws ffrynt ei chartref, 23 Maes y Môr, ychydig wedi pedwar o'r gloch y prynhawn hwnnw. Nid oedd Dilys ar ei gorau – beth oedd pwynt gwisgo amdani'n smart, neu wisgo amdani o gwbl, pan nad oedd ganddi fwriad o fynd allan o'r tŷ? Roedd cryn dipyn o lysh wedi pasio'i gwefusau eisoes y diwrnod hwnnw, ond roedd ei chorff wedi hen arfer â hynny. Agorodd y drws yn ei gŵn wisgo lac, a gwelodd ddau ddyn bonheddig yr olwg yn sefyll o'i blaen, yn gwisgo siwtiau llawer iawn mwy smart nag y gallai unrhyw un o drigolion y stad cyngor eu fforddio.

'O, blydi ditectifs eto!' ebychodd Dilys. 'Dwi wedi deud y cwbl sy gen i i'w ddeud yn barod,' meddai, gan dynnu'i gŵn yn dynnach amdani.

Dangosodd yr un talaf ei gerdyn gwarant swyddogol iddi. 'Wnaiff hyn ddim cymryd yn hir,' meddai. 'Gawn ni ddod i mewn, os gwelwch yn dda, Mrs Hughes?'

'O, os dach chi'n mynnu,' atebodd Dilys yn anfodlon, gan glymu'r cortyn am ei chanol. Cofiodd nad oedd hi wedi cribo'i gwallt na gwisgo colur, ond penderfynodd nad oedd ots. Byddai'n rhaid iddyn nhw ei chymryd fel yr oedd hi.

Edrychodd y ddau o'u cwmpas wrth gerdded i mewn ar ei hôl, cyn edrych ar ei gilydd mewn ystum feirniadol. Yn yr ystafell fyw, nad oedd yn dwt nac yn lân o bell ffordd, roedd y teledu mawr yn bloeddio mewn un cornel ac roedd potel win wag ar ei hochr wrth ymyl potel fodca hanner llawn a gwydr gwag, ar fwrdd wrth ochr y gadair freichiau. Diffoddodd Dilys sain y teledu.

'Waeth i chi ista i lawr ddim,' meddai, 'yn lle'ch bod chi'n gwneud i'r lle 'ma edrych yn flêr.'

Ciledrychodd y plismyn ar ei gilydd eto gan geisio mygu gwên. Yna, symudodd y ddau rai o'r papurau a'r cylchgronau oddi ar y soffa i wneud lle iddynt eistedd.

'Uwch Arolygydd Pritchard ydw i ac Arolygydd Bevan ydi fy nghyd-weithiwr,' meddai'r hynaf o'r ddau. 'O'r adran Safonau Proffesiynol ym Mhencadlys yr Heddlu,' esboniodd.

Er gwaethaf ei chyflwr meddw disgynnodd y geiniog yn syth. 'Rargian, be mae pobol fel chi yn neud yn chwilio mewn i fwrdwr?' gofynnodd Dilys.

'Mater arall sydd ganddon ni dan sylw,' meddai Pritchard. 'Rhywbeth a ddigwyddodd yn nhafarn y Rhwydwr amser cinio, ddydd Sadwrn diwethaf.'

'Wel, gewch chi fynd i'r diawl felly. Mater i mi ydi be ydw i'n neud yn fy amser fy hun,' atebodd Dilys gan wneud pwynt o godi ei llais. 'Dwi'n gwybod digon am dditectifs i beidio'u trystio nhw. Y tro dwytha ddaeth rhywun o'r pencadlys yma, mi o'n i yn y clinc am y rhan fwya o'r diwrnod ar ôl i rywun blannu llwyth o wîd yn y tŷ 'ma.'

'Arhoswch am funud bach, plis, Mrs Hughes. Yma i ofyn am eich help chi ydan ni, i holi am rywun arall a oedd yno 'run pryd â chi. A does neb yn honni eich bod chi wedi gwneud unrhyw beth o'i le, o gwbl.'

'Sut dwi'n gwbod y medra i'ch trystio chi?'

'Jyst gwrandewch ar yr hyn sydd ganddon ni i'w ddweud cyn penderfynu dim, os gwelwch yn dda. Dyna'r cyfan dwi'n ei ofyn am rŵan.'

Eisteddodd Dilys yn ôl yn ei chadair, croesodd ei choesau a thynnu defnydd ei gŵn wisgo i lawr dros ei phengliniau. Roedd hi angen gwneud rhywfaint o sioe tra oedd hi'n penderfynu sut i ddelio â'r ddau ddyn o'i blaen. Tynnodd Bevan lyfr nodiadau allan o'i gês.

'Gewch chi roi hwnna yn ôl lle'r oedd o os dach chi'n disgwyl i mi ateb eich cwestiynau chi,' meddai, gan godi ei llais.

Amneidiodd Pritchard i gyfeiriad Bevan fel arwydd iddo ufuddhau i ddymuniadau Dilys.

'Amser cinio dydd Sadwrn,' parhaodd Pritchard, 'yn y Rhwydwr.'

'Pwy sy'n deud 'mod i yno?'

'Y barman.'

'O, Sam Bach a'i geg fawr, ia?'

'Sam Bach?'

'Ia, Sam Little. Little ydi ei gyfenw fo, Sais, ond Sam Bach fyddan ni'n ei alw fo.'

'Pwy ddaru chi ei gyfarfod yn y Rhwydwr y diwrnod hwnnw?'

'Mater i mi ydi hynny hefyd. Dim byd i'w wneud efo plismyn fel chi. Pam na cheith dynes fwynhau ei hun heb gael ei holi am faterion personol?'

'Mae ganddon ni ddiddordeb yn y dyn y cawsoch chi ginio efo fo, dim byd arall.'

'Trafeiliwr yn pasio drwadd oedd o. Welais i mohono fo cynt na wedyn. Be mae o wedi'i neud? Dim fo ydi'r mwrdrwr, naci? O na! Be tasa fo wedi 'mosod arna i?' Gobeithiai Dilys fod ei sgiliau actio'n ddigonol.

'Na, peidiwch â phoeni, Mrs Hughes. Dydi o ddim wedi lladd neb. Trafeiliwr, meddach chi?'

'Ia, dyna ddeudodd o wrtha i. Gwerthu dillad isa merched. Mi o'n i'n gobeithio cael dipyn o samplau am ddim ganddo fo, deud y gwir. Mi oedd o'n rêl cês. Dyn yn joio ei fwyd a'i beint. Peidiwch â deud ei fod o wedi cael ei ddal yn gyrru ar ôl yr holl ddiod gafodd o. Bell dros y limit, 'swn i'n ddeud.'

'Faint gafodd o i'w yfed felly?'

'Wn i ddim i fod yn berffaith onest. Mi oedd o yno cyn i mi gyrraedd, ond mi gafodd o ddau beint o gwrw, o leia, tra o'n i efo fo, gwydraid mawr o win coch a choffi Gwyddelig efo wisgi mawr ynddo fo. Fi brynodd hwnnw ar yr amod ei fod o'n dŵad â photel o win efo fo pan oeddan ni i fod i gyfarfod yn hwyrach yn y dydd, ar ôl iddo fo orffen gweithio. Ond ddaru o ddim troi i fyny, y diawl iddo fo. A finna'n edrych ymlaen.'

'A beth oedd yn mynd i ddigwydd bryd hynny, Dilys?'

gofynnodd Pritchard, gan ddefnyddio'i henw cyntaf am y tro cyntaf.

Ni phasiodd y ffaith honno heb i Dilys ei nodi. Efallai ei bod hi'n amser i newid tacteg. 'Dach chi'ch dau yn ddynion yn eich oed a'ch amser,' meddai, gan wahanu ei choesau i ddinoethi'r mymryn lleiaf o'i chluniau, a symud ei llaw dde yn araf dros y croen noeth. Plygodd ymlaen ar yr un pryd er mwyn arddangos ei bronnau llawn. 'Be dach chi'n feddwl oedd yn mynd i ddigwydd?' ychwanegodd. Edrychodd i lygaid y ddau yn ddireidus, o'r naill i'r llall yn eu tro.

Tagodd Bevan yn anghyfforddus.

'Pwy a ŵyr,' parhaodd Dilys. 'Ella y byswn i wedi cael dipyn o ddillad isa newydd ganddo fo. Mi oedd o wedi addo y byswn i'n cael trio rhai amdanaf, ac roedd o'n mynd i roi ei farn: oeddan nhw'n fy siwtio fi neu beidio.'

'Be wnaeth i chi fynd i'r Rhwydwr y prynhawn hwnnw?' gofynnodd Bevan. 'Y Rhwydwr yn neilltuol?'

'Dim byd arbennig. I'r fan honno fydda i'n mynd gan amlaf. Mae rhai o'r tafarnau eraill yn y dre 'ma'n llefydd coman, wyddoch chi. Ddim yn llefydd neis i ddynes fel fi fynd ar fy mhen fy hun ... mi wyddoch chi be dwi'n feddwl.' Gwenodd arnynt eto.

'Ydach chi'n gyfarwydd ag unrhyw un o blismyn y dref yma?' gofynnodd Bevan eto.

Roedd y cwestiwn yn mentro i diroedd peryglus, ystyriodd Dilys. Daeth syniad i'w phen. A ddylai fentro ai peidio? Pam lai, penderfynodd.

'Nabod un neu ddau,' meddai, gan edrych yn awgrymog ar y dynion. 'Dwi'n licio plismyn mewn iwnifform. Dwi'n meddwl 'u bod nhw'n olygus. Arhoswch am funud,' ychwanegodd.

Cododd ar ei thraed a brysio allan o'r ystafell. Ailymddangosodd ymhen dim, yn cario dau wydr. Gafaelodd yn y botel fodca a phlannodd ei phen-ôl yn drwm ar y soffa rhwng y ddau. Roedd ei gŵn wisgo wedi llacio gryn dipyn erbyn hyn, a'i chluniau noeth, swmpus yn serennu ar y ddau dditectif.

'Gan eich bod chi yma,' meddai, 'a chitha'n fois mor neis a dymunol, waeth i ni gael drinc bach efo'n gilydd ddim. Dwi mor sori 'mod i wedi bod yn rŵd efo chi pan ddaethoch chi i mewn gynna. Ond dwi'n gweld rŵan eich bod chi'ch dau yn hogia iawn. Cym on, un bach at yr achos.'

Neidiodd y ddau ar eu traed ar unwaith.

'Dim diolch, Mrs Hughes,' meddai Pritchard. 'Tydan ni ddim yma i gymdeithasu.'

Sylwodd Dilys ei fod wedi dychwelyd i'w arddull ffurfiol, ond roedd hi'n cael gormod o hwyl i roi'r gorau i'w drama fach. 'Dim ond un,' meddai, gan wneud sioe o geisio codi o'r soffa isel a disgyn yn ôl yn drwm gyda'r ddau wydr bach, un ym mhob llaw.

'Os bydd angen i ni ddod i'ch gweld chi eto, Mrs Hughes, mi wyddon ni ble i gael gafael arnoch chi.'

'Ei gweld hi eto?' meddai Bevan wrth Pritchard ar y ffordd allan drwy'r drws ffrynt. 'Dan ni wedi gweld digon o honna i bara oes!'

Chwarddodd yn ddau.

Yn ôl yn ei hystafell fyw, roedd Nansi'r Nos yn chwerthin hefyd, wrth estyn am y botel drachefn.

Eisteddodd Pritchard a Bevan yn eu car lai na munud yn ddiweddarach.

'Be ti'n feddwl?' gofynnodd Pritchard. 'Cyd-ddigwyddiad 'ta be?'

'Anodd dweud. Anodd dweud wir. Uffern o ddynes, ond o leia rydan ni allan o'na'n saff.'

Pennod 24

Cyn i Jeff gyrraedd yn ôl i orsaf heddlu Glan Morfa yn hwyr y prynhawn hwnnw, ac wedi i neges destun arbennig gyrraedd ei ffôn symudol, stopiodd ei gar nid nepell o orsaf y rheilffordd er mwyn defnyddio'r blwch ffôn cyhoeddus unwaith eto i ffonio Nansi'r Nos. Gwell bod yn ofalus, meddyliodd.

'Be wyt ti isio, 'mechan i,' gofynnodd.

'Mi oeddat ti'n iawn, Jeff,' atebodd Nansi. 'Ma'r bastards 'na o'r pencadlys 'di bod yma yn holi am bnawn Sadwrn. Dau foi pwysig, Pritchard a Bevan, a'r ddau ohonyn nhw wedi'u gwisgo fel doliau mewn ffenast siop ddillad.'

'Be ddeudist ti wrthyn nhw?'

'Uffar o ddim. Dyna ddeudist ti, 'de?' Dywedodd Nansi'r hanes wrtho.

Chwarddodd Jeff. Rêl Nansi, meddyliodd, ond fyddai o ddim yn disgwyl dim gwahanol ganddi, yn enwedig ar ôl y rhybudd a gawsai ganddo.

Teithiodd weddill y ffordd i'w weithle, ac anelu am ei swyddfa ar y llawr cyntaf. Wrth basio swyddfa Lowri fe'i galwyd o i mewn.

'Mae'r Dirprwy Brif Gwnstabl yma, ac mae o'n flin fel cacwn,' meddai Lowri. 'Welais i erioed mohono fo wedi gwylltio gymaint. Mae o yn swyddfa'r ymchwiliad ar hyn o bryd a'r drws ar gau.'

'Be sy'n bod efo fo felly?' gofynnodd Jeff.

'Mae'r dyn o'i gof ynglŷn â Prydderch, a'r hyn ddigwyddodd yma.'

'Be, y ffordd y gwnaethon ni ei drin o, dach chi'n feddwl? Ei daflu o i mewn i'r gell a ballu?' gofynnodd Jeff yn gellweirus.

Anwybyddodd Lowri ei ateb ysgafn. 'Naci wir,' atebodd mewn llais difrifol. 'Y ffaith fod ymchwiliad i ymddygiad y dyn, yn ôl pob golwg, ar y gweill eisoes yn ochrau Wrecsam. Yr un math o gwynion â'r rhai gan Ceinwen a'r merched eraill yng Nglan Morfa. Rhyw ymchwiliad distaw ac answyddogol oedd hwnnw, fel dwi'n deall, heb gael ei ddatgelu i'r pencadlys fel y dylai. Ac mae'r swyddog sy'n cynnal yr ymchwiliad yn nabod Prydderch yn dda – maen nhw wedi gweithio efo'i gilydd ers blynyddoedd. Yn lle gwneud be ddylen nhw fod wedi'i wneud, mi gawson nhw wared arno tra oedd yr ymchwiliad yn digwydd drwy ei yrru o i ni yn fama, allan o'r ffordd.'

'Heb adael i ni na neb arall wybod. Wel, dyna ddiawl o beth. A be mae o'n neud? Parhau efo'r un ymddygiad. Pa mor hy' fedar rhywun fod, deudwch?'

'Mae'r Dirprwy isio'n gweld ni'n dau wedi iddo fo orffen yn ystafell yr ymchwiliad.'

'Mi fydda i yn fy swyddfa,' meddai Jeff. 'Mi adrodda i fy hanes yn Southport bryd hynny, os liciwch chi.'

Nid oedd Jeff wedi bod yn ei swyddfa yn hir pan gerddodd yr Uwch Arolygydd Pritchard i mewn, a'r Arolygydd Bevan yn dynn ar ei sodlau. Caeodd Bevan y drws ar ei ôl. Ni chododd Jeff o'i sedd.

'A, Sarjant Evans,' dechreuodd Pritchard. 'Falch iawn ein bod wedi dod ar eich traws chi. Gair bach, os gwelwch chi'n dda.'

Eisteddodd y ddau i lawr a thynnodd Bevan ei nodiadau allan o'i gês fel arfer. Ochneidiodd Jeff. Daeth y sgwrs a gafodd efo Nansi'r Nos yn gynharach i flaen ei feddwl. Doedd dim ond awr ers iddyn nhw ei gadael hi ... heb ddysgu dim o bwys, gobeithiai Jeff. Ond beth arall oedden nhw wedi'i ddysgu, o ryw ffynhonnell wahanol, efallai? Beth os oedd rhywun wedi'i weld yn gollwng Nansi'r Nos allan o'i gar ychydig wedi i Prydderch gerdded i mewn i'r Rhwydwr yr amser cinio hwnnw? Tybiodd y byddai'n gwybod yr ateb i hynny cyn hir.

'Rydan ni wedi bod yn gwneud rhywfaint o ymholiadau ynglŷn â Prydderch ers i ni'ch gweld chi ddoe.' Oedodd Pritchard ac edrych yn ddwfn i lygaid Jeff. 'Ymholiadau yn nhafarn y Rhwydwr,' parhaodd.

'Y Rhwydwr?' Rhoddodd Jeff bwyslais ar y geiriau er mwyn dangos ei benbleth.

'Ia, dyna, yn ôl pob golwg, lle roedd Prydderch yn mynd am ei ginio bob dydd.'

'Peidiwch â deud. Ro'n i'n meddwl na welais i erioed mohono fo yn y cantîn. Ella fod 'na bryd gwell i'w gael yn y Rhwydwr,' atebodd.

'Wyddech chi mai dyna ble roedd o'n mynd bob amser cinio?'

'Pam ddylwn ni? Cadw'n glir o'r dyn oedd fy mlaenoriaeth i, fel yr awgrymais i ddoe.'

'Mae'n edrych yn debyg ei fod o wedi bod yn yfed alcohol, yn ormodol felly, yno'n ddyddiol. Mae'n rhyfeddol, yn ein barn ni, nad oedd neb yma wedi sylweddoli hynny.'

'Fel ro'n i'n deud, cadw'n glir oddi wrth y dyn oedd ar flaen fy meddwl i.'

'Ddydd Sadwrn, yn y Rhwydwr, roedd Sarjant Prydderch yno yng nghwmni dynes leol.'

Syllodd Jeff arno heb ddweud gair.

'Dynes o'r enw Dilys Hughes,' meddai Pritchard, gan godi ei aeliau fel petai'n gofyn cwestiwn neu'n chwilio am ateb.

Parhaodd Jeff yn fud.

'Mi wyddoch chi pwy rydw i'n sôn amdani. Rydach chi'n ei hadnabod hi, Sarjant Evans.'

'Wel? Be am hynny? Be ydi'ch pwynt chi?'

'Rhywun dach chi'n ei hadnabod yn dda.'

'Lle mae hyn yn arwain?' gofynnodd Jeff.

'Dwi'n gywir, yn tydw, fod Dilys Hughes wedi bod yn hysbysu i chi ers blynyddoedd dan yr enw "Nansi'r Nos", a'ch bod chi'n agos iawn i'ch gilydd?'

'Arhoswch chi am funud, Uwch Arolygydd Pritchard.' Cododd Jeff ar ei draed a chodi ei lais. 'Wn i ddim be sydd gan Mrs Hughes i'w wneud efo'ch ymchwiliad chi i ymddygiad Prydderch, ond mater i mi ydi fy mherthynas i efo hi, ac un gyfrinachol ydi hi hefyd. Mater cyfrinachol ydi perthynas pob ditectif ag unrhyw hysbysydd. Dyna sut mae petha'n gweithio. Mi ddylai dyn fel chi fod yn ymwybodol o hynny, ac yn parchu'r ffaith.'

'Ac mi wyddoch chi, siŵr gen i, Ditectif Sarjant Evans, fod eich perthynas chi efo'r ddynes ddigywilydd yma'n agored i ni ei harchwilio os ydw i'n dewis gwneud hynny. Mae'r fath ymchwil yn briodol mewn unrhyw ymchwiliad sy'n cael ei gynnal gan ein hadran ni.'

Petai gan Pritchard unrhyw dystiolaeth mai fo oedd yn gyfrifol am feddwi Prydderch y prynhawn hwnnw, cawsai wybod hynny yn yr eiliadau nesaf, ystyriodd Jeff.

'Ac mae unrhyw gyfrinachau swyddogol megis

cofnodion o gyfarfodydd a gweithrediadau efo hysbyswyr,' parhaodd Pritchard, 'yn agored i mi hefyd, yn enwedig os oes unrhyw amheuaeth yn erbyn y plismon neu'r hysbysydd.' Roedd ei lais yntau wedi codi erbyn hyn hefyd.

'Chi sy'n gwybod hynny,' atebodd Jeff. 'Ond pa hawl sydd ganddoch chi i ddechrau barnu neb? Mae pob cysylltiad sydd wedi'i wneud gen i efo pob un hysbysydd yn cael ei ddogfennu'n fanwl gywir ac yn ôl y drefn, ac yn cael ei arolygu gan un uwch-swyddog arall yn unig. Yn unol â rheolau Heddlu Gogledd Cymru.'

'Mi ofynna i eto. Pa mor agos ydach chi i Dilys Hughes, Sarjant Evans?' Cododd Pritchard ar ei draed i wynebu Jeff. 'Nid dyma'r tro cyntaf i'ch perthynas chi â'r ddynes yma ddod i'n sylw ni. Y tro diwethaf, roedd amheuaeth ei bod hi'n cyflenwi canabis i chi.'

'Rargian, dach chi'n mynd yn ôl flynyddoedd rŵan. A doedd 'na ddim sail i'r honiadau hynny chwaith.'

'Yn ôl i'r presennol felly, Sarjant Evans. Pa mor agos ydach chi a'r ddynes Mrs Dilys Hughes yma?'

'Agos? Perthynas broffesiynol sydd gen i efo hi, a chofiwch chi hynny,' gwaeddodd Jeff. 'A does ganddoch chi ddim hawl i awgrymu dim byd arall. Dim math o hawl, a dyna'r cwbwl dwi am ei ddeud. Pa reswm sydd ganddoch chi i ofyn y fath gwestiwn i mi beth bynnag? Ydach chi'n honni 'mod i wedi gwneud rwbath o'i le? Oes ganddoch chi syniad faint o droseddwyr ledled yr ardal 'ma sydd wedi cael eu cyhuddo yn dilyn gwybodaeth ganddi?' Roedd y sgwrs wedi datblygu'n fwy o ffrae na dim byd arall erbyn hyn. Tybiodd Jeff y byddai'n gwybod bellach petai gan Pritchard unrhyw dystiolaeth ei fod o wedi gyrru Nansi at Arfon Prydderch.

Agorwyd drws y swyddfa yn annisgwyl. Yno safai'r Dirprwy Brif Gwnstabl, a Lowri Davies y tu ôl iddo.

'Swnio'n debyg 'mod i wedi dod ar draws rhyw fath o anghytundeb,' meddai'r Dirprwy.

Disgynnodd distawrwydd dros yr ystafell. Cododd Bevan ar ei draed a throdd y tri dyn i wynebu'r Dirprwy a safai o'u blaenau fel pìn mewn papur, ei ên i fyny fel petai'n disgwyl am ateb. Bu tawelwch o gyfeiriad Pritchard a Bevan.

'Be sy'n mynd ymlaen?' gofynnodd y Dirprwy mewn llais distaw, cadarn. 'Mi oeddwn i'n clywed y gweiddi yr holl ffordd i lawr y coridor. Dewch, eglurhad os gwelwch yn dda. Tydi hyn ddim yn ymddygiad priodol i swyddogion yr heddlu.'

'Mae Ditectif Sarjant Evans yn rhan o'n hymchwiliad ni i'r gŵyn yn erbyn Sarjant Arfon Prydderch, syr, a tydi o ddim i weld yn hoff o'r cwestiynau dwi'n eu gofyn iddo fo,' achwynodd Pritchard.

'Pam felly, Sarjant Evans?' gofynnodd y Dirprwy.

'Yn ôl pob golwg, syr, roedd dynes yng nghwmni Sarjant Prydderch amser cinio ddydd Sadwrn, ychydig cyn i mi ei arestio fo. Dynes dwi yn ei hadnabod fel hysbysydd i'r heddlu. Mae cwestiynau amhriodol yn cael eu gofyn am fy mherthynas i efo hi – perthynas sydd wedi cael ei chofnodi yn ôl y drefn ers blynyddoedd.'

'Oes 'na gŵyn neu awgrym fod Sarjant Evans wedi gwneud rhywbeth o'i le, Brif Arolygydd Pritchard?' gofynnodd y Dirprwy.

'Wel ... nag oes, syr. Archwilio pob posibilrwydd oeddwn i, ond ...'

Ni roddodd y Dirprwy gyfle i Pritchard orffen. 'Os felly,

dyna ddiwedd ar y trywydd hwn o holi, Brif Arolygydd. Rydych chi, fel pob plismon profiadol, yn gwybod na all yr un ditectif wneud ei waith yn iawn heb fod ganddo hysbysydd da yn rhywle. Mae hysbyswyr yn hollbwysig i daclo troseddau o bob math ym mhob rhan o'r wlad, ac yn haeddu eu statws cyfrinachol. Sut le fyddai 'na petai troseddwyr yn gwybod pwy ydi pob hysbysydd? Mae cyfrinachedd yn angenrheidiol, ac mae hysbysydd da yn beth gwerthfawr iawn. Gwerth y byd, ac yn haeddu gofal. Dyna, felly, ddiwedd ar y mater hwn. Mae gennych chi lawer iawn mwy o waith yn ochrau Wrecsam nag yn y fan hon, choelia i byth, yn enwedig ar ôl i Sarjant Evans yn fama wneud gwaith mor dda o ddal plismon meddw a feiddiodd amharu ar ferched o fewn waliau gorsaf yr heddlu. Dwi wedi dod yr holl ffordd i lawr yma yn unswydd i ymddiheuro i'r holl staff gweinyddol fod ein cyfundrefn ni wedi methu. Prynhawn da, Brif Arolygydd Pritchard ac Arolygydd Bevan. Wnewch chi sicrhau 'mod i'n cael canlyniadau eich ymholiadau chi yn Wrecsam yn ddyddiol o hyn ymlaen, os gwelwch yn dda.'

'Yn sicr, syr,' atebodd Pritchard wrth adael yr ystafell, a Bevan y tu ôl iddo.

'Wel, rŵan ta, dyna ddiwedd ar hynna. Sut aeth eich ymholiadau chi yn Southport heddiw, Jeff?' gofynnodd y Dirprwy.

Adroddodd Jeff yr hyn a ddysgodd gan y Ditectif Arolygydd Hamer yn gynharach yn y diwrnod, a soniodd hefyd am y cysylltiad posib rhwng y tair llofruddiaeth, er gwaethaf y gwahaniaethau na ellid eu hanwybyddu.

'Edrych yn debyg fod Ditectif Arolygydd Hamer wedi bod yn cael yr un anawsterau efo'r heddlu ym Manceinion

195

ag yr ydan ni wedi'u hwynebu,' meddai Lowri. 'Mi dybiwn i mai yn y fan honno y cawn ni'r atebion, neu gyfran helaeth ohonyn nhw, beth bynnag.'

'Sut mae gweddill yr ymholiadau yn dod yn eu blaenau?' gofynnodd y Dirprwy.

'Does 'na ddim llawer o oleuni, mae'n ddrwg gen i ddeud,' atebodd Lowri. 'Mae'n amlwg fod Glenda wedi bod yn ennill tipyn o arian ychwanegol trwy werthu rhyw, hyd at ychydig o fisoedd yn ôl, pan roddodd stop ar hynny'n gyfan gwbl. Hyd yn hyn, does neb y medrwn ni eu hamau o fod eisiau ei lladd hi, er mwyn ei chadw'n ddistaw na 'run rheswm arall. Haywood, yr optegydd, sydd â'r cymhelliad cryfaf, ond does dim tystiolaeth o gwbl i awgrymu mai fo sy'n gyfrifol.'

'Be ddigwyddodd iddi roi'r gorau i buteinio, tybed?' gofynnodd y Dirprwy.

'Cyn belled ag y gwyddom ni mae hynny'n cyd-fynd â'r amser ddaru hi gyfarfod â brawd Debbie, cariad ei mab: dyn o'r enw Des Slater, yr un o Fanceinion na fedrwn ni gael gafael arno ar hyn o bryd. Ac mae gwneud hynny'n hollbwysig. Efallai mai fo ydi'r un y dylen ni ei ddrwgdybio.'

'A dyna lle medra i fod o rywfaint o gymorth i chi,' meddai'r Dirprwy. 'Ar ôl i chi gysylltu efo fi ddoe i adrodd am y trafferthion rydach chi'n eu profi o gyfeiriad Manceinion, mi ges i air efo Dirprwy Brif Gwnstabl Manceinion. Fel y gallwch chi fentro, mae eu problemau plismona nhw lawer yn fwy cymhleth na'r hyn sydd ganddon ni ar ein platiau yng ngogledd Cymru. A diolch i'r nefoedd am hynny. Ond mae o'n fodlon i un plismon profiadol o'r fan hon gyfarfod ag un plismon o Heddlu Manceinion er mwyn cael hynny o wybodaeth sy'n addas i ni ei gael. Beth yn union mae "gwybodaeth addas" yn ei olygu, wn i ddim. Un plismon profiadol, medda fo. Pwy yma sy'n ffitio'r disgrifiad hwnnw, Ditectif Brif Arolygydd Davies?' gofynnodd gyda gwên ar ei wyneb.

Nid oedd yn rhaid i Lowri ateb.

'Ydach chi'n barod i fynd, Jeff?' gofynnodd y Dirprwy, gan droi i'w wynebu. Ni chafodd Jeff amser i ateb chwaith. 'Dyma'ch cyswllt chi, a'i rif ffôn o,' ychwanegodd, gan dynnu tamaid o bapur allan o'i boced a'i roi yn llaw Jeff. 'Mi fydd o'n disgwyl am eich galwad chi.'

Darllenodd Jeff gynnwys y nodyn. 'Wel, dyna gyd-ddigwyddiad,' meddai. 'Ditectif Sarjant Vic McVey. Mi ydw i'n ei nabod o. Mi gwrddais i ag o gryn amser yn ôl pan oeddan ni'n dau yn mynychu cwrs i dditectifs yn Wakefield. Dwi'n gweld mai rhif ffôn symudol ydi hwn, nid rhif y swyddfa.'

'Efallai fod rheswm am hynny,' meddai'r Dirprwy.

Wedi i'r Dirprwy a Lowri adael Jeff ar ei ben ei hun yn ei swyddfa, eisteddodd Jeff yn ôl yn ei gadair tu ôl i'r ddesg. Edrychodd ar y darn o bapur a gafodd gan y Dirprwy. Doedd dim rheswm i oedi, meddyliodd, felly deialodd y rhif a gwrando ar y ffôn yn canu ar y pen arall.

'Helô,' meddai llais gwrywaidd.

'Jeff Evans sydd yma, isio siarad efo Vic McVey,'

'Siarad.'

'Ditectif Sarjant Jeff Evans yma, Vic. Dwi wedi cael gorchymyn i dy ffonio di.'

'Aros am funud, Jeff.'

Aeth dau neu dri munud heibio cyn iddo ailddechrau siarad. 'Reit, Jeff. Mae'n ddrwg gen i am hynna. Roedd 'na bobol eraill o gwmpas.'

'Iawn, Vic, dim problem. Sut wyt ti? Faint sydd ers i ni gyfarfod ar y cwrs 'na yn Wakefield, dŵad?'

'Naw mlynedd o leia. Mae llawer iawn o ddŵr wedi llifo dan y bont ers hynny, Jeff. Dwi wedi cael neges o fan uchel iawn yn yr heddlu yma yn dweud wrtha i am ddisgwyl am dy alwad di, a gorchymyn i roi cymaint o gymorth i ti ag y medra i. Mae'n rhaid i mi fod yn hynod o gyfrinachol y pen yma – dyna pam roedd yn rhaid i mi ddod allan o'r swyddfa cyn medru sgwrsio efo chdi.'

Parhaodd yr alwad am ychydig funudau i wneud y trefniadau angenrheidiol.

Gan fod diwrnod prysur arall o'i flaen drannoeth penderfynodd Jeff fynd adref, ond ar y ffordd allan gwelodd Lowri yn siarad â'r Dirprwy yn y maes parcio yng nghefn yr adeilad. Ymunodd â nhw.

'Dwi wedi cysylltu efo Vic McVey,' meddai. 'Mae'r dirgelwch yn tyfu bob munud.'

'Sut felly?' gofynnodd Lowri.

'Mae'r cwbwl ddeudodd o, a'i agwedd o yn gyffredinol, yn swnio'n gyfrinachol dros ben, ac mae o'n mynnu cyfarfod ar dir niwtral. Am un ar ddeg bore fory, yn y caffi yn archfarchnad Sainsburys ger cylchfan yr A41 yng nghyffiniau Caer.'

'Lle od i gyfarfod,' meddai'r Dirprwy. 'Ond o leia mae'n hwylus i'r ddau ohonoch chi.'

'Ydi, mae hynny'n wir,' atebodd Jeff. 'Ond peth arall ddaru fy nharo fi oedd nad yn yr adran sy'n delio â throseddau difrifol mae o'n gweithio, fel byswn i wedi ei ddisgwyl ar ôl clywed am y teulu Slater, ond yn Adran Safonau Proffesiynol Heddlu Manceinion.'

Pennod 25

Roedd maes parcio Sainsbury's ar gyrion dinas Caer yn eitha llawn pan gyrhaeddodd Jeff yno am ddeng munud i un ar ddeg y bore Iau hwnnw. Parciodd yn agos i'r fynedfa ac arhosodd yn y car gan obeithio y byddai'r glaw trwm yn gostegu rhywfaint. Ymhen ychydig funudau gwelodd gar yn ymddangos o gyfeiriad y ffordd fawr ac adnabu'r gyrrwr, Vic McVey. I'w syndod gyrrodd Vic y car o amgylch y maes parcio bedair gwaith, ac roedd yn amlwg nad chwilio am le i barcio oedd o. Mesur gwrth-wyliadwriaeth oedd hyn, gwyddai Jeff o brofiad. Synnodd o weld y fath fesurau ar waith gan Vic – wedi'r cyfan, dim ond dau heddwas yn cyfarfod am sgwrs oedden nhw, a cheisiodd ddychmygu'r rheswm. Penderfynodd beidio â gofyn, ddim yn syth, beth bynnag. Efallai y deuai'r esboniad heb iddo orfod holi.

Daeth Vic allan o'r car yn syth ar ôl parcio, a gwnaeth bwynt o edrych o'i gwmpas yn fanwl cyn codi ei goler a dechrau cerdded tuag at fynedfa'r archfarchnad fawr. Dilynodd Jeff, a dal i fyny efo fo wrth ymyl y drws.

'Vic, sut wyt ti ers tro byd?' Estynnodd Jeff ei law, ac ar ôl troi i'w wynebu gwnaeth McVey yr un peth.

'Ardderchog, diolch Jeff. Dda gen i dy weld di. Ty'd, bryna i'r coffi cynta ac mi gei di dalu am yr ail. Mae hon yn mynd i fod yn stori hir.'

Dyn gweddol fychan a main oedd Vic McVey yng nghanol ei bedwardegau. Roedd ei wallt cwta brown golau wedi dechrau gwynnu a sylwodd Jeff fod creithiau ar ei wyneb, rhai nad oedd ganddo naw mlynedd yn ôl. Olion plismona dinas fawr fel Manceinion, dychmygodd Jeff. Ond, ystyriodd, efallai fod Vic McVey yn meddwl yr un peth wrth edrych ar ei wyneb yntau. Dyna oedd bywyd ditectif.

'Wel wir,' meddai Jeff wedi iddynt eistedd yng nghornel bella'r caffi hefo dwy gwpaned o goffi, 'pan glywais i 'mod i'n mynd i gyfarfod cyswllt o Fanceinion ynglŷn â'r achos yma, do'n i ddim yn disgwyl gweld rhywun dwi'n ei nabod, na rhywun o'r Adran Safonau Proffesiynol. Ro'n i wedi cymryd mai rhywun o'r Adran Droseddau Difrifol fyswn i'n ei weld.'

Edrychodd McVey o'i gwmpas yn gynhyrfus cyn ateb. Ni allai gadw ei lygaid na'i ben yn llonydd. Yn sicr, nid dyma'r dyn a gofiai Jeff o'u dyddiau ar y cwrs yn Wakefield. 'Y rheswm am hynny ydi bod cysylltiad cryf rhwng yr hyn sydd gen i i'w ddweud a'r Adran Safonau Proffesiynol, ond mi ddaw hynny'n amlwg i ti yn nes ymlaen, Jeff. Yn yr adran sy'n delio â throseddau difrifol ro'n i'n gweithio tan ychydig fisoedd yn ôl, a dyna pam, hyd y gwn i, 'mod i wedi cael fy newis i fod yn gyswllt i ti heddiw. Felly, be fedra i wneud i helpu? Fel y gweli di, does gen i ddim gwaith papur efo fi. Mae bob dim yn y fan hyn,' eglurodd, gan daro ei fys canol ar ochr ei dalcen.

Rhoddodd Jeff ddarlun bras o lofruddiaeth Glenda Hughes iddo, a soniodd hefyd am y cysylltiadau â'r llofruddiaethau eraill yn Southport a Telford cyn troi at y cysylltiad efo Des Slater. 'Does dim dwywaith fod Des a hithau wedi bod yn caru am sbel cyn iddi gael ei saethu, Vic. A rŵan, mae Des wedi diflannu, neu dyna sut ma' petha'n ymddangos. Mi weli di felly pa mor bwysig ydi hi i ni gael gafael ar Des, hyd yn oed os ydi hynny ddim ond i'w ddileu o'r ymchwiliad. Mae'r ffaith fod y gwn yn gysylltiedig â'r is-fyd ym Manceinion yn gwneud hynny'n bwysicach nag erioed.'

'Fedra i ddim dadlau efo hynny,' atebodd Vic.

'Y peth sy'n gymaint o syndod i ni yng ngogledd Cymru ydi'r diffyg cymorth roddwyd i ddau o'n hogia ni yr wythnos dwytha.'

'Mi ddaw'r rheswm am hynny yn amlwg i ti mewn munud, Jeff, ond yn gynta, deud wrtha i, os gweli di'n dda, faint wyt ti'n ei wybod am Des Slater a'i deulu?'

Dywedodd Jeff y cyfan a ddywedwyd wrtho am y tad, Albert, a gafodd ei saethu flynyddoedd ynghynt, y meibion – Michael, John, Tony a Des – a'r ffaith nad oedd Debbie wedi bod yn rhan o weithgareddau treisgar y teulu. Soniodd ei fod yn ymwybodol bod yr holl deulu'n gweithredu o dan y radar ond mai John oedd yr un brwnt, pan fyddai angen. Dywedodd hefyd ei fod wedi deall fod eu busnesau'n deillio o weithgareddau anghyfreithlon, er na wyddai beth oedd y busnesau hynny, a'u bod yn gyfarwydd â defnyddio gynnau i ladd eu gwrthwynebwyr. 'Felly, Vic,' gorffennodd, 'be wyddoch chi am y gwn a laddodd Glenda?'

'Mi gei di anghofio am unrhyw gysylltiad â Gogledd Iwerddon. Mi yrron ni dditectifs yno wedi i'r gwn gael ei ddefnyddio am y tro cyntaf ym Manceinion. Mae'n debygol mai'r IRA a'i defnyddiodd i ladd McClusky, a'u bod wedi cael gwared arno cyn y cytundeb heddwch. Ond yn ôl ein cudd-wybodaeth ni, sy'n mynd yn ôl flynyddoedd, mae 'na gysylltiadau rhwng yr IRA a theulu arall ym Manceinion o'r enw Allen. Mi ddo' i atyn nhw mewn munud.'

Roedd Jeff yn glustiau i gyd.

'Rydan ni bron yn sicr mai Browning rhannol awtomatig 9mm ydi o – gwn pwerus ofnadwy – er na ddaeth neb yn yr heddlu o hyd iddo fo erioed.'

'Sut wyddoch chi mai Browning ydi o, felly?' gofynnodd Jeff.

'Rai blynyddoedd yn ôl, cafodd dyn o'r enw Hunt ei fygwth efo'r gwn. Ei fygwth am oriau tra oedd o wedi'i glymu i gadair gan ddau ddyn yn gwisgo mwgwd. Yn ystod y digwyddiad chwifiwyd y gwn o flaen ei wyneb, ac roedd Hunt yn nabod gynnau. Ar ôl i Hunt roi rhyw wybodaeth neilltuol iddyn nhw, sydd ddim yn berthnasol i ni, saethwyd o yn ei bengliniau a'i adael yno, wedi'i rwymo i'r gadair, mewn poen. Daethpwyd o hyd i'r bwledi a'u cymharu efo rhai eraill daniwyd gan yr un gwn – roedd digon o samplau ar gael ym Manceinion ar y pryd gan ei bod yn gyfnod mor dreisgar. Mi oroesodd Hunt er iddo golli llawer iawn o waed, a'i allu i gerdded, a dim ond ei air o sydd ganddon ni mai Browning rhannol awtomatig oedd y gwn. Yr unig ddarn arall o wybodaeth gawson ni oedd bod tawelydd wedi cael ei ddefnyddio hefyd.'

'Edrych yn debyg fod y tawelydd yn dal i gael ei ddefnyddio efo'r un gwn hyd heddiw,' meddai Jeff.

'Neu dawelydd arall. Ond dydi'r tawelydd ddim yn cael ei ddefnyddio bob tro chwaith. Mae sŵn ergyd yn ddefnyddiol iawn i ddychryn rhywun, fel y gwyddost ti.'

'Pwy ti'n feddwl oedd yn defnyddio'r gwn ar y pryd, Vic?'

'Rhywun yn gysylltiedig â chriw y teulu Allen y soniais i amdanyn nhw gynna. Y teulu hwnnw sydd â chysylltiadau â Gogledd Iwerddon.'

'Nid y teulu Slater, felly? Be ydi perthynas y ddau deulu?' gofynnodd Jeff.

'Gelynion.'

'A phwy sy'n defnyddio'r gwn y dyddiau yma?'

'Does dim posib gwybod, ond mi fyswn i'n dyfalu mai rhywun sydd â chysylltiad â'r teulu Allen ydi o. Y tebygrwydd ydi bod y gwn yn cael ei ddefnyddio gan aelodau amrywiol o'r gang pan fydd ei angen o, a'r arf yn cael ei roi yn ôl yn ei guddfan tan y tro nesaf.'

'Be yn union ydi natur yr elyniaeth rhwng yr Allens a'r Slaters?'

Gwenodd McVey, ei lygaid yn dal i wibio'n nerfus i wahanol gyfeiriadau. 'Gad i mi ddweud dipyn o'u hanes nhw, Jeff. Os ydi'r teulu Slater yn gweithredu o dan y radar, wel, mae'r Allens ymhell uwch ei ben o. Nhw sydd wedi bod yn rheoli popeth anghyfreithlon yn Moss Side a rhannau eraill o'r ddinas ers blynyddoedd. Does ganddyn nhw ddim ofn defnyddio cyllyll a gynnau nac unrhyw arfau eraill yn gyhoeddus. Creulondeb ydi eu harf mwyaf nhw, creulondeb o bob math. Er enghraifft, mae ganddyn nhw'r enw am ddefnyddio llif gylchog er mwyn gorfodi cyfaddefiad, neu i gosbi rhywun. Maen nhw'n ymosod yn ffiaidd ar unigolion mewn llefydd reit amlwg fel rhybudd i bobol beidio agor eu cegau. Anaml mae unrhyw un yn achwyn. Ond mi ddaeth cyfle rai blynyddoedd yn ôl i geisio sathru ar eu teyrnas dreisgar nhw.' Cymerodd McVey y llymaid olaf o'i goffi oer. 'Thomas Allen, Tom, ydi enw'r penteulu, ac un mab sydd ganddo, James, neu Jim, Allen. Mae gweddill eu criw, dynion peryglus iawn, yn gyfeillion ffyddlon sy'n ufuddhau i'w gorchmynion yn ddigwestiwn. Mae Tom mewn tipyn o oed erbyn hyn, er na wnaiff neb ddadlau efo fo hyd heddiw. Mae ei enw yn ddigon i godi ofn drwy'r isfyd acw.'

'Coffi arall?' awgrymodd Jeff. Gan ei fod yn cael blas ar stori ei hen gyfaill McVey, rhuthrodd yn ôl at y bwrdd efo'r cwpanau.

'Mae Jim Allen yn ddyn gwyllt, Jeff,' parhaodd Vic. 'Yn ddyn gwyllt ac yn ddyn peryglus. Dyn na fydd byth yn anghofio unrhyw un sy'n pechu yn ei erbyn. Fo ydi cefnogwr brwnt y fenter, a fo sy'n rheoli'r rhan fwyaf o'r gweithgareddau treisiol hefyd. Ond yn wahanol i'r rhan fwyaf o'r brodyr Slater, tydi o ddim ofn baeddu ei ddwylo'i hun. Ychydig dros chwe blynedd yn ôl, cyhuddwyd Jim Allen o geisio llofruddio dyn mewn tafarn ym Manceinion. Roedd si ar y pryd fod Allen am waed y dyn hwnnw – Morrison oedd ei enw – a doedd dim ond un canlyniad posib pan gerddodd Allen i mewn i'r bar y noson honno i'w wynebu. Doedd dim rhagymadroddi, yn ôl y tystion, ac ni ddywedodd Jim Allen air o'i ben. Yn ôl yr hanes, gafaelodd Allen mewn tancard peint gwydr oedd ar y bar gerfydd ei handlen, a'i falu. Yna defnyddiodd yr hyn oedd ar ôl ohono i'w stwffio i mewn i wyneb y dyn, dro ar ôl tro. Fedri di fentro faint o waed oedd yno, Jeff. Ar ôl iddo orffen, cododd Allen ar ei draed, ei lygaid ar dân a'i ddwylo a'i wyneb yn waed i gyd. Edrychodd o'i gwmpas a rhoi rhybudd i bawb gau eu cegau, gan addo byddai'r un peth yn digwydd iddyn nhw petaen nhw'n achwyn. Roedd Morrison yn lwcus iawn ei fod o'n fyw. Ond wedi i dystiolaeth fforensig ddod i'r amlwg cafodd Jim Allen ei gyhuddo, ei ddyfarnu'n euog a'i yrru i'r carchar am gyfnod o ddeuddeng mlynedd.'

'Faint o'r ddedfryd fu'n rhaid iddo ei threulio dan glo?'

'Daeth allan o'r carchar ar ôl dipyn dros chwe blynedd, ond nid dyna'r rheswm dwi wedi adrodd yr hanes wrthat ti.'

'O?' meddai Jeff yn amyneddgar.

'Tra oedd Jim Allen yn y carchar, roedd gwendid yng nghyfundrefn dreisgar yr Allens. Roedd y prif ddyn, Jim, allan o'r ffordd am gyfnod hir, a gwelodd y teulu Slater gyfle i sathru ar fusnes yr Allens a dwyn gymaint â phosib o'u tiriogaeth. Wrth gwrs, rydan ni'n sôn am werth miliynau o bunnau o elw dros y cyfnod. Datblygodd rhyfel mwya ofnadwy rhwng y ddwy ochr – roedd pobol yn cael eu lladd yn wythnosol, a doedd gan yr heddlu ddim gobaith o geisio cadw trefn ar y fath drais. Cyn hir roedd y Slaters wedi medru dwyn rhan sylweddol o fusnes yr Allens: cyffuriau, clybiau, tafarnau, siopau betio a phopeth arall anghyfreithlon y gelli di feddwl amdano. Ac yna, ymhen amser, daeth Jim Allen allan o'r carchar.'

'Pryd ddaeth o allan?'

'Cafodd ei ryddhau ar y nawfed o Fawrth eleni.'

'A'r peth cyntaf oedd ar ei feddwl o, fyswn i'n meddwl, oedd cefnogi ei dad i adennill y busnes a gollwyd i'r Slaters.'

'Yn hollol. Maen nhw'n deud i mi fod y tŷ, y plasty lle mae teulu'r Slaters i gyd yn byw, yn debycach i Fort Knox na chartref y dyddiau yma, ond does neb yn gwybod i sicrwydd a ydi Des Slater yno. Yn ôl be ti'n ddeud, mae o wedi bod i lawr yng Nglan Morfa fwy nag unwaith. Mae'n edrych yn debyg felly ei fod o'n symud o gwmpas rhywfaint, o leia. Ond os ydi hynny'n wir, symud o gwmpas yn ofalus ac yn gudd mae o. Ond cofia di, Jeff, mae Des yn dipyn o foi ei hun hefyd.'

'Oes 'na bosibilrwydd y bysa pobol Allen yn dod i lawr i Lan Morfa i chwilio amdano fo, Vic? Neu i ladd Glenda, ei gariad?'

'Oes, Jeff, mae 'na. A rheswm da. Dyma'r rhan nesaf o'r

chwedl, a dyma lle mae'r stori yn dechrau troi'n fudr. Yn fudr iawn o'n hochr ni yn yr heddlu. Dyma pam mai fi, o'r Adran Safonau Proffesiynol, sydd yma yn dy gyfarfod di heddiw. A dyma'r rheswm pam na chawsoch chi'r cymorth roeddach chi'n ei ddisgwyl gan Heddlu Manceinion. Ti'n gweld, Jeff, mae nifer o blismyn y ddinas ym mhocedi'r is-fyd.'

Nodiodd Jeff ei ben yn araf wrth ddechrau deall.

'Y drwg ydi,' parhaodd Vic, 'mae nifer o blismyn anonest ar gyflogres y Slaters ac eraill ar lyfrau'r Allens. Mae 'na rai o'n swyddogion ni'n cael eu cyflogi gan yr Allens i roi cudd-wybodaeth am y teulu Slater iddyn nhw, ac eraill yn rhoi cudd-wybodaeth am yr Allens i'r Slaters.'

Ysgydwodd Jeff ei ben. 'A dyna pam na chafodd ein hogiau ni unrhyw gudd-wybodaeth am y Slaters wythnos dwytha felly. Peth anodd iawn i rywun fel ti ddygymod â fo, siŵr gen i, Vic,' meddai. 'Sefyllfa anodd dros ben.'

'A pheryglus hefyd, Jeff, ond i wneud petha'n waeth, mae 'na sôn o le da fod gan Tony Slater, cyfrifydd y teulu, restr o'r holl blismyn sydd ar eu cyflogres nhw. Plismyn o bob rheng, rhai ohonyn nhw wedi cael eu dyrchafu'n uchel iawn yn ein heddlu ni tra maen nhw'n rhoi gwybodaeth i'r Slaters. Meddylia'r embaras i Heddlu Manceinion petai hynny'n cael ei ddatgelu'n gyhoeddus. Cofia be ddeudis i, bod eu cyfundrefn nhw'n cael ei redeg fel busnes. Rhyw fath o yswiriant, fyswn i'n meddwl, ydi'r rhestr honno. Yn ôl y sôn, mae hi'n cynnwys nid yn unig enwau'r plismyn ond manylion y gudd-wybodaeth a roddwyd a faint o arian a dalwyd. Fedri di ddychmygu, Jeff, gwybodaeth mor sensitif ydi honno? Enw pob plismon anonest sydd wedi cael eu gwobrwyo gan y Slaters ers wn i ddim faint o flynyddoedd. Mae si fod rhai o'r plismyn yn cael eu cyflogi gan y ddwy ochr, hyd yn oed. A faint o ddylanwad sydd ganddyn nhw yn eu swyddi uchel erbyn hyn, medda chdi?'

'Gwybodaeth sensitif i unrhyw ymchwiliad sy'n cael ei gynnal gan yr heddlu, sensitif i'r plismyn sydd wedi'u henwi ar y rhestr, a sensitif i'r teulu Slater hefyd, yn sicr. Ac yn hynod o werthfawr i bobol Allen. Lle mae'r rhestr hon yn cael ei chadw, ti'n meddwl?'

Gwenodd Vic McVey yn drist. Edrychodd o'i gwmpas eto a gwyro i gyfeiriad Jeff. 'Ar gyfrifiadur Tony Slater oedd hi,' sibrydodd.

'Oedd hi? Be ti'n feddwl, "oedd hi"? Lle mae hi rŵan, Vic?'

'All neb fod yn sicr … heblaw Des Slater. Dim ond dyfalu all y gweddill ohonon ni. Ychydig wedi i Jim Allen gael ei ryddhau o'r carchar, mi ddaeth y teulu Allen yn ymwybodol o fodolaeth y rhestr – ac mi oeddan nhw'n fodlon gwneud unrhyw beth i gael gafael arni. Roedd hyn cyn i Tony Slater symud ei swyddfa i'r plasty lle maen nhw i gyd yn gwarchod ei gilydd rŵan. Gyrrodd Jim Allen dri dyn i swyddfa Tony Slater gyda'r bwriad o ddwyn ei gyfrifiadur, neu o leia ddwyn yr wybodaeth oddi arno. Roedd y tri dyn yn arfog, ond funudau cyn iddyn nhw gyrraedd swyddfa Tony rhoddodd rhywun rybudd i'r Slaters eu bod nhw ar y ffordd yno. Dim ond Tony a Des Slater oedd yn y swyddfa ar y pryd. Mi aeth hi'n frwydr arfog, ond yn y cyfamser roedd Tony wedi cael amser i lawrlwytho'r rhestr ar gof bach, a'i roi i'w frawd, Des, cyn ei ddileu oddi ar y cyfrifiadur.'

'Sut gwyddost ti hynny?' gofynnodd Jeff.

'Pan ddaru dynion Allen falu eu ffordd i mewn i'r swyddfa, mi welson nhw Tony yn tynnu'r cof bach allan o'r cyfrifiadur a'i daflu i ddwylo Des. Roedd hi'n sefyll i reswm mai'r rhestr oedd ar y cof bach. Dyna pryd y dechreuodd y saethu. Tynnodd dynion Allen eu gynnau allan, ond roedd gan Des wn deuddeg bôr *pump-action*. Anafodd Des y tri efo'r ergydion cyntaf, a throdd y gwn at y ddesg wedyn, er mwyn chwalu'r cyfrifiadur yn yfflon fel bod pob tamaid o wybodaeth arno wedi'i golli. Dyna pa mor bwysig oedd yr wybodaeth ar y cyfrifiadur. Malodd y ddisg galed hefyd.'

'Ar y cof bach oedd yr unig gopi o'r rhestr ar ôl hynny, felly,' cadarnhaodd Jeff.

'Ia, a dim ond un o ddynion Allen lwyddodd i ddianc. Y peth dwytha welodd hwnnw oedd Des yn diflannu efo'r cof bach yn ei feddiant. Dyna sut ddaeth yr wybodaeth allan. Duw a ŵyr be ddigwyddodd i'r ddau arall a gafodd eu hanafu. Cyn belled ag y gwyddon ni, welwyd mohonyn nhw byth wedyn.'

'Ac ers y diwrnod hwnnw, yng ngofal Des Slater mae'r cof bach, a'r rhestr o blismyn llwgr, wedi bod.'

'Ia, a does neb ond Des yn gwybod lle mae o, nac yn ymwybodol o gopi arall o'r rhestr.'

'Mi fysa lawrlwytho'r rhestr ar gyfrifiadur arall yn debygol o roi'r Slaters yn yr un twll unwaith eto,' cynigodd Jeff. 'Siawns gen i y bysa Des yn cadw'r cof bach yn ei feddiant ei hun, neu ei guddio yn rhywle diogel dros ben.'

Meddyliodd Jeff yn syth am 23 Maes y Don, Glan Morfa, a'r ddelwedd o gorff difywyd Glenda Hughes yn gorwedd o flaen ffenest ei hystafell wely. Roedd rhywrai wedi chwilota'r tŷ ... ai chwilio am y cof bach oedden nhw? Wedi'r cyfan, roedd swm go fawr o arian wedi'i adael ar ôl. Yn ôl pob sôn doedd gan Glenda Hughes ddim cyfrifiadur yn y tŷ, felly fyddai lawrlwytho'r rhestr yng nghartref ei gariad ddim wedi bod yn opsiwn.

'Mae'r wybodaeth yma'n hanfodol i'n hymchwiliad ni, Vic,' meddai, 'ond mae 'na gysylltiad rhwng llofruddiaeth Glenda a marwolaethau Sydney Boswell yn Southport a Dennis Chancer yn Telford – dwi'n dal i gredu hynny.'

'Ond Boswell ydi'r unig gysylltiad cadarn, Jeff, oherwydd mai un o Fanceinion oedd Boswell, yr un lle â'r gwn a ddefnyddiwyd i'w ladd o. Ond rhaid i ti gofio y byddai nifer o bobol yn is-fyd Manceinion yn medru cael gafael ar y Browning – unrhyw un sy'n agos i griw Allen. Dydi hynny ddim yn golygu bod cysylltiad rhwng llofruddiaeth Boswell ac un Glenda. Mi allai Boswell fod wedi croesi unrhyw nifer o bobl beryglus ym Manceinion. Damcaniaethu ydw i rŵan, wrth gwrs. Ac wedi ystyried hynny, pa gysylltiad sydd 'na efo Chancer?'

Roedd Jeff yn dechrau amau ei hun ynglŷn â'r cysylltiad erbyn hyn, a doedd hynny ddim yn digwydd yn aml. Ond o leia roedd o wedi cael darlun mwy cyflawn gan ei hen gyfaill o'r cyd-destun. Trodd ei feddwl yn ôl at dref Glan Morfa. Oedd Des Slater a'r cof bach yn cuddio yn y cyffiniau? A phwy oedd y bygythiad mwyaf i drigolion y dref – Des Slater ynteu Jim Allen? Oedd rheswm yn awr i amau mai aelod o Heddlu Manceinion fu'n chwilio am Des Slater a'r cof bach yng Nglan Morfa? Byddai hynny'n codi'r amheuaeth fod Glenda druan wedi cael ei llofruddio gan heddwas. Doedd y syniad bellach ddim yn un mor anghredadwy. Sôn am lanast, meddyliodd Jeff. Llanast go iawn.

Roedd hi'n amser cinio, a bol Jeff wedi hen ddechrau swnian. Doedd ganddo ddim amser nac awydd mynd yn ôl i'r caffi am bryd o fwyd, a chanddo daith o bron i ddwyawr o'i flaen, felly penderfynodd brynu pastai a photel o ddŵr a bwyta'n gyflym yn y car cyn dechrau ar ei daith adref. Daeth allan o'r archfarchnad ymhen ychydig funudau a synnodd o weld nad oedd car McVey wedi symud, a bod Vic yn eistedd y tu ôl i'r llyw a'i ffôn symudol wrth ei glust. Funud neu ddau yn ddiweddarach gadawodd Vic y maes parcio. Doedd dim mesurau gwrth-wyliadwriaeth y tro hwn.

Bu Ditectif Sarjant Vic McVey yn eistedd yn ei gar am chwarter awr ar ôl ffarwelio â Jeff. Roedd wedi ufuddhau i'r gorchymyn a gafodd o safle uchel yn Heddlu Manceinion i roi hynny o wybodaeth ag y gallai i Jeff Evans. Roedd yn rhaid iddo, felly, wneud hynny. Doedd ganddo ddim dewis. Ond gwyddai nad oedd ganddo reolaeth dros y dewis arall chwaith. Roedd Vic McVey wedi'i ddal ar dir neb. Tynnodd ei ffôn symudol o'i boced a phwyso'r rhifau cyfarwydd ar y sgrin. Nid oedd y rhif hwn yng nghof y ffôn. Atebwyd yr alwad ar unwaith.

'Des? Vic sy 'ma. Vic McVey. Mae'r cyfarfod wedi gorffen. Ydyn, mae'r heddlu yng Nglan Morfa yn amau fod gan Jim Allen rwbath i'w wneud â saethu Glenda.' Parhaodd yr alwad am chwarter awr, ac ailadroddodd McVey gynnwys ei sgwrs â Jeff.

Roedd McVey yn amau'n gryf fod ei enw yntau ar y rhestr ar y cof bach a oedd yn ddiogel ym meddiant Des Slater. Byddai Vic yn ddiogel tra byddai'n ffyddlon i'r teulu Slater, a thra byddai'n parhau i basio pob darn pwysig o wybodaeth iddynt.

Pennod 26

Pan oedd yn gyrru adref o Gaer canodd ffôn symudol Jeff. Ystyriodd ei adael i ganu, ond pan welodd pwy oedd yn galw, penderfynodd ei ateb drwy system sain y car.

'Emyr, sut wyt ti?' gofynnodd. Roedd Jeff ac Emyr Huws, gohebydd i bapur y *Daily Post*, wedi ffurfio dealltwriaeth annisgwyl yn ystod y blynyddoedd diwethaf – dealltwriaeth oedd o fudd i'r ddau yn eu bywydau proffesiynol. I selio'r berthynas roedd y newyddiadurwr wedi achub bywyd Jeff pan oedd ar fin cael ei saethu flwyddyn ynghynt. Dyna'r math o ffafr na allai Jeff fyth ei hanghofio.

'Iawn, diolch, Jeff. Yli, mi fyswn i'n licio dy weld ti ar dipyn o frys, os gweli di'n dda.'

'Mae'n ddrwg gen i, Emyr, ma' hi'n ofnadwy o brysur arna i ar hyn o bryd efo'r ymchwiliad 'ma.'

'Dwi'n sylweddoli hynny, Jeff. Ond mi ydw inna wedi bod yn dilyn hanes llofruddiaeth Glenda Hughes hefyd, ac mae gwybodaeth wedi fy nghyrraedd i amser cinio heddiw fydd o ddiddordeb i ti.'

Roedd gan Jeff ddigon i'w wneud ar ddiwrnod fel heddiw heb gael cyfarfod arall, ond ar y llaw arall, gwyddai na fuasai Emyr yn gwastraffu ei amser yn ddiangen.

'Well iddi fod yn wybodaeth dda,' atebodd Jeff. 'Rho ryw fath o syniad i mi be sy gen ti o dan sylw.'

'Ydi'r ffaith fod Glenda wedi bod yn puteinio yn rhan weddol bwysig o dy ymchwiliad di?'

Roedd y cwestiwn yn ddigon i ddarbwyllo Jeff fod sylwedd i beth bynnag oedd ar feddwl Emyr. Doedd hanes personol Glenda ddim wedi cael ei grybwyll yn gyhoeddus hyd yma yng nghynadleddau Lowri Davies i'r wasg, er ei bod yn bwriadu crybwyll y pwnc yn y dyfodol agos. Er hynny, roedd hi'n amlwg fod nifer o straeon amdani ar wasgar ar hyd y dref. 'Sut gwyddost ti am hynny, Emyr?' gofynnodd.

'Am fy mod i'n uffar o newyddiadurwr da,' atebodd hwnnw, a chwarddodd y ddau.

'Na, mae tipyn o sôn am y peth wedi bod ar lawr gwlad, fel y gelli di ddychmygu, Jeff. Ond mae rhywun wedi cysylltu efo fi heddiw yn deud bod ganddo wybodaeth wnaiff daflu ffrwd newydd o oleuni ar yr ymchwiliad.'

'Mae'r math yna o beth yn digwydd bob dydd yn dy swydd di, tydi Emyr, a f'un innau hefyd.'

'Digon gwir, Jeff, ond mae gan hwn rwbath diddorol iawn i'w ddeud, ac mi fyswn i'n lecio trafod y peth efo chdi cyn i mi gyhoeddi'r stori yn y papur fory. Be sy'n fwy diddorol fyth ydi bod y person yma'n deud bod ganddo lun o Glenda Hughes yn cael rhyw ar ben desg rhyw ddyn busnes lleol. Mae rhan o'r llun gen i ar fy ffôn ac mae o isio swm sylweddol o arian am y llun cyflawn.'

Roedd y datganiad bron yn ddigon iddo golli rheolaeth ar lyw'r car. 'Lle wyt ti rŵan, Emyr?' gofynnodd.

'Yn swyddfa'r papur ym Mae Colwyn.'

'Dwi hanner ffordd i lawr allt Rhuallt ar hyn o bryd. Mi fydda i efo chdi ymhen tua chwarter awr.'

Brasgamodd Jeff i adeilad y papur newydd ychydig dros ddeng munud yn ddiweddarach a chyfarch Emyr Hughes, dyn yn ei dridegau oedd yn gwisgo'i iwnifform arferol o jîns a chrys anffurfiol.

'Reit, be ydi'r sgôr, Emyr? O'r dechrau i'r diwedd, os gweli di'n dda,' gofynnodd Jeff ar ôl eistedd i lawr o flaen paned o goffi.

'Mi es i lawr i Lan Morfa y bore 'ma ar gyfer cynhadledd y wasg dan ofal Lowri Davies. Ar ôl dilyn ambell drywydd arall ro'n i'n ôl yn y swyddfa 'ma erbyn amser cinio, yn barod i sgwennu darn ar gyfer papur fory. Dyna pryd y daeth yr alwad i mewn i'r switsfwrdd. Trosglwyddwyd hi i mi gan mai fi sydd wedi bod yn adrodd am y stori i'r papur yn ddyddiol.'

'Dwi wedi bod yn darllen dy erthyglau di,' cadarnhaodd Jeff. 'Dyn ffoniodd i mewn, felly?'

'Ia. Doedd o ddim yn ddyn ifanc, yn siarad Cymraeg da, ond fedrwn i ddim nabod yr acen. Ar ôl arian mae o, does dim dwywaith. Mae o'n deud mai'r ffaith fod Glenda Hughes wedi bod yn puteinio ers blynyddoedd sy tu ôl i'r llofruddiaeth, a bod yr heddlu yn cuddio'r wybodaeth honno am fod pobol amlwg yn yr ardal wedi bod yn cymryd mantais arni. Mae'r bobol yma'n ddylanwadol ac mae plismon yn eu plith nhw, medda fo. Ditectif Sarjant.'

Gwyddai'r ddau mai dim ond un ditectif sarjant oedd yn gweithio yng Nglan Morfa fel rheol, ond gadawodd Emyr Huws i'r mater bach hwnnw basio heb sylw – am y tro, beth bynnag.

'Mi ddwedodd o fod ganddo lun o Glenda yn cael rhyw efo un o'r dynion,' parhaodd Huws, 'ac y byswn i'n ei gael o petawn i'n talu pum mil o bunnau amdano.'

'Pum mil o bunnau, am un llun?' rhyfeddodd Jeff, ond roedd ei feddwl wedi hen ddechrau crwydro. Ditectif Sarjant? Oedd rhywun yn ceisio ei faeddu o unwaith eto, yn ogystal â gwneud dipyn o arian?'

'Arian pitw ydi hynny yn ein byd ni, Jeff. Unwaith y bysa'r llun yn ein meddiant ni, mater bach fyddai i ni ei werthu i sawl papur cenedlaethol – rhyngwladol, hyd yn oed. Mae'r rhan fwyaf o bapurau newydd Llundain yn rhedeg yr un straeon. Gofynnais i'r dyn am ryw fath o brawf fod y llun yn ei feddiant, ac mi ofynnodd o am rif fy ffôn symudol i. Ymhen ychydig eiliadau mi ges i neges yn cynnwys darn ohono.' Tynnodd Emyr y ffôn o'i boced a dangos y llun i Jeff. 'Mi ddwyedodd y byswn i'n cael y llun yn ei gyfanrwydd ar ôl i'r arian gael ei dalu,' meddai.

Edrychodd Jeff arno ac ochneidio'n uchel. 'Dwi'n gyfarwydd â'r llun yma, Emyr,' meddai. Yn ôl pob golwg, roedd y llun wedi cael ei dynnu oddi ar y fideo o Glenda ac Alan Haywood ar ben y ddesg, ac wedi'i docio i guddio hanner uchaf cyrff y ddau. Ond doedd dim dwywaith mai'r fideo oedd ei darddiad – y fideo a dynnwyd ganddo oddi ar gyfrifiadur Haywood. Yr un fideo a welodd ar gyfrifiadur Sioned Lloyd, y fideo a ffilmiwyd yn wreiddiol ar ffôn Sharon Hughes. Oedd y merched yn dal i geisio elwa ar ddigwyddiad mor erchyll? Os felly, pwy oedd y dyn oedd yn rhoi cymorth iddyn nhw er mwyn ei rannu?

'Be ydi rhif y ffôn a yrrodd y llun i ti?' gofynnodd Jeff.

Rhoddodd Emyr y rhif iddo, a ffoniodd Jeff swyddfa Lowri Davies yn syth.

'Ar y ffordd yn ôl ydw i, DBA,' esboniodd. 'Ond mae 'na rwbath arall wedi codi. Mi hoffwn i gael gwybod cyn gynted â phosib i bwy mae'r rhif ffôn yma wedi'i gofrestru.' Rhoddodd y rhif ffôn iddi. 'Mi wna i esbonio pan gyrhaedda i 'nôl, ond mae hyn yn hynod o bwysig. O, ac os oes modd olrhain lleoliad y ffôn gwnewch hynny hefyd, os gwelwch yn dda.'

'Wel,' meddai Emyr, 'mae'n edrych yn debyg felly fod rhywfaint o wirionedd yn yr honiad fod Glenda Hughes wedi bod yn puteinio.'

'Nid fy lle i ydi ateb dy gwestiwn di, Emyr. Ddim ar hyn o bryd, beth bynnag, ond rydan ni'n dallt ein gilydd yn ddigon da erbyn hyn i mi fedru gofyn i ti am dy gymorth. Be ddeudist ti wrth y dyn yma?'

'Roedd hynny'n ddigon syml, Jeff,' atebodd y newyddiadurwr gyda gwên fach ar ei wyneb. 'Deud wnes i nad oedd gen i'r hawl i awdurdodi taliad o'r fath. Y byswn i'n gorfod siarad efo fy ngolygydd cyn cytuno, ond mi ddeudis i fod gen i ddiddordeb.'

'A'r canlyniad?'

'Mi ddeudodd y bysa fo'n fy ffonio fi heno rhwng naw a deg, ac i mi beidio â thrio 'i ffonio fo. Eglurais fod y fath daliadau yn cael eu hystyried yn fanwl gan berchnogion y papur, ond ei fod o'n swnio'n gynnig rhesymol a bod arian parod ar gael bob amser i ddelio â'r fath achlysur. Dywedodd y byddai'r llun yn mynd i bapur newydd arall – un Prydeinig – os na fyddai'r *Daily Post* yn cytuno i dalu cyn diwedd y dydd. Erfyniais arno i beidio â gwneud hynny gan y byswn i'n sortio petha allan. Mi oedd o'n swnio'n fodlon ar hynny. Be ti isio i mi wneud, Jeff?'

'Pwy sy'n gwybod am y llun?'

'Neb, dim ond chdi a fi. Dwi ddim wedi deud wrth y golygydd eto.'

'I ddechrau, mi fyswn i'n ddiolchgar petaet ti'n deud wrth gyn lleied o bobol â phosib am y llun. Yn ail, os gweli di'n dda, Emyr, paid â chyhoeddi 'run gair o'r hanes nes y bydda i wedi cael gafael ar bwy bynnag sy'n trio gwerthu'r llun. Y tebygrwydd ydi, ti'n gweld, ei fod o wedi'i ddwyn. O ble, wn i ddim eto, ond mae'n rhaid i mi gael gafael ar y boi 'ma cyn iddo amharu ar yr ymchwiliad a brifo'r rhai sy'n gysylltiedig â'r achos.'

'Mae o'n disgwyl ateb yn ôl gen i heno. Be ddeuda i?'

'Os oes rhaid, mi wna i drefniadau i ti allu talu'r arian iddo fo, efo'r bwriad o'i ddal o efo'r arian a'r llun yn ei feddiant. Deud wrtho heno fod y papur yn fodlon talu, a gofyn iddo am gyfarwyddiadau lle i adael yr arian. Yna, gad i mi wybod y trefniadau, ac mi wna i'r gweddill. Os fydd raid i ti roi gwybod i dy olygydd ymlaen llaw gwna hynny, ond neb arall, os gweli di'n dda. A gofyn iddo yntau gadw'r cwbl yn gyfrinachol.'

'Iawn,' cadarnhaodd Huws. 'Oes 'na unrhyw fantais i'r papur?' gofynnodd. 'Mi fydd y golygydd yn siŵr o ofyn.'

Gwenodd Jeff. 'Wrth gwrs y bydd 'na,' meddai. Yr un fath â phob tro arall – mi gei di hanes unrhyw ddatblygiad pwysig o flaen aelodau eraill y wasg.'

'Mae hynny'n ddigon da i mi,' atebodd Emyr Huws.

Cnociodd Jeff ar ddrws swyddfa Lowri Davies, ac wedi cael gwahoddiad i wneud hynny, cerddodd i mewn. Roedd y DBA wrthi'n pori drwy ddatganiadau ac adroddiadau, ei llygaid cochion yn brawf o'r oriau hir yr oedd hi wedi'u gweithio yn ystod y dyddiau cynt a'r pwysau o redeg ymchwiliad mawr.

'Unrhyw newydd ynglŷn â'r ffôn eto?' gofynnodd Jeff cyn iddo hyd yn oed eistedd i lawr.

'Na, dim eto,' atebodd Lowri. 'Mae un o'r hogia'n gweithio arno fo. Vodafone sy'n darparu'r gwasanaeth, a dyna be sy'n achosi'r oedi, fel dwi'n dallt. Ella y bysa hi'n haws ffonio'r rhif,' awgrymodd.

'Rargian, na. Peidiwch â meddwl am wneud hynny.

Does gan berchennog y ffôn ddim syniad fod Emyr Huws, y newyddiadurwr, wedi cysylltu â ni, ac mae'n hanfodol nad ydi o'n cael gwybod hynny.' Eisteddodd Jeff i lawr a dywedodd yr holl hanes wrthi.

'Lle i ddechrau?' gofynnodd Lowri ar ôl iddo orffen.

'Efo Sioned a Sharon dwi'n meddwl. Mi a' i ag Eirian efo fi. Fedra i ddim gweld Sharon yn ystyried rhannu'r llun 'na eto, ond fyswn i ddim yn trystio Sioned am funud. Mae eu ffonau a'u cyfrifiaduron nhw yn dal i fod ganddon ni, ond mi fysan nhw wedi medru lawrlwytho'r fideo i declyn arall neu gof bach cyn i ni gael gafael arnyn nhw. Ac wrth gwrs, bydd yn rhaid i ni ystyried Alan Haywood ei hun hefyd. Neu ei gyfrifiadur o, beth bynnag, oherwydd wyddon ni ddim am neb arall fysa wedi medru cael gafael ar y fideo.'

'Digon gwir,' atebodd hithau.

'Ond dydi busnes y llun 'ma ddim ond rhan fach iawn o'r hyn ddysgais i heddiw, DBA. Ac mae'r wybodaeth ges i gan DS Vic McVey yn llawer iawn mwy diddorol a pherthnasol i lofruddiaeth Glenda. Dychrynllyd a digalon, a deud y gwir.' Rhoddodd grynodeb iddi.

'Wnes i erioed feddwl y bysa llofruddiaeth dynes yng Nglan Morfa yn ein harwain ni dros ein pennau a'n clustiau i mewn i'r fath lygredd yn Heddlu Manceinion,' rhyfeddodd. 'Mae hyn yn ddatblygiad rhy fawr a rhy bwysig i mi ei anwybyddu. Mater i'r Dirprwy ydi hyn, er, dwi'n siŵr fod penaethiaid Heddlu Manceinion eisoes yn ymwybodol fod ganddyn nhw broblem. Mi wna i gysylltu â fo tra byddwch chi'n holi'r merched.'

Yn nhŷ Sioned roedd y ddwy ferch pan gyrhaeddodd Jeff yno yng nghwmni'r Ditectif Gwnstabl Eirian Lewis. Roedd

Gwenllïan Lloyd yno hefyd. Gan nad oedd cysylltiad uniongyrchol rhyngddyn nhw a'r llun a gyrhaeddodd ffôn Emyr Huws, doedd ganddo ddim tystiolaeth i'w harestio am yr eildro, felly penderfynodd fod yn ofalus wrth eu holi rhag iddynt droi'n elyniaethus.

Galwyd y ddwy i lawr y grisiau gan Mrs Lloyd ac eisteddodd y pump yn y lolfa, Sioned a Sharon ochr yn ochr ar y soffa, eu cyrff yn cyffwrdd fel petai'r ddwy angen cysur cyffyrddiad y llall.

'Mae'n ddrwg gen i 'mod i wedi gorfod dod yma eto,' dechreuodd Jeff, 'ond mae rwbath wedi digwydd sy'n golygu fod yn rhaid i mi eich holi chi eto.'

Edrychodd y ddwy ar ei gilydd a gobeithiodd Jeff y byddai'r ddwy yn ymlacio wrth sylweddoli nad oedd Eirian yn cymryd nodiadau fel y gwnaeth y tro diwethaf.

'Ynglŷn â'r fideo,' parhaodd, 'o'ch mam chi, Sharon, efo Mr Haywood.'

Gwelodd Jeff yr arwydd lleiaf o bryder ar wyneb y ddwy.

'Peidiwch â phoeni, yr unig broblem ydi fod llun a gymerwyd o'r fideo wedi ymddangos ym meddiant rhywun nad oes ganddo gysylltiad â'r ymchwiliad. A fedra i ddim yn fy myw â deall o ble mae o wedi dod. Faint o luniau gymeroch chi, Sharon?'

'Dim ond yr un fideo. Mi wyddoch chi hynny'n barod,' atebodd y ferch yn swta.

'Dynnoch chi lun llonydd ohonyn nhw hefyd?'

'Naddo, dim ond y fideo.'

'Oes 'na unrhyw bosibilrwydd ei fod o wedi cael ei yrru i rywle arall heblaw at Sioned?'

'Na.'

'Yn fwriadol neu'n ddamweiniol?'

'Na, yn bendant.'

'A be amdanoch chi, Sioned?'

Parhaodd Sioned yn fud am nifer o eiliadau.

'Deud wrth y dyn, Sioned bach,' meddai Mrs Lloyd. 'Mae hyn yn bwysig, neu fysa Sarjant Evans ddim wedi dod yn ôl yma.'

'Dim ond at Mr Haywood,' atebodd Sioned.

'Dim at neb arall?'

'Na, dwi wedi deud. Neb arall.' Cododd ei llais.

'Oes gan un ohonoch chi gyfrifiadur, tabled neu ffôn, neu unrhyw declyn arall, cof bach neu beth bynnag, nad ydan ni'r heddlu yn gwybod amdano?'

Ysgydwodd y ddwy eu pennau.

'Mi fedra i gadarnhau hynny, Sarjant,' meddai Mrs Lloyd. 'Dwi'n gwybod nad oes gan Sioned ddim byd arall. Dwi ddim wedi cael cyfle i brynu ffôn newydd iddi ar ôl i chi gadw'r un oedd ganddi wsnos dwytha.'

'Wel,' dechreuodd Jeff esbonio, 'y broblem ydi fod llun wedi'i gymryd o'r ffilm erbyn hyn yn nwylo rhywun sydd â'i fryd ar rwystro ein hymholiadau ni a chreu embaras i'ch mam, Sharon.'

'Fi fysa'r cynta i ddeud taswn i'n gwybod bod rhywun yn mynd i wneud hynny,' atebodd honno.

Parhaodd y cwestiynu ar yr un trywydd am ugain munud arall, ac ar ôl gwrando ar eu hatebion roedd Jeff yn tueddu i gredu'r merched. Doedd dim dwywaith – roedd Sharon a Sioned yn cyd-dynnu fel un, a doedd dim cyfrinach rhyngddyn nhw.

'Be dach chi'n feddwl, Sarj?' gofynnodd Eirian iddo wedi iddynt adael y tŷ.

'Mi oedd Sharon rhy agos i'w mam i adael i rywun arall

219

ei sarhau hi ar ôl iddi farw,' atebodd. 'Mi awn ni i weld Alan Haywood rŵan, i gael gweld be sydd ganddo fo i'w ddeud.'

Roedd siop yr optegydd ar gau a doedd dim symudiad yn yr ystafelloedd cefn chwaith. Doedd dim amser i'w golli, gwyddai Jeff, felly ei gartref amdani, Mrs Haywood neu beidio. Arhosodd Eirian yn y car.

Mrs Haywood agorodd y drws.

'Ddrwg gen i'ch poeni chi,' meddai Jeff. 'Dwi angen gair sydyn efo Alan, os gwelwch yn dda.'

'Mae o ar ganol bwyta ar hyn o bryd,' meddai. 'Fedrwch chi alw yn ôl ymhen hanner awr, neu ddisgwyl yn y car, efallai?'

'Deudwch wrtho fo, os gwelwch yn dda, mai Jeff Evans sy 'ma, ac mi gaiff o benderfynu a ydi o am fy ngweld i rŵan.'

Yn gyflym iawn, ymddangosodd Alan Haywood yn y drws wedi cynhyrfu'n lân. Caeodd y drws ar ei ôl.

'Be ydach chi'n wneud yma, Sarjant Evans?' gofynnodd, yn dal i gnoi a sychu'i geg yr un pryd.

'Wna i ddim eich cadw chi, Mr Haywood. Rwbath pwysig sydd wedi codi na all ddisgwyl tan fory. Mae copi o'r fideo, a llun llonydd wedi'i gymryd ohono, wedi dod i feddiant dyn sy'n bwriadu ei ddefnyddio i wneud elw. Wyddon ni ddim o ble daeth y copi hwnnw.'

'O, diar,' meddai, ei lais yn nerfus. 'Ond mi ddeudoch chi fod y llun yn saff!'

'Dyna oeddwn i'n feddwl ar y pryd, Mr Haywood. Ond mae'n amlwg fod copi yn rhywle, a rhaid i mi, er eich mwyn chi gymaint â neb arall, gael gafael ar bwy bynnag sy'n bygwth ei ddefnyddio fo.'

'Bygwth ei ddefnyddio fo? Sut?'

'Fedra i ddim dweud mwy ar hyn o bryd, mae gen i ofn. Ylwch, mae hwn yn gwestiwn twp, ond rhaid i mi ofyn. Wnaethoch chi yrru'r llun i rywun arall, cyn i mi eich gweld chi wsnos dwytha?'

'Wel naddo, siŵr Dduw. I be fyswn i'n gwneud y fath beth?'

'Ditectif preifat, efallai, dyna un posibilrwydd, ond os ddim, oes posib fod rhywun heblaw chi wedi medru cael gafael arno fo o'ch cyfrifiadur chi? Ysgrifenyddes neu gyd-weithiwr?'

'Na. Amhosib. Does neb ond fi yn gwybod yr allweddair.'

'Os fedrwch chi feddwl am unrhyw esboniad o'ch rhan chi, gadewch i mi wybod, os gwelwch yn dda, Mr Haywood. Dwi wedi holi Sharon a Sioned yn barod ac ar hyn o bryd does dim rheswm i amau mai nhw sy'n gyfrifol.'

'Iawn, mi wna i. Ond be ydw i i fod i'w ddeud wrth fy ngwraig rŵan? Y rheswm am eich ymweliad?'

'Deudwch be fynnoch chi, Mr Haywood. Deudwch be fynnoch chi.'

Dim ond un posibilrwydd arall ddaeth i feddwl Jeff, un a oedd wedi bod yn corddi yn nyfnder ei feddwl wrth i ymholiadau negyddol y prynhawn ddatblygu. Roedd y posibilrwydd hwnnw yn un a ysgogodd deimlad annifyr, anghyfforddus yng ngwaelod ei fol. Tyfodd yr anesmwythder wrth iddo ddychwelyd i orsaf yr heddlu a cherdded i mewn i swyddfa Lowri Davies.

Pennod 27

Wel?' gofynnodd y DBA.

'Dim byd,' atebodd Jeff. 'Does ganddyn nhw ddim syniad o gwbl. Unrhyw wybodaeth ynglŷn â'r ffôn eto?' gofynnodd.

'Oes,' atebodd Lowri. 'Cafodd y ffôn ei brynu mewn siop Tesco echdoe. Talwyd amdano fo, a cherdyn sim talu a galw Vodafone, efo arian parod, a does dim disgrifiad o'r prynwr yn anffodus.'

'Pa archfarchnad Tesco?' Bron nad oedd Jeff eisiau clywed yr ateb.

'Yr un yn yr Wyddgrug,' atebodd Lowri. Edrychodd arno mewn ffordd oedd yn cadarnhau ei bod hi ar yr un donfedd ag yntau.

'Yn y cyffiniau yna mae Arfon Prydderch yn byw, deudwch?'

'Ia, ym Mhen-y-ffordd. Mi wnes holi'r adran personél gynna. Ond dewch i ni beidio â mynd o flaen gofid rŵan, Jeff.'

'Dwi ddim yn meddwl bod yr un ohonan ni'n mynd i wneud hynny, DBA. Ond mae rwbath arall yr anghofiais i ddeud wrthoch chi gynna. Mi ddywedodd y dyn, pwy bynnag ydi o, wrth Emyr Huws fod ditectif sarjant o Lan Morfa ymhlith y dynion a fu'n talu am ryw efo Glenda Hughes – a dyna un o'r rhesymau pam nad ydi'r cyhoedd yn cael gwybod am ei phuteinio. Mi wyddoch chi mai fi ydi'r unig DS yma fel rheol, ac mae'n sefyll i reswm fod Prydderch yn dal dig yn f'erbyn i.'

'Wel, dyna beth arall sy'n gwneud synnwyr felly,' meddai Lowri Davies. 'Ac yn tueddu i roi mwy o dân dan yr amheuaeth mai Prydderch sy'n gyfrifol.'

'Ond fedra i ddim gweld sut roedd ganddo gymhelliad i wneud hyn cyn i mi ei roi yn y ddalfa,' ychwanegodd Jeff. 'Chafodd o ddim cyfle i ddwyn copi o'r fideo ar ôl i mi ei arestio fo, ond yn sicr mi gafodd o ddigon o gyfle i wneud copi digidol oddi ar system yr ymchwiliad cyn hynny.'

'Cywir, Jeff, ond a oedd ganddo gymhelliad bryd hynny? Fedra i ddim gweld bod ganddo ddigon yn eich erbyn chi – yn ein herbyn ni ein dau – cyn iddo gael ei arestio.'

'Dydi hynny ddim yn hollol wir, DBA. Roedd Arfon Prydderch a fi wedi tynnu'n groes fwy nag unwaith, os cofiwch chi, ac mi oeddach chithau wedi cael rheswm i'w roi o yn ei le hefyd. Ond ga' i gynnig dau bosibilrwydd?' gofynnodd Jeff. 'Y cyntaf ydi ei fod o wedi bod yn disgwyl y gwaethaf yn dilyn yr ymchwiliad i'w ymddygiad yn Wrecsam. A'r ail ydi mai dyna ydi ei betha fo: rhyw a phornograffi. Camymddwyn o natur rywiol sydd wedi'i roi o mewn trafferth yn ochrau Wrecsam ac yma. Os dilynwn ni'r trywydd hwnnw, does dim angen llawer o ddychymyg i ystyried ei fod o'n cael pleser o edrych ar y fath ddeunydd. Efallai mai ar gyfer ei ddefnydd personol y gwnaeth o gopi o'r fideo. Wedyn, ar ôl iddo gael ei arestio am ymosod yn rhywiol ar Ceinwen, a'i wahardd dros dro, mae'r cymhelliad yn ei le, yn fwy nag erioed, a'r fideo yn ei feddiant hefyd. Rhaid i mi ddeud 'mod i'n gobeithio i'r nefoedd 'mod i'n anghywir. Nid oherwydd unrhyw drueni drosto fo, ond yr embaras y byddai'r peth yn ei greu i Heddlu Gogledd Cymru.'

'Cofiwch mai dyfalu ydan ni ar hyn o bryd, Jeff, ond mi fydd yn rhaid i ni achub y blaen arno fo, pwy bynnag ydi o. Mae hynny'n sicr.'

Tynnodd Jeff ei ffôn o'i boced a gwnaeth alwad fer.

'Emyr, ydi o wedi dy ffonio di eto?'

'Na, dim eto, Jeff.'

'Bydda'n barod unrhyw amser, ddydd neu nos. Unwaith ti'n cael cyfarwyddiadau ganddo, ffonia fi'n syth.'

'Mi wna i, Jeff. Chdi a neb arall.'

Diffoddodd Jeff y ffôn. 'Ydi Vodafone wedi medru olrhain lleoliad y ffôn eto?' gofynnodd i Lowri.

'Na, mae o wedi cael ei ddiffodd ers iddo gael ei ddefnyddio amser cinio heddiw. Yng nghanol Wrecsam y digwyddodd hynny, a tydi'r ffôn ddim wedi cael ei ddefnyddio wedyn.'

'Fedrwch chi wneud trefniadau i gael pum mil o bunnau mewn arian parod cyn gynted â phosib?'

'Medraf, ond gwrandwch am funud, Jeff. Mater i'r Adran Safonau Proffesiynol ydi hyn rŵan ein bod ni'n amau mai plismon sy'n gyfrifol. Nid mater i ni.'

Gwyddai Jeff ei bod hi'n iawn, ac roedd ganddo ddigon ar ei blât heb orfod delio â hyn. Er hynny, byddai wedi cael pleser o arestio Prydderch am yr eildro.

Cododd y DBA ei ffôn a chymerodd ychydig funudau i esbonio'r holl ddatblygiadau i'r Dirprwy Brif Gwnstabl. Roedd ei siom yn amlwg ond cytunodd â'r cynllun. Yna, cafodd Lowri afael ar y Prif Arolygydd Pritchard er mwyn dweud yr un hanes wrtho yntau. Pwysleisiodd ddymuniad Emyr Huws mai Jeff Evans fyddai ei unig gyswllt yn yr heddlu, ond roedd hi'n blaen fod Pritchard ar binnau eisiau arwain yr ymgyrch.

Ymhen dim roedd y cynllun yn ei le. Dim ond disgwyl am yr alwad ffôn gan y newyddiadurwr oedd ei angen. Roedd yr arian wedi'i drosglwyddo i feddiant Emyr Huws, mewn papurau ugain punt a'u rhifau wedi'u cofnodi, a Pritchard a Bevan yn disgwyl am gyfarwyddiadau gan Jeff.

Dal i ddisgwyl am yr alwad roedd Jeff a Lowri pan ofynnodd Jeff iddi, 'Ddeudoch chi wrth y Dirprwy am y cysylltiad efo'r llygredd yn Heddlu Manceinion?'

'Do, ac mi ddaeth o yn ôl ata i ymhen yr awr wedi iddo fo siarad efo'r Dirprwy Brif Gwnstabl ym Manceinion. Mae'r Dirprwy yn y fan honno yn fodlon i ni ddelio â'r mater yma, fel rhan o'n hymchwiliad ni i lofruddiaeth Glenda, a dim mwy.'

'Dyna benderfyniad od,' meddai Jeff, 'o ystyried ei fod yn fater mor ddifrifol yn ei ardal o.'

'Efallai ddim,' atebodd Lowri. 'Mae'r ddau ddirprwy yn nabod ei gilydd yn eitha da. Fel dwi'n deall, mae'r Dirprwy ym Manceinion yn newydd i'r swydd – dim ond ers pedwar mis mae o yno – ac mae o'n hollol newydd i'r ardal. Treuliodd ei yrfa gynnar yn Heddlu De Cymru, cyn dyrchafu yn Gynorthwyydd i'r Prif Gwnstabl yn Nyffryn Tafwys. Mae o'n ymwybodol bod llygredd yn rhemp drwy Heddlu Manceinion, ond y drwg ydi nad ydi o'n gwybod pwy all o ei drystio, mewn unrhyw reng. Os medrwn ni daflu unrhyw oleuni ar y llygredd hwnnw yn ystod y dyddiau nesa trwy ein hymholiadau ni i lofruddiaeth Glenda, gorau'n y byd. Os na fedrwn ni, dim ond ychydig ddyddiau mae o wedi'u colli.'

'Dyfeisgar iawn,' meddai Jeff, 'ein defnyddio ni i lanhau

Heddlu Manceinion, ia?' Gwenodd wrth ystyried y posibilrwydd. 'A sut, meddach chi, mae o'n disgwyl i ni wneud hynny?'

'Cariwch ymlaen, Jeff, i wneud gymaint o ymholiadau ag y medrwch chi ynglŷn â theulu Slater a chriw Allen. Cawn weld be ddaw o hynny, ond cofiwch mai llofruddiaeth Glenda ydi ein prif gyfrifoldeb ni.'

'Gyda llaw, sut mae Pritchard yn mynd i ddelio efo pethau os, neu pan, ddaw'r alwad gan Emyr Huws heno?' gofynnodd Jeff.

'Mae o'n disgwyl cael galwad gen ti neu gen i. Fydd o a Bevan ddim ymhell oddi wrth Emyr Hughes – nhw drefnodd i'r arian gael ei drosglwyddo iddo fo yn gynharach mewn sach gefn. Unwaith y byddan nhw'n gwybod lle mae Huws wedi cael cyfarwyddyd i'w adael o, mi fyddan nhw'n brysio yno o'i flaen i guddio. Y cynllun ydi arestio pwy bynnag fydd yn casglu'r arian, gan obeithio y bydd y ffôn, a'r llun neu'r fideo arno, yn ei feddiant hefyd.'

'Swnio braidd yn amaturaidd i mi. Oes gan Pritchard dîm wrth gefn rhag ofn i betha fynd o'i le?'

'Dim syniad, Jeff. Mater iddo fo ydi hynny. Mae o'n ddyn profiadol.'

Am bum munud wedi naw canodd ffôn Jeff, ac ar yr uchel seinydd clywodd y ddau lais Emyr Huws yn swnio dipyn yn nerfus.

'Mae o newydd ffonio. Mae o isio i mi fynd â'r arian i Bier Llandudno erbyn hanner nos ar y dot. Dim cynt a dim hwyrach. Mae o wedi dweud wrtha i am adael yr arian wrth ochr rhyw gwt pren glas, yr un cyntaf ar y chwith fel dwi'n cerdded i gyfeiriad y pier. Mae 'na gornel dywyll yno sy'n hwylus i'w adael o, yn ôl pob golwg. Mi fydd o'n fy ngwylio i o bell medda fo, ac unwaith y bydd o wedi cadarnhau fod yr arian yno, mi fydd y llun yn ei gyfanrwydd yn cael ei drosglwyddo i fy ffôn i. Be wna i, Jeff? Dwi erioed wedi bod yn y sefyllfa yma o'r blaen.'

'Gwna yn union fel mae o'n deud,' atebodd, 'a phob hwyl i ti. Mi fydd rhai o'n bois ni gerllaw ... a chofia dy fod ti'n uffar o newyddiadurwr.' Ceisiodd Jeff ysgafnhau'r sefyllfa trwy atgoffa Emyr o'r hyn ddywedodd o yn gynharach yn y dydd.

Ar unwaith, trosglwyddodd Lowri'r neges i'r Prif Arolygydd Pritchard.

'Dim ond y ddau ohonyn nhw, Pritchard a Bevan, sy'n rhan o'r ymgyrch,' meddai wrth Jeff wedyn. 'Lleia'n y byd, gorau'n y byd, medda fo!'

Canodd y ffôn ar ei desg funud yn ddiweddarach, ac wedi iddi wrando a'i roi yn ôl yn ei grud, dywedodd, 'Yn Ninbych roedd o pan wnaethpwyd yr alwad yna, ac mae'r ffôn wedi'i ddiffodd unwaith eto. Mae o'n ddigon craff.'

'Rhy graff i Pritchard a Bevan, tybed?' Cododd Jeff ar ei draed ar unwaith. 'Reit, mae gen i bron i dair awr. Mi ga' i rwbath i fwyta ar y ffordd.'

'Lle dach chi'n mynd, Jeff?' Gofynnodd Lowri'r cwestiwn er ei bod hi'n gwybod yr ateb. Doedd Jeff ddim yn un i eistedd yn ôl, hyd yn oed os nad oedd o'n cael cymryd rhan yn y cyrch.

'Cefnogwr answyddogol ydw i heno,' meddai. 'Ond peidiwch â phoeni, dwi ddim yn bwriadu mynd ar draws ymdrechion neb arall. Fyddan nhw ddim hyd yn oed yn gwybod 'mod i yno os aiff popeth yn iawn. Dim ond os eith petha'n flêr y gwna i ymyrryd, ond mae'r hen deimlad hwnnw yn fy mol i yn deud y dylwn i fod yn barod, rhag ofn. Dim ond rhag ofn, DBA.'

'Arhoswch, dwi'n dod efo chi,' meddai Lowri. 'Mae gen innau ddiddordeb yn yr hyn sydd ar droed heno hefyd.'

Gwenodd Jeff. Pwy oedd o i ddadlau efo'i fòs?

Stopiodd Jeff y car yn y ganolfan wasanaeth oddi ar yr A55 yn Llandygái ger Bangor – llecyn cyfleus i ailymuno â'r ffordd fawr yn gyflym petai angen.

'Byrgyr, DBA?' gofynnodd, gan amneidio at y bwyty bwyd cyflym. 'Dwi bron â llwgu. Ond well i ni fwyta yn y car, dwi'n meddwl,' awgrymodd, 'er, does 'na ddim llieiniau bwrdd na chanhwyllau ar y byrddau yn fan hyn, mae gen i ofn,' meddai gan chwerthin.

'Tydyn nhw ddim yn gweini eich hoff win coch chi chwaith, ma' siŵr,' atebodd hithau.

Chwarddodd y ddau.

Wrth fwyta gofynnodd Lowri, 'Sut ydach chi yn gweld yr ymchwiliad 'ma'n mynd, Jeff?'

'Dwi'n dal i feddwl mai ym Manceinion y cawn ni'r ateb,' meddai. 'Ac efallai mai'r llygredd yn yr heddlu yn y fan honno sydd wrth wraidd llofruddiaeth Glenda. Ydi'r cof bach ym meddiant Des Slater, tybed? Oedd Jim Allen yn credu bod Des wedi ei guddio fo yn nhŷ Glenda? Ai Allen ei hun aeth yno i chwilio amdano fo? Ma' hi mor hawdd dyfalu, yn tydi?'

'Mae'r bys yn dal i bwyntio i'r cyfeiriad hwnnw, synnwn i ddim.'

'Os ydach chi'n cytuno, DBA, dwi am dyllu dipyn yn ddyfnach i gefndir Jim Slater. Ella y medra i ddarganfod rhyw gudd-wybodaeth heb orfod mynd ar ofyn Heddlu Manceinion.'

Am un ar ddeg o'r gloch yn noson honno, yn dilyn gwaith ymchwil a thipyn o baratoi yn yr ardal, roedd Pritchard a Bevan mewn dwy guddfan wahanol, y ddau o fewn golwg i'r cwt a ddisgrifiwyd iddynt ger pier Llandudno. Gallai'r ddau weld y cymylau o law mân yn y goleuadau stryd, ac roedd sglein oeraidd ar y lonydd a'r palmentydd gwag. Dyma un o elfennau hanfodol plismona – y disgwyl diddiwedd – ond doedd yr un o'r ddau wedi gwneud y gwaith hwn ers blynyddoedd.

Ar ôl gadael cyffiniau Bangor roedd Jeff a Lowri yn eistedd mewn car cynnes ychydig filltiroedd i ffwrdd.

Am ugain munud i hanner nos, gyrrodd Emyr Huws o gyfeiriad ei gartref yn Abergele i gyfeiriad Llandudno a'r arian yn y sach gefn wrth ei ochr. Roedd o wedi cyrraedd Bae Colwyn pan ganodd ei ffôn. Curodd ei galon yn anarferol o gyflym.

'Ia, fi, sy 'ma,' meddai'r llais. Yr un llais. 'Mae'r cynllun wedi newid. Tro'r car rownd a dos i gyfeiriad swyddfa'r papur newydd. Mi ro' i gyfarwyddiadau pellach i ti ar ôl i ti gyrraedd yno. Paid â chysylltu â neb.'

Defnyddiodd Emyr Huws y ffôn symudol arall oedd yn ei feddiant i alw Jeff. 'Mae'r cynllun wedi newid,' bloeddiodd. Ond gwelodd oleuadau car arall yn ei ddilyn ac yn agosáu. 'Fedra i ddim deud mwy,' meddai. 'Bae Colwyn,' ychwanegodd, 'Bae Colwyn!'

Pa le gwell, ystyriodd Emyr Huws? Pwy fysa'n meddwl mai ar stepen drws ei weithle o ei hun fyddai'r arian yn newid dwylo?

Ffoniodd Lowri ffôn symudol Pritchard yn syth, ond doedd dim ateb gan fod y Prif Arolygydd wedi troi cloch y ffôn ymaith. Drwy ei ddillad trwchus, wnaeth o ddim teimlo'r teclyn yn dirgrynu.

Gyrrodd Jeff yn gyflym ar hyd yr A55 er na wyddai yn iawn ble roedd o'n mynd. Stopiodd yn y dref mewn penbleth cyn iddo gael syniad.

'Fetia i mai efo Prydderch 'dan ni'n delio heno a neb arall,' meddai wrth Lowri. 'Does ganddo fo ddim syniad ein bod ni'n gwybod am hyn i gyd. Cyn belled ag y mae o yn y cwestiwn, efo Emyr Huws yn unig mae o'n delio. Does 'na ddim ond un lle mae o'n debygol o fynd ar ôl casglu'r arian.' Ailymunodd â'r A55 a gyrrodd fel cath i gythraul.

O dan yr amgylchiadau, ac wrth ei ochr yn sedd y teithiwr, doedd gan y DBA ddim dewis ond dilyn trwyn yr afanc. Roedd hi'n adnabod Jeff yn ddigon da erbyn hyn i beidio cwestiynu greddf y ditectif.

Canodd ffôn symudol Emyr Huws eto fel yr oedd o'n agosáu at swyddfa'r *Daily Post* ym Mryn Eirias. Roedd goleuadau'r car y tu ôl iddo'n llawer nes erbyn hyn. Atebodd y ffôn.

'Gwna yn union fel dwi'n deud,' meddai'r llais. 'Rho'r arian ar stepen drws dy swyddfa, ac yna dos adra. Os wela i dy fod ti'n loetran o gwmpas mae ein cytundeb ar ben. Os byddi di'n gadael, diflannu'n llwyr, gan adael yr arian yn ei le, mi fydd y llun ar dy ffôn di ar unwaith. Dallt?'

'Ydw,' atebodd y newyddiadurwr, 'ond sut fedra i eich trystio chi?'

'Sgin ti ddim dewis, na dim byd i'w golli. Nid o dy boced di dy hun ddaeth yr arian, nage?'

Parciodd Emyr Huws ei gar mor agos â phosib at ddrws ei swyddfa. Edrychodd o'i gwmpas yn nerfus wrth dynnu'r bag llawn arian allan o'r car, a cherddodd yr ychydig lathenni i'r porth bychan. Gosododd y bag yn y fan honno a dychwelyd i'r car heb oedi. Gyrrodd oddi yno'n gyflym heb edrych yn ôl.

Wedi iddo fynd o'r golwg, daeth ffigwr tywyll allan o'r goedwig gerllaw a dianc drachefn yr un mor gyflym, yn ôl i'r tywyllwch, a'r bag yn ei law. Ymhen llai na munud, tinciodd ffôn Emyr Huws i ddatgan fod neges wedi ei gyrraedd. Edrychodd ar y sgrin – yn unol â'r addewid, gyrrwyd y llun yn ei gyfanrwydd. Llun clir o'r optegydd, Alan Haywood, yn cael rhyw ar ben ei ddesg efo Glenda Hughes. Roedd yn ddigon hawdd adnabod y ddau, ond wrth edrych arno, sylweddolodd y newyddiadurwr fod cynllun yr heddlu i ddal y dyn a'i gyrrodd wedi'i chwalu'n rhacs. Ffoniodd ffôn symudol Jeff ar unwaith er mwyn esbonio beth ddigwyddodd.

'Paid â phoeni, Emyr,' meddai Jeff. 'Tydi petha ddim yn gweithio allan bob tro. Mi wna i gysylltu efo chdi eto, ond paid, os gweli di'n dda, â defnyddio'r llun yn y cyfamser.'

Cadarnhaodd Emyr na fyddai'n rhannu'r llun â neb.

Erbyn hyn roedd y Prif Arolygydd Pritchard a'r Arolygydd Bevan wedi hen syrffedu wrth y pier yn Llandudno ac yn wlyb at eu crwyn. Yn siomedig, penderfynodd y ddau roi'r ffidil yn y to. Ond roedd y siom fwyaf eto i ddod – atebodd Pritchard alwad gan Lowri Davies, a dysgodd beth oedd wedi digwydd. Roedd y dyn pwysig yn flin fel cacwn.

Ymhen llai nag awr, cyrhaeddodd Arfon Prydderch ei gartref ym Mhen-y-ffordd yn teimlo'n fodlon iawn. Daeth allan o'i gar yn ddistaw, y bag llawn arian yn ei law, ac ar ôl cau'r drws a chloi'r cerbyd, yr un mor ddistaw, cerddodd i fyny'r llwybr byr tuag at ei ddrws ffrynt. Roedd Prydderch newydd agor y drws pan glywodd sŵn yn dod o gyfeiriad y llwyn gerllaw. Ni chafodd amser i droi rownd cyn iddo deimlo gwadan esgid rhywun yn ei gicio yng ngwaelod ei gefn gyda digon o nerth i'w daflu drwy'r drws ac ar ei fol ar lawr y cyntedd. Agorodd y bag pan ddisgynnodd o'i law a syrthiodd rhan helaeth o'r arian allan ohono. Yn y tywyllwch clywodd lais cyfarwydd yn gadael iddo wybod ei fod yn cael ei arestio, a geiriau cyfarwydd y rhybudd swyddogol.

'Jeff Evans, y bastard. Chdi sydd wedi plannu'r arian yma arna i. Un da wyt ti am blannu tystiolaeth.'

'Does neb wedi plannu hwnna.' Clywodd Prydderch lais y Ditectif Brif Arolygydd Lowri Davies yn y tywyllwch y tu ôl i Jeff. 'Dwi'n dyst i hynny,' meddai.

'A tydw innau erioed wedi cael rhyw efo Glenda Hughes chwaith, er gwaetha'r hyn ddeudist ti wrth ddyn y *Daily Post* yn gynharach heddiw,' ychwanegodd Jeff.

Chwiliodd Jeff trwy bocedi Prydderch a daeth o hyd i ddau ffôn symudol, un ohonynt wedi'i brynu yn yr Wyddgrug ddeuddydd ynghynt. 'A pha stori tylwyth teg wyt ti am ei rhoi i egluro pam fod hwn yn dy boced di?' gofynnodd. 'Mae'n amlwg i mi nad wyt ti hanner mor graff ag yr wyt ti'n meddwl wyt ti.'

Gwyddai Prydderch fod ei fyd ar ben.

Canodd ffôn symudol Lowri a chamodd oddi wrth y tŷ i'w ateb. Pritchard oedd yno.

'Wel, mi ydan ni wedi methu go iawn heno,' meddai hwnnw. 'Mae rhywbeth mawr wedi mynd o'i le. Dwi'n awgrymu ein bod ni'n cael di-briff heno, cyn i'r llwch setlo. A dwi isio Evans yno hefyd, gan mai ei wybodaeth ddiffygiol o arweiniodd at hyn.'

'Dim problem yn y byd,' atebodd Lowri. 'Mi fyddwn ni efo chi cyn hir, ac mi ddown ni â Mr Arfon Prydderch efo ni, a'r pum mil a oedd yn ei feddiant, a'r ffôn symudol yn cynnwys y llun hefyd, os liciwch chi.'

Byddai Jeff a Lowri wedi hoffi gweld wyneb Pritchard wrth dderbyn y newyddion.

Pennod 28

Roedd hi ymhell wedi deg pan gyrhaeddodd Jeff orsaf heddlu Glan Morfa y bore dydd Gwener hwnnw, ei lygaid yn goch ac yn llosgi o ddiffyg cwsg. Synnodd fod Lowri Davies yno o'i flaen ac wedi cynnal y gynhadledd am chwarter wedi naw yn ôl yr arfer. Roedd hi'n amlwg nad oedd hanes digwyddiadau'r noson gynt wedi cyrraedd clustiau ditectifs yr ymchwiliad – Pritchard a Bevan oedd wedi delio â Prydderch yn y ddalfa yn Llanelwy – ond byddai'r hanes yn siŵr o ledaenu cyn hir. Cymerodd Lowri a Jeff dros awr i baratoi eu datganiadau cyn eu gyrru i'r Prif Arolygydd Pritchard. Gobeithiodd Jeff y byddai gan hwnnw ddigon ar ei blât am sbel i'w gadw'n ddigon pell oddi wrth Glan Morfa, a Nansi'r Nos yn enwedig.

O'r diwedd, câi Jeff droi ei sylw at yr wybodaeth a gafodd gan Ditectif Sarjant Vic McVey – yr wybodaeth oedd wedi troi ffocws yr ymchwiliad ar ei ben. Des Slater, Jim Allen, Heddlu Manceinion ... dywedodd yr hen deimlad hwnnw ym mol Jeff wrtho mai ar Allen y dylai ganolbwyntio. Anaml roedd y teimlad hwnnw yn ei adael i lawr. Rhaid bod cysylltiad rhwng Allen a'r gwn, heb sôn am awydd Allen i gael gafael ar y cof bach a allai fod wedi'i guddio yn nhŷ Glenda Hughes.

Gan osgoi Heddlu Manceinion, cysylltodd Jeff â'r Swyddfa Cofnodion Troseddol yn Llundain, a derbyniodd ffeil ddigidol ganddynt yn cynnwys rhestr o gyneuogfarnau Jim Allen. Roedd Allen wedi datblygu o fod yn hogyn gwyllt i fod yn laslanc drwg, a thyfu'n ddyn hynod beryglus. Troseddau treisgar oedd y rhan fwyaf o gynnwys y rhestr. Chwiliodd am fanylion yr achos lle cafwyd Allen yn euog o geisio lladd dyn o'r enw Morrison mewn tafarn ym Manceinion yn 2013. Drwy lwc, ac yn annisgwyl, roedd adroddiad y Gwasanaeth Prawf yn y ffeil, a gwelodd gyfeiriad yno at dystiolaeth fforensig hanfodol a gyflwynwyd gan y Goron. Hebddo, yn ôl pob golwg, ni fyddai digon o dystiolaeth i gyhuddo Allen heb sôn am ei gael yn euog. Eisteddodd Jeff yn ôl yn ei gadair a cheisio dychmygu beth allai'r dystiolaeth fforensig hollbwysig honno fod.

Cododd y ffôn a deialodd rif Vic McVey.

'Fedri di siarad?' gofynnodd.

'Aros am funud,' atebodd yntau.

Disgwyliodd Jeff am rai munudau tra bu Vic yn ceisio canfod lle preifat i siarad.

'Reit, be ga' i wneud i ti, Jeff?'

Dywedodd Jeff beth oedd ar ei feddwl ynglŷn â'r dystiolaeth fforensig.

'Mae hwn yn fater cyfrinachol,' rhybuddiodd McVey, 'ond gan dy fod ti wedi darganfod rhywfaint o'r hanes yn barod, waeth i mi rannu'r gweddill efo chdi ddim. Wedi'r cwbwl, dyna ydi'r cyfarwyddyd dwi wedi'i gael o'r top. Dy helpu di gymaint ag y medra i.'

Oedodd McVey. Dychmygodd Jeff ei fod yn edrych o'i gwmpas yn nerfus cyn parhau, yn union fel yr oedd o wedi'i wneud yng Nghaer y diwrnod cynt. Pam yr holl gyfrinachedd, tybed, yn enwedig gan mai dilyn gorchmynion swyddogol yr oedd o?

'Dim ond tystiolaeth fforensig oedd yn erbyn Jim Allen,' parhaodd McVey ymhen eiliadau. 'Yn fuan iawn wedi'r noson honno, daeth y plismyn oedd yn ymchwilio i'r ymosodiad ar Morrison yn y dafarn o hyd i'r dillad roedd Jim Allen yn eu gwisgo pan gyflawnodd y drosedd. Roedd DNA Allen drostyn nhw i gyd, fel y bysat ti'n disgwyl, ond roedd gwaed Morrison hefyd ar bob tamaid o'r dillad, yn enwedig braich dde'r siaced. Nid chydig ddafnau o waed, cofia di, ond digon i lenwi bwced bron iawn.'

'Sut ddaeth yr heddlu o hyd i'r dillad mor handi?' gofynnodd Jeff.

'Ar ôl yr ymosodiad aeth Jim Allen adref i newid, cael cawod a threfnu i rywun gael gwared â'r dillad. Ar y ffordd i losgi'r dillad oedden nhw pan ddaru'r heddlu stopio'r car roedden nhw'n ei yrru.'

'Sut aflwydd oedd yr heddlu yn gwybod ble i edrych?'

'Sut wyt ti'n meddwl, Jeff bach? Hysbysydd, wrth gwrs.'

'Ydan ni'n gwybod pwy oedd yr hysbysydd?'

'Sydney Boswell.'

Daeth yr ateb fel taran i glustiau Jeff. 'Wel, rhaid i mi ofyn, Vic, pam ddiawl na wnest ti ddeud hynny wrtha i bore ddoe?'

'Am na wnest ti ddim gofyn, Jeff. Y gorchymyn dwi wedi'i gael ydi i ateb dy gwestiynau di os yn bosib, nid rhoi'r holl wybodaeth sydd yn ein meddiant ni. Yn enwedig ynglŷn â materion mor sensitif.'

'Ond be am lofruddiaeth Boswell? Mae'n amlwg i'r dyn yn y lleuad hyd yn oed bod 'na gysylltiad – bod Jim Allen wedi darganfod mai fo oedd yr hysbysydd, wedi cael gafael arno fo ar ôl iddo gael ei ryddhau o'r carchar yn gynharach eleni, mynd â fo i Southport a'i saethu o!'

'Do'n i ddim yn rhan o'r ymchwiliad hwnnw, Jeff, ond mi wn i fod Jim Allen wedi cael ei glirio o fod yn gyfrifol am saethu Boswell.'

'Sut felly?'

'Am ei fod o ar ei wyliau yn Sbaen ar y diwrnod y lladdwyd Boswell. Mae hynny wedi cael ei gadarnhau gant y cant. Mi oedd o yn Sbaen am bythefnos gyfan o'r deuddegfed o Fehefin hyd y chweched ar hugain. Ar ddydd Sadwrn yr ugeinfed y cafodd Boswell ei saethu. Mae llun o Jim Allen yn gadael maes awyr Manceinion ac yn cyrraedd adref ar y ddau ddyddiad yna. Mae mwy o dystiolaeth sy'n ei roi o yn ei westy ar yr ugeinfed, a datganiadau gan ei gyfeillion ei fod o yno drwy'r adeg.'

'Wel, mi fyswn i'n disgwyl i'w gyfeillion o roi alibi iddo fo, ond ai hwnna ydi'r tric hynaf yn y byd? Cael alibi perffaith a gadael i rywun arall wneud y saethu?'

'Wel ... mae hynny'n ddigon gwir, rhaid i mi gyfaddef.'

'Ydi'r tîm sy'n ymchwilio i'r llofruddiaeth yn Southport yn gwybod hyn?'

'Wn i ddim, Jeff. Fel ro'n i'n deud, doedd gen i ddim cysylltiad â'r ymchwiliad.'

'Sut felly wyt ti'n gwybod cymaint am y mater?'

'Mi wyddost ti ym mha adran dwi'n gweithio ar hyn o bryd, Jeff. Mi ddylai hynny ateb dy gwestiwn di.'

Roedd Jeff yn dechrau sylweddoli fod y llygredd yn Heddlu Manceinion yn llawer ehangach nag y gallai fyth ddychmygu. Sut oedd dechrau ymchwilio i'r broblem? A faint o'r ymchwilwyr eu hunain oedd yn rhan o'r broblem?

Wedi iddo orffen siarad efo Vic McVey, ffoniodd Ditectif Arolygydd Hamer yn Southport.

'Ddrwg gen i'ch poeni chi, Dditectif Arolygydd,' meddai,

237

'fedrwch chi ddeud wrtha i, os gwelwch yn dda, a ydi'r enw James neu Jim Allen yn golygu rwbath i chi, neu ydi ei enw o ar eich system chi?' Rhoddodd Jeff ddyddiad geni Allen iddo, a'r cyfeirnod a roddwyd iddo gan y Swyddfa Cofnodion Troseddol yn Llundain.

'Tydi o ddim yn canu cloch gen i, ond mi edrycha i ar y system.' Ymhen munud neu ddau daeth yn ei ôl. 'Na, tydi o ddim ar ein system ni.'

'Ydi system eich ymchwiliad chi yn un ar y cyd â'r heddlu ym Manceinion?'

'Ydi, mae ganddyn nhw fodd o edrych be rydan ni wedi ei gofnodi a ninnau weld eu hymholiadau hwythau.'

'Wel, mae hyn yn mynd i fod yn dipyn o sioc i chi felly,' meddai Jeff. 'Cafodd Jim Allen ei yrru i'r carchar am ddeuddeng mlynedd am geisio lladd dyn ym Manceinion. Fe'i rhyddhawyd yn gynharach eleni wedi gwneud chydig dros chwe blynedd o'i ddedfryd. Sydney Boswell oedd yr hysbysydd a roddodd Allen yn y doc.'

'Be?' ebychodd Hamer. 'Sut gwyddoch chi hynny?'

'Am fod yr heddlu ym Manceinion wedi'i ddileu o'r ymchwiliad.' Dywedodd Jeff yr hanes.

'Mae hyn yn warthus! Chawson ni ddim gwybodaeth o gwbl am Allen. Os oedden nhw wedi gwneud ymholiadau yn ei gylch mi ddylai'r cwbl fod ar y system. Ni sydd i fod yn rhedeg yr ymchwiliad a Heddlu Manceinion yn ein cynorthwyo ni! Fedra i ddim credu'r fath beth ... ond mae'n debyg na ddylwn i synnu cymaint â hynny chwaith wedi'r diffyg cyfathrebu rydan ni wedi ei brofi. Mae hyn yn fater i'r prif gwnstabliaid.'

'Peidiwch â brysio i fynd â'r mater i fyny'r grisiau, os gwelwch yn dda. Mae ymchwiliad ar waith i lygredd yn

Heddlu Manceinion sy'n gysylltiedig â hyn i gyd. Rhowch ddau neu dri diwrnod i mi. Ella y gwnaiff pethau ddatblygu yn y cyfamser.'

Cytunodd Hamer. 'Tridiau, dim mwy,' ychwanegodd.

Ar ôl tyrchu drwy dipyn o waith papur penderfynodd Jeff fynd adref. Roedd hi'n tynnu am naw o'r gloch a doedd o ddim wedi gweld ei blant ers dyddiau. Wedi blino'n llwyr, gyrrodd ei gar allan trwy giatiau cefn maes parcio gorsaf yr heddlu. Yn y drych ôl, wedi iddo droi'r gornel, tynnwyd ei sylw gan gar a oedd wedi'i barcio hanner canllath i fyny'r stryd. Daeth golau blaen car ymlaen, a dechreuodd y car ei ddilyn. Oedd o'n dechrau dychmygu pethau? Yr hen deimlad yn ei fol yn gweithio goramser?

Penderfynodd Jeff beidio â mynd adref yn syth. Gyrrodd o amgylch y dref gan droi yma ac acw ar hap. Dilynodd y car tu ôl iddo yn yr un modd. Arafodd Jeff, gan adael i'r car ddod yn nes – roedd yn amlwg nad oedd y gyrrwr yn cymryd unrhyw hid o fesurau gwrth-wyliadwriaeth. Yn hytrach, edrychai'n debyg ei fod o eisiau i Jeff wybod ei fod o yno. Pam hynny? Ni allai weld sut fath o gar oedd o, na sawl person oedd ynddo.

Gyrrodd Jeff o amgylch cylchfan ar gyrion y dref, cylchfan fawr a oedd yn arwain tuag at y ffordd osgoi. Rhoddodd ei droed ar y sbardun a gyrru dair gwaith o amgylch y gylchfan yn llawer cyflymach nag y dylai. Roedd ei deiars yn sgrechian ond yn fuan yr oedd o y tu ôl i'r car a fu'n ei ddilyn. Gwelodd mai BMW pwerus oedd o, a dau berson yn y car, efallai tri. Ceisiodd gofio'r rhif cofrestru. Yn sydyn, trodd y car oddi ar y gylchfan ac i lawr y ffordd osgoi, a chyflymu ymaith. Doedd gan Jeff ddim gobaith o ddal i fyny efo fo, a phenderfynodd droi am adref.

Y peth cyntaf wnaeth o ar ôl cyrraedd oedd ffonio'r swyddfa. Sarjant Rob Taylor oedd ar ddyletswydd.

'Wnei di ffafr fach i mi plis, Rob? Edrycha pwy ydi ceidwad y car yma.'

Rhoddodd Jeff y rhif i'w gyfaill, ac ymhen dau funud, daeth yr ateb.

'Mae'r rhif wedi'i flocio.'

Anadlodd Jeff yn drwm wrth ystyried y posibiliadau. Nifer fechan iawn o sefydliadau oedd â'r hawl i guddio rhifau eu ceir ar gyfrifiadur cenedlaethol yr heddlu. Yr heddlu eu hunain oedd un o'r cyrff oedd â'r awdurdod hwnnw.

'Reit, os felly, un ffafr fach eto, Rob. Ffonia bencadlys Heddlu Manceinion a gofynna ai un o'u ceir nhw ydi o. Deud ei fod o wedi cael ei weld mewn amgylchiadau amheus yn yr ardal hon heno, ond os mai un o'u ceir nhw ydi o, dyna ddiwedd ar y mater.'

Cytunodd Rob.

Yn anffodus roedd y plant yn eu gwlâu ac yn cysgu'n sownd, ond roedd o'n falch iawn o gofleidiad cynnes ei wraig, a roddodd wydraid o win coch yn ei law a phlataid o spaghetti bolognese o'i flaen.

'Wn i ddim be 'swn i'n neud hebddat ti, Meira bach,' meddai.

Newydd orffen ei fwyd oedd Jeff pan ffoniodd Rob Taylor yn ôl.

'Wel, mi oeddat ti'n iawn,' meddai. 'Heddlu Manceinion sydd berchen y car.'

'Wnest ti ddarganfod pa adran sy'n ei ddefnyddio fo?'

'Car pŵl ar gyfer yr adran sy'n ymchwilio i droseddau difrifol,' atebodd. 'Oes 'na rwbath y dylwn i wybod amdano?'

'Na, dim byd, Rob. Anghofia fo. Diolch i ti, mêt.'

Pennod 29

Yn dilyn y gynhadledd y bore canlynol aeth Jeff i swyddfa'r Ditectif Brif Arolygydd Lowri Davies a phaned o goffi yn ei law. Edrychai Lowri fel petai wedi ymlacio rhywfaint ar ôl anturiaethau nos Iau – eisteddai yn ôl yn ei chadair, ei thraed i fyny ar y ddesg o'i blaen, a botwm top ei blows wedi'i ddatod.

'Lle ydach chi arni erbyn hyn felly, Jeff?' gofynnodd.

Adroddodd Jeff hanes ymholiadau'r diwrnod cynt iddi.

'Wel wir, dyna'r cysylltiad rhwng Jim Allen a Boswell felly,' meddai Lowri.

'Ac mae'r cof bach yn creu cysylltiad rhwng Allen a Des Slater, cariad Glenda. Ond fedra i ddim peidio â meddwl am y gwahanol ddulliau a ddefnyddiwyd i saethu'r tri. Roedd y llofruddiaeth gyntaf, Chancer, yn llofruddiaeth broffesiynol, ac un Glenda hefyd, ond yr ail, llofruddiaeth Boswell, yn wahanol iawn. Bwledi ym mhob rhan o'i gorff o, yn hytrach nag un ergyd lân, trwy ei ben o, fel Chancer a Glenda. Llofruddiaeth amaturaidd oedd un Boswell ac mae hynny'n rhyfedd yn fy marn i, o ystyried ei gysylltiadau â'r is-fyd ym Manceinion. Fel arall rownd fyswn i wedi disgwyl iddi fod. Ond mae'n rhaid i ni gofio y gallai nifer o wahanol bobol sy'n gysylltiedig ag Allen fod yn defnyddio'r gwn.'

'Ac mae'n rhaid ystyried hefyd fod cysylltiad gwannach rhwng llofruddiaeth Chancer a'r ddau arall. Fedrwn ni ddim profi i'r eithaf mai'r un gwn gafodd ei ddefnyddio.'

'Ydi, mae hynny'n wir, ond dwi'n sicr fod cysylltiad, ac mi fydda i'n siŵr o gael hyd iddo fo hefyd. Mi gewch chi weld.'

'A'r cysylltiad arall efo'r ymchwiliad sy'n tyfu'n ddyddiol, wrth gwrs, ydi'r llygredd o fewn yr heddlu ym Manceinion. Fedrwn ni ddim osgoi hwnnw bellach. Rhaid gofyn, i ba hyd fyddai plismon anonest yn mynd i'w ddiogelu ei hun, ei yrfa a'i bensiwn?'

'Mae hynny'n wir,' meddai Jeff gan feddwl mai hwn oedd yr amser priodol i ddatgelu mwy o hanes y noson cynt. 'Mae 'na rwbath nad ydw i wedi sôn wrthach chi amdano fo eto, DBA, rwbath y dylech chi wybod.'

Cododd Lowri ei phen i edrych arno. Gwyddai nad oedd Jeff yn un o'r rhai gorau am rannu gwybodaeth.

'Mi ges i fy nilyn pan adewais i'r orsaf 'ma neithiwr, ar fy ffordd adra.'

Dywedodd yr hanes wrthi, a chanlyniad ymholiad Rob Taylor. Roedd Lowri o'i chof, ac ar dân eisiau dweud wrth y Dirprwy Brif Gwnstabl.

'Peidiwch â gwneud stŵr, ddim eto, DBA,' mynnodd Jeff. 'Ddim ar hyn o bryd, beth bynnag.'

'Dydw i ddim yn hapus, o bell ffordd,' meddai Lowri. 'Pwy maen nhw'n feddwl ydyn nhw?'

'Ylwch, does neb wedi gwneud niwed i mi na neb arall, ond mi wyddon ni'n dau fod y goblygiadau'n ddifrifol. Ar y llaw arall, os oes rhyw fath o gytundeb rhwng y Dirprwy a'r dirprwy ym Manceinion er mwyn i ni weld be fedrwn ni ei ddarganfod am y llygredd yn fanno, be am i ni adael i bwy bynnag a'm dilynodd i neithiwr barhau efo'i driciau? Ella gwnaiff o ddangos mwy o'i gardiau cyn bo hir a gwneud uffar o gamgymeriad. Mi fydda i'n barod amdano fo tro nesa.'

'Iawn,' cytunodd Lowri ar ôl meddwl rhywfaint. 'Ond mi ydw i am sôn wrth y Dirprwy beth bynnag. Does gen i ddim dewis, Jeff, ond mi ddweda i wrtho be ydi'ch cynllun chi. Yna, mi geith o benderfynu.'

'Digon teg.' Teimlai Jeff fod yn rhaid iddo gytuno dan yr amgylchiadau. Roedd y goblygiadau yn rhy ddifrifol iddo fo – a Lowri Davies hefyd, yn ôl pob golwg – wneud y dewis ei hun.

'Oes gynnoch chi gynllun ar gyfer eich cam nesaf?'

'Mae 'na rwbath yn deud wrtha i y daw mwy o atebion ar ôl i mi gadarnhau'n union be ydi cysylltiad Chancer efo hyn i gyd.'

'Beth bynnag ydi hwnnw. Wel, gadewch i mi wybod, Jeff. A byddwch yn ofalus o hyn ymlaen. Dwi ddim yn hoffi'r busnes 'ma fod rhywun yn eich dilyn chi.' Ysgydwodd ei phen i bwysleisio'i geiriau. 'Wyddon ni ddim pa mor bell mae'r bobol 'ma'n fodlon mynd i edrych ar ôl eu hunain, plismyn neu beidio. Biti na fedrwn ni ddysgu pwy oedd yn y car 'na heb wneud mwy o ymholiadau ym Manceinion.'

'Peidiwch â phoeni, DBA,' atebodd. 'Nid hwn ydi'r tro cyntaf i rywun geisio cael y gorau arna i.' Gwenodd arni wrth adael yr ystafell.

Ar ôl cyrraedd ei swyddfa ei hun cododd Jeff y ffôn a deialu rhif carchar Preston lle treuliodd Jim Allen ychydig dros chwe blynedd o'i fywyd hyd at ddechrau'r flwyddyn honno. Gofynnodd am yr adran berthnasol.

'Disgyblaeth,' meddai llais awdurdodol pan atebwyd y ffôn yn yr adran honno. Doedd Jeff erioed wedi deall pam, wrth iddo ffonio unrhyw garchar yn y wlad a gofyn am unrhyw adran, roedd y ffôn bob tro, yn ddieithriad, yn cael ei ateb gan ddefnyddio'r un gair: 'Disgyblaeth!' Wedi cyflwyno ei hun ac egluro'i gais, addawodd y swyddog ar y pen arall ei ffonio'n ôl ar ôl gwirio'i hunaniaeth. Diolchodd Jeff na fu'n rhaid iddo ddisgwyl mwy na munud neu ddau – doedd o ddim y mwyaf amyneddgar o blant dynion.

'Swyddog Kane, Carchar Preston,' meddai'r llais. 'Rhaid i ni fod yn ofalus y dyddiau yma, fel y gwyddoch chi. Reit 'ta, be fedra i ei wneud i chi?'

Esboniodd Jeff rywfaint am y tair llofruddiaeth a'r cysylltiad gyda Jim Allen, a fu'n garcharor yno hyd at ei ryddhau ar y nawfed o Fawrth y flwyddyn honno. 'Be fyswn i'n hoffi wybod,' meddai, 'ydi a oedd yna rywun o ochrau Telford yn garcharor acw yn ystod y chwe blynedd a mwy y bu Allen efo chi. Rhywun fysa wedi medru gwneud cysylltiad â fo.'

'Bydd hynny'n ddigon hawdd i'w ateb, gan fod manylion pob carcharor yn cael ei roi ar ein system gyfrifiadurol ni,' cadarnhaodd Kane. 'Ond mi fydd angen i mi ofyn i un o staff y swyddfa wneud y chwiliad ... maen nhw'n dallt y dechnoleg yn llawer gwell na fi.'

Gwenodd Jeff fymryn. Un o'r hen frid oedd Swyddog Kane, yn ôl pob golwg.

Ymhen ugain munud ffoniodd Kane yn ôl. 'Wel, Sarjant Evans, dim ond tri charcharor o dref Telford fu yma yn ystod yr holl gyfnod dreuliodd Allen efo ni. Ond mae 'na ambell un arall o'r ardal ehangach.'

'Mi driwn ni efo'r tri o Telford i ddechrau, diolch i chi, Mr Kane,' atebodd Jeff. 'Os bydd yn rhaid tyllu chydig yn ddyfnach, mi gysyllta i efo chi eto.'

'Digon teg,' atebodd Kane. 'Ond mae un anhawster –

mae rheolau'r carchar yn golygu na cha' i roi'r manylion i chi dros y ffôn. Mi fydd yn rhaid i mi yrru'r enwau a gweddill y manylion i'ch pencadlys chi.'

'Dim problem,' meddai Jeff a diolchodd iddo.

Ymhen llai na hanner awr cyrhaeddodd yr wybodaeth o garchar Preston y cyfrifiadur ar ddesg Jeff. Yn eiddgar, edrychodd ar yr enwau a'r manylion. Doedd yr enwau'n golygu dim iddo, ond roedd o wedi disgwyl hynny. Er nad oeddynt i weld mewn unrhyw drefn, Terence Hill oedd yr enw cyntaf: dyn yn ei ugeiniau a gafodd ddedfryd o chwe mis yn 2015 am ddwyn ceir. Yr ail oedd Edwin Simpson: cyn-gyfrifydd canol oed a gafodd dair blynedd am dwyllo nifer o'i gleientiaid. A'r trydydd, Trevor Fraser: tri deg un oed, carcharor a fu yno am flwyddyn a hanner ar ôl cael ei ddedfrydu am gynllwynio i gyflenwi cyffuriau caled. Penderfynodd Jeff wneud mwy o ymchwil iddo fo. Ni wyddai'n union pam, ond teimlai fod cyflenwi cyffuriau caled yn fwy tebygol o fod â chysylltiad ag is-fyd troseddol Manceinion na throseddau'r ddau arall.

Er ei bod yn ddydd Sadwrn chafodd o ddim trafferth gwneud ymholiadau gydag adran gudd-wybodaeth Heddlu Gorllewin Mercia. A dyna pryd y dechreuodd darnau'r jig-so ddisgyn i'w lle. Darganfu Jeff fod Trevor Fraser wedi'i gyhuddo o gynllwynio i gyflenwi cyffuriau caled yn dilyn cael ei arestio yng nghwmni tri dyn arall yng ngwasanaethau traffordd Sandbach ar yr M6. Roedd o wedi gyrru o Telford i'r fan honno i gyfarfod car arall a ddaethai o Fanceinion yn cario llwyth mawr o heroin a chocên, llwyth a oedd i'w gludo'n ôl i Telford. Yn ôl pob golwg, roedd Heddlu Telford wedi bod yn cadw golwg ar y criw, ac wedi cuddio mewn cornel dywyll ym maes parcio'r gwasanaethau y noson honno ar gyfer y cyrch. Neidiodd nifer o dditectifs allan o'u cuddfannau fel yr oedd y pedwar dyn yn trosglwyddo'r cyffuriau o un car i'r llall, a llwyddwyd i gael gafael ar y cyffuriau i gyd a rhoi'r pedwar dyn dan glo.

Ystyriodd Jeff yr hanes yn fanwl. Roedd ganddo ddigon o brofiad i amau'n gryf fod hysbysydd wedi rhoi manylion y criw i'r heddlu o flaen llaw – heb y fath wybodaeth ni fyddai wedi bod yn bosibl cynnal ymgyrch o'r fath – a bod ceir y delwyr wedi cael eu dilyn o Fanceinion ac o gyfeiriad Telford. Hysbysydd o ble, meddyliodd, Manceinion ynteu Telford? Hysbysydd, cofiodd, oedd wedi rhoi Allen tu ôl i furiau carchar Preston hefyd. Oedd cysylltiad, tybed? Yn sicr roedd yn rhaid iddo ymchwilio ymhellach. Penderfynodd ffonio Ditectif Sarjant Arnold Peters, a thrwy lwc, roedd o ar ddyletswydd.

'Arnold, sut wyt ti? Jeff Evans o Lan Morfa sy 'ma. Oes yna unrhyw newydd ers i ni siarad ddydd Llun?'

'Dim o gwbl, Jeff bach. Tydan ni ddim wedi cael unrhyw wybodaeth berthnasol i'r ymchwiliad i lofruddiaeth Dennis Chancer ers wythnosau.'

'Wel, ella y medra i roi rhywfaint o gymorth i ti, ond rhaid i ti addo i mi na wnei di ruthro i ymateb, a chwalu bob dim. Mae 'na ormod yn y fantol.'

'Mae'n swnio i mi fel tasat ti isio rwbath ganddon ni hefyd, Jeff,' meddai Peters yn ysgafn.

'Digon gwir, Arnold.' Chwarddodd Jeff. Gwyddai ei fod yn siarad â ditectif profiadol a chyfrwys.

'Wel, mi gei di fy ngair i na wnawn ni ddim byd byrbwyll. Beth bynnag ydi o, dwi'n siŵr y medrwn ni weithio efo'n gilydd.'

Roedd Jeff wedi clywed digon i dawelu ei feddwl. 'Glywaist ti erioed am ddyn o Telford o'r enw Trevor Fraser?' gofynnodd.

'Trevor Fraser, y coc oen mawr hyll! Mae pob plismon sydd wedi gweithio yn Telford dros y pymtheng mlynedd dwytha yn gwybod ei hanes o'n iawn. Mae o mewn rhyw drafferth byth a beunydd, efo record hyd dy fraich di, ac i mewn ac allan o'r carchar fel io-io. Mae o allan ar hyn o bryd. Ond deud i mi Jeff, sut mae ei enw fo wedi codi yn dy ymholiadau di?'

'Am ei fod o yng ngharchar Preston ar yr un adeg â throseddwr mawr caled o Fanceinion o'r enw James, neu Jim, Allen.'

'James Allen? Chlywais i erioed sôn am hwnnw.'

Adroddodd Jeff rywfaint o hanes Allen wrtho, digon iddo ddeall y cysylltiad rhwng Allen a Boswell.

'Oes 'na brawf fod Fraser ac Allen yn nabod ei gilydd?' gofynnodd Arnold.

'Ddim hyd y gwn i,' atebodd Jeff, 'dim ond eu bod nhw wedi treulio amser yng ngharchar Preston efo'i gilydd, er bod Fraser wedi bod yno am gyfnod llawer iawn byrrach nag Allen.'

'Wyt ti'n meddwl dy fod ti'n trio creu cysylltiadau o gyd-ddigwyddiadau, Jeff?'

'Ella wir, Arnold, ond ella ddim. Be wyddost ti am yr achos a yrrodd Fraser i garchar Preston?'

'Y cwbwl! Mi o'n i yno y noson y cafodd o ei arestio, er nad fy nghês i oedd o.'

'Ia, mi wn i rywfaint o'r hyn ddigwyddodd yng ngwasanaethau Sandbach. Joban dda, yn ôl pob golwg. Swnio'n debyg i mi fod hysbysydd wedi rhoi gwybodaeth i chi o flaen llaw.'

'Wel, fedra i ddim cadarnhau hynny, Jeff, ac mi ddylat ti fod yn gwybod yn well na gofyn y fath beth.'

'Ond be os oes 'na gysylltiad rhwng llofruddiaeth Dennis Chancer a'r achos yn erbyn Trevor Fraser?'

'Fedra i ddim gweld sut y gallai hynny fod. Dydi Trevor Fraser ddim wedi bod yn agos i gael ei amau o lofruddio Chancer.'

'Ydi Fraser ar y system mewn cysylltiad â llofruddiaeth Chancer?'

'Ydi, fel mae'n digwydd bod, ond dim ond am ei fod o'n un o droseddwyr amlyca'r ardal a bod rhaid ei ddileu o o'r ymchwiliad.'

'Mae o wedi'i ddileu, felly?'

'Ydi. Does dim posib mai fo oedd yn gyfrifol.'

'Pwy gafodd wybod bod y cyffuriau'n cael eu symud y noson honno, Arnold?'

'Rŵan, Jeff, wnes i ddim deud bod 'na wybodaeth na hysbyswr.'

'Rydan ni'n dau yn gwybod bod 'na un, Arnold. Fedra i ddim deud 'mod i'n siŵr o 'mhethau, dim o bell ffordd, ond dyma fy amheuon i.'

'Dwi'n gwrando.'

'Ydi hi'n bosib mai gan Chancer y daeth yr wybodaeth a yrrodd Fraser i'r carchar?'

'Fedra i ddim deud. Mi fysa'n rhaid i mi ofyn i'r ditectif oedd yn edrych ar ôl yr achos.'

'Wnei di hynny i mi, os gweli di'n dda, Arnold? Dwi'n credu bod hyn yn bwysig.'

'Sut felly?'

'Am mai hysbysydd a yrrodd Jim Allen i'r doc ac i'r

carchar. Mae'r hysbysydd hwnnw, Sydney Boswell, yn ei fedd erbyn hyn hefyd.'

'Wel, cysylltiad tenau iawn ydi hwnna, Jeff bach. Mi ofynna i, ond wna i ddim pwyso llawer arno fo. Mi wyt ti'n gwybod cystal â finna fod y berthynas rhwng ditectif a hysbysydd yn werthfawr, ond yn gallu bod yn fregus.'

'Gwna be fedri di, plis. Cynta'n y byd gorau'n y byd.'

'Mi drïa i fy ngorau.'

Roedd Jeff wedi llwyr ymlâdd. Roedd wedi treulio yn agos i awr yn ceisio cael gwybodaeth gan Arnold Peters, a doedd ganddo ddim syniad a oedd rywfaint nes i'r lan. Allai o ddim gweld bai ar y ditectif a gafodd yr wybodaeth am y cyffuriau gan hysbysydd petai'n anfodlon datgelu'r manylion. Wedi'r cyfan, fyddai Jeff byth yn breuddwydio datgelu tamaid o wybodaeth ynglŷn â Nansi'r Nos i neb arall, waeth pwy oedd o. Doedd o ddim yn hapus fod y Prif Arolygydd Pritchard yn gwybod cymaint am Dilys Hughes, ond byddai'n rhaid iddo fyw efo hynny.

Awr yn ddiweddarach, pan oedd Jeff wrthi'n llwytho gwybodaeth i'r system gyfrifiadurol, canodd y ffôn ar ei ddesg.

'Dwi wedi cael gair efo'r ditectif a dderbyniodd yr wybodaeth a yrrodd Fraser i lawr,' meddai Ditectif Sarjant Arnold Peters. 'I ddechrau, y cwbl ddywedodd o wrtha i oedd bod hysbysydd, ond nad Dennis Chancer oedd o.'

'Wel mae hynna'n ateb y cwestiwn felly,' meddai Jeff yn siomedig.

'Nac'di, Jeff, tydi o ddim. Mae 'na lawer iawn mwy iddi na hynny. Mae'r ditectif gwnstabl wedi deud wrtha i'n gyfrinachol fod yr hysbysydd yn rhywun a oedd yn agos i Dennis Chancer. Agos iawn hefyd.'

'Pwy?'

'Fedra i ddim deud mwy na hynna ar hyn o bryd, Jeff, ond ella y cei di fwy o wybodaeth yn y dyfodol agos. Ond mi wna i ddeud hyn – mi wyt ti wedi corddi'r dyfroedd yma heddiw, a chreu uffar o storm.'

Pennod 30

'Dad, Dad, chi sy'n mynd â ni i nofio bore 'ma, medda Mam!' Neidiodd Mairwen i fyny ac i lawr ar wely ei rhieni.

Agorodd Jeff ei lygaid blinedig ac edrych ar y cloc wrth ochr y gwely. Hanner awr wedi saith. Hanner awr wedi saith ar fore Sul. Teimlodd gic ysgafn Meira yn erbyn ei goes noeth.

'Paid â'u siomi nhw, cariad,' meddai. 'Prin maen nhw wedi dy weld di yn ystod y pythefnos dwytha 'ma.'

Byddai Jeff wedi rhoi cyflog mis i Mairwen a Twm am awr fach arall yng nghwmni ei wraig yn y gwely cynnes. 'Iawn pwt,' meddai wrth ei ferch, a oedd bellach yn dringo drosto. 'Dos i helpu Twm i wneud brecwast bach i ni'n tri. Dim ond un bach, cofia, ac mi gawn ni wledd yng nghaffi'r archfarchnad ar y ffordd adra o'r pwll nofio. Ella bydd Mam wedi deffro erbyn hynny hefyd.'

Teimlodd gic arall yn erbyn ei goes, ychydig yn galetach y tro hwn.

Roedd y pwll nofio bron yn wag am ugain munud wedi wyth, a synnodd Jeff faint roedd nofio'r ddau wedi gwella ers iddo fod â nhw yno ddiwethaf. Roedd Meirwen, yn bump oed, fel pysgodyn a Twm yntau, oedd bron yn saith, wrth ei fodd yn dangos i'w dad ei fod yn gallu nofio o un pen y pwll i'r llall. Ar ôl awr o hwyl yn y dŵr, aeth y tri i gaffi'r archfarchnad lle'r oedd Meira yn disgwyl amdanynt â gwên fawr ar ei hwyneb. Wrthi'n dechrau ar eu brecwast ac yn cynllunio'r dydd o'u blaenau'n eiddgar oedd y pedwar pan ganodd ffôn Jeff yn ei boced. Edrychodd ar y sgrin ac ar ei oriawr: pum munud wedi deg. Edrychodd Meira arno yntau, yn gwybod beth oedd ar fin digwydd.

'Y stesion. Ddrwg gen i, rhaid i mi ateb … rhag ofn.'

Rowliodd llygaid Meira tua'r nenfwd, a gwnaeth y plant yr un fath wrth i Jeff ateb y ffôn a gwrando ar lais y sarjant ar ddyletswydd.

'Mae 'na ddynes newydd ffonio chydig funudau'n ôl, Jeff, isio siarad efo chdi. Mi oedd hi'n crio. Fyswn i ddim wedi dy boeni di heblaw iddi ddeud mai hi sy'n gyfrifol am farwolaeth ei brawd.'

'Ddaru hi ymhelaethu? Be oedd ei henw hi?'

'Yvonne, Yvonne Chancer. Tydi'r enw'n golygu dim byd i mi.'

Allai Jeff ddim yngan gair ar ôl clywed y cyfenw.

'Jeff, Jeff, wyt ti yna?' gofynnodd y sarjant.

'Gest ti rywfaint o'i manylion hi?' gofynnodd.

'Naddo, mi roddodd y ffôn i lawr ar ôl deud y bysa hi'n ffonio'n ôl ymhen hanner awr. Dim ond efo chdi mae hi'n fodlon siarad.'

'Mi fydda i yna cyn gynted ag y medra i. Os wneith hi ffonio'n ôl yn y cyfamser, cadwa hi ar y lein nes i mi gyrraedd. Mae hyn yn bwysig, yn bwysig iawn.' Diffoddodd y ffôn ac edrych ar ei deulu.

'Gwaith yn galw, ia Dad?' gofynnodd Twm yn brudd. Roedd wedi clywed y geiriau hynny o enau ei dad yn llawer rhy aml.

'Ond 'dan ni'n mynd am dro i fyny i'r mynyddoedd!' protestiodd Mairwen.

'Mi fydd raid i ni fynd ryw dro eto,' atebodd ei thad. 'Mae'n ddrwg gen i,' ychwanegodd.

Roedd Meira, a oedd wedi bod yn dditectif ei hun, yn deall y sefyllfa, ond ar ôl wyth mlynedd roedd ei hamynedd hithau wedi breuo rywfaint.

Brysiodd Jeff i orffen ei frecwast a chyrhaeddodd orsaf yr heddlu mewn da bryd i ateb yr alwad nesaf.

'Pwy sy'n siarad, os gwelwch yn dda?' gofynnodd.

'Yvonne Chancer. Chi ydi'r ditectif fu yma yn Telford yn holi am Dennis, fy mrawd i?' Roedd ei llais yn dew o emosiwn.

'Ia,' atebodd Jeff. 'Sut gawsoch chi wybod amdana i?'

'Ditectifs y dre 'ma.'

'Dwi'n dallt eich bod chi isio siarad efo fi ynglŷn â llofruddiaeth eich brawd.'

'Ydw, ond nid ar y ffôn. Achos fy mai ydi o ei fod o wedi cael ei saethu.'

'Pam na wnewch chi siarad efo'ch ditectifs lleol yn Telford?'

Oedodd Yvonne cyn ateb. 'Am eu bod nhw bron mor gyfrifol â fi. Wnaeth neb fy rhybuddio fi y bysa'r fath beth yn medru digwydd.' Dechreuodd wylo. 'Fy mai i ydi o i gyd,' meddai trwy ei dagrau.

'Dwi'n fodlon dod draw acw y munud yma, os liciwch chi rannu'ch stori efo mi, Yvonne.'

'Ia, dowch,' atebodd. 'Mae Mam a Dad yma hefyd.'

Rhoddodd Yvonne ei chyfeiriad iddo. Ceisiodd Jeff gael gafael ar Ditectif Sarjant Peters, ond doedd o ddim ar gael, felly gofynnodd i rywun adael neges iddo yn dweud ei fod o'n bwriadu galw yn yr ardal, a phwrpas ei ymweliad.

Roedd hi'n tynnu am ddau o'r gloch pan gyrhaeddodd Jeff gartref Yvonne Chancer a'i theulu – y tŷ cyngor a fu'n gartref i Dennis hefyd tan y noson y cafodd ei saethu yng nghanol mis Ebrill.

Dyn yn ei chwedegau cynnar agorodd y drws mewn jîns glas llac a siwmper frown a oedd wedi gweld dyddiau gwell.

Mr Chancer?' gofynnodd Jeff.

'Ia, Peter Chancer. Dwi'n cymryd mai chi ydi'r ditectif o ogledd Cymru?'

'Cywir, Jeff Evans ydw i, Ditectif Sarjant yng Nglan Morfa. Mae'n ddrwg gen i am eich profedigaeth chi.'

'Dewch i mewn, mae Yvonne a'i mam yn eich disgwyl chi. Byddwch yn amyneddgar efo nhw, os gwelwch yn dda, Mr Evans. Mae Yvonne mewn stad ofnadwy heddiw. Chysgodd hi ddim winc neithiwr, na ninnau'n dau chwaith. Doedd Elsie, fy ngwraig, a finna'n gwybod dim o'r hanes yma tan neithiwr ... sioc fawr iawn i ni'n dau, wir.'

Dilynodd Jeff Mr Chancer drwy'r cyntedd, ar hyd coridor byr ac i mewn i'r ystafell fyw lân a thwt. Roedd llun o ddyn ifanc ar y wal – Dennis, mae'n rhaid. Cododd Yvonne oddi ar y soffa i gyfarch Jeff, a gallai weld olion oriau o wylo ar ei bochau coch. Doedd Elsie, ei mam, ddim yn edrych fawr gwell.

Roedd Yvonne yn ferch dlos yn ei hugeiniau, wedi'i gwisgo'n dwt a chanddi wallt brown tywyll, cyrliog.

'Na, peidiwch â chodi,' mynnodd Jeff.

Dechreuodd Yvonne wylo, a defnyddiodd hances bapur i sychu ei llygaid a'i thrwyn. 'Fi oedd yn gyfrifol am farwolaeth Dennis,' meddai. 'Waeth i mi fod wedi saethu'r gwn fy hun ddim.'

Eisteddodd Jeff i lawr ar gadair freichiau. 'Peidiwch â brysio, Yvonne. Rhowch dipyn bach o'ch cefndir i mi gynta. Ydach chi'n gweithio?'

'Ydw, i gwmni o gyfreithwyr yn y dre, fyth ers i mi adael y coleg.'

'Sut glywsoch chi amdana i?'

'Ditectif Gwnstabl Mike Brown ddaeth yma neithiwr. Ddaru o ddim dweud yn uniongyrchol, ond dwi'n gwybod bod 'na gysylltiad rhwng Dennis yn cael ei saethu a'r wybodaeth rois i i Mike. Mi ddaeth o yma i 'ngweld i ar ôl i chi fod yn siarad efo Ditectif Sarjant Peters yn holi sut cafodd yr heddlu wybod am y cyffuriau pan arestiwyd Trevor Fraser.'

'Mike? Ydach chi'n nabod Mike a Ditectif Sarjant Peters yn dda felly?'

'Na, dwi ddim yn nabod Sarjant Peters. Dim ond Mike.'

'Deud y cwbl wrtho fo, Yvonne bach, o'r dechrau i'r diwedd,' meddai Mrs Chancer. 'Welith neb fai arnat ti.' Gafaelodd yn llaw ei merch yn dyner.

Sychodd Yvonne ei thrwyn eto. 'Dwi wedi bod isio ymuno â'r heddlu ers peth amser, ac mi ddaru un o'r cyfreithwyr dwi'n gweithio iddyn nhw awgrymu i mi fynd yn Gwnstabl Arbennig gynta, i weld o'n i'n lecio'r profiad cyn gwneud cais i ymuno go iawn. Pan es i lawr i orsaf yr heddlu mi wnes i gyfarfod Mike, ac mae o wedi fy helpu fi i ddeall dipyn mwy am y job. Dyna'r cwbwl.'

'Faint yn ôl oedd hyn, Yvonne?'

'Tua phum mlynedd. Ro'n i'n meddwl, petawn i'n helpu'r heddlu i atal y cyffuriau rhag cyrraedd y dref 'ma, y bysa hynny o fy mhlaid i pan fyswn i'n gwneud cais i ymuno â'r Heddlu.'

'Chi roddodd yr wybodaeth i Ditectif Gwnstabl Mike Brown felly?'

'Ia, y peth gwaetha wnes i erioed, fel ma' petha wedi troi allan.' Rhoddodd ei phen ar ysgwydd ei mam.

'Sut gawsoch chi wybod bod y cyffuriau ar y ffordd i Telford, Yvonne?'

'Doedd Dennis ddim yn hogyn drwg, Sarjant Evans. Dwi'n gwybod ei fod o'n hongian o gwmpas efo pobol ddigon amheus yn nhafarnau Telford, ond cyn belled ag y gwn i, wnaeth Dennis ddim drwg iddo'i hun na neb arall erioed. Dyna pam y gwnaeth yr hyn ddeudodd o wrtha i ddau ddiwrnod cyn i Fraser a'r tri arall gael eu harestio fy nghynhyrfu i gymaint.'

'A be oedd hynny, Yvonne?'

'Dwi'n gwybod rhywfaint o hanes Trevor Fraser trwy fy ngwaith. Y ffyrm dwi'n gweithio iddyn nhw sy'n ei gynrychioli o pan mae o mewn trwbwl. Mi welais i ei record o unwaith, ac mi fedra i ddeud wrthoch chi nad ydi o'n ddyn neis o gwbl. Mi ddeudodd Dennis wrtha i un noson fod Trevor Fraser wedi gofyn iddo fo fynd efo fo i fyny'r M6 i Wasanaethau Sandbach i nôl llwyth o gyffuriau oedd ar eu ffordd o Fanceinion. Mi gawson ni'r ffrae fwya gafodd brawd a chwaer erioed. Mae fy rhieni yn bobl barchus, Sarjant Evans, dwinna'n gweithio i'r ffyrm orau o gyfreithwyr yn y dref, ac mi o'n i ar fin ymuno â'r Heddlu Arbennig ar y pryd. Mi barhaodd y ffrae trwy'r gyda'r nos, ond yn y diwedd mi wnes i fedru ei ddarbwyllo a newid ei feddwl o. Mi addawodd Dennis i mi na fyddai'n cymryd rhan yn y peth.'

'Rhaid i mi gyfaddef ei fod o'n beth anghyffredin iawn yn fy mhrofiad i, i ddyn mewn sefyllfa fel'na ddeud wrth rywun arall be oedd am ddigwydd o flaen llaw. Yn enwedig ym myd peryglus cyflenwi cyffuriau.'

'Ond dyna'r math o hogyn oedd o, dach chi'n gweld, Sarjant Evans. Diniwed iawn, ac yn lecio brolio ei fod o'n cymysgu efo dynion roedd o'n meddwl oedd â dylanwad yn y dref 'ma. A dyna pryd y gwnes i'r camgymeriad mwya i mi ei wneud erioed. Gan fod gen i berthynas mor dda efo Mike Brown ar y pryd, mi ddwedais i'r hanes wrtho. Ro'n i wedi cael digon o'r manylion gan Dennis i Mike allu gwneud rwbath i'w stopio nhw. Mwy na hynny, i arestio'r pedwar.'

'A'r canlyniad oedd ...'

Torrodd Yvonne ar draws Jeff. 'Y canlyniad, ia.' Oedodd am ennyd cyn ailgychwyn, '... fod Fraser wedi cael gafael ar yrrwr car arall ar gyfer y noson honno, rhywun o'r enw Jenkins oedd hwnnw. Dach chi'n gweld pa mor hawdd oedd hi i Fraser a Jenkins feddwl mai Dennis agorodd ei geg. Newid ei feddwl, tynnu allan y munud dwytha, ac yna'r heddlu yn gwybod y cwbl.'

'Wel, mae'n rhaid i mi gyfaddef fod hynny'n gwneud synnwyr, ond yn ôl be ydw i wedi'i glywed, mae Fraser wedi cael ei ddileu o'r ymchwiliad i lofruddiaeth eich brawd. Roedd ganddo alibi y noson honno, yn ôl y sôn.'

'Ella na wnaeth Fraser dynnu clicied y gwn ei hun, Sarjant Evans, ond mae ganddo fo faint fynnir o gyfeillion yn y cylch 'ma fysa'n barod i wneud hynny ar ei ran o.'

Dechreuodd Jeff ystyried. Dyma'r ail waith i berson gael ei saethu am ei fod wedi hysbysu: Boswell yn hysbysu am ddillad gwaedlyd Jim Allen, a Chancer erbyn hyn wedi hysbysu yn erbyn Fraser a Jenkins, er bod hynny'n anuniongyrchol, trwy Yvonne. Ond ni wyddai neb am y cysylltiad ag Yvonne, na bod Dennis Chancer yn ddieuog o achwyn i'r heddlu. Edrychai'n debyg mai bai ar gam gafodd Dennis, os gafodd unrhyw un fai ar gam erioed, a cholli ei fywyd oedd y gosb. Cwestiwn arall a gododd yn ei feddwl oedd pam oedd Chancer wedi'i lofruddio gymaint o amser ar ôl y digwyddiad, a chymaint o amser ar ôl i Fraser gael ei ryddhau o'r carchar. Roedd Fraser wedi'i garcharu am bedair blynedd yn niwedd 2015 a'i ryddhau ym mis Mawrth 2018 wedi treulio ychydig dros hanner ei ddedfryd dan glo. Pam disgwyl tan y pymthegfed o Ebrill 2021 i ddial ar yr un a roddodd yr wybodaeth yn ei erbyn? Oedd cysylltiad â'r ffaith mai ym Mawrth 2021 y cafodd Jim Allen ei ryddhau? Ac a oedd angen gwneud ymholiadau ynglŷn â Jenkins, tybed? Allai o fod wedi lladd yr un roedd o'n ei ystyried yn hysbyswr ar ran y ddau ohonyn nhw?

Ceisiodd Jeff ei orau i ddarbwyllo Yvonne Chancer nad ei bai hi oedd marwolaeth ei brawd, ond gwyddai yn ei galon na fyddai Yvonne fyth yn maddau iddi'i hun tra byddai byw.

Ond lle oedd y cysylltiad rhwng hyn i gyd a llofruddiaeth Glenda Hughes? Dechreuodd Jeff amau ei hun.

Aeth i orsaf heddlu Telford cyn cychwyn am adref i geisio cael gafael at Ditectif Sarjant Peters, ond pan ddarganfu nad oedd o ar gael gofynnodd am Ditectif Gwnstabl Mike Brown.

Roedd golwg dipyn yn arw ar Brown pan gerddodd ar draws y cyntedd i gwrdd â Jeff mewn dillad hamdden blêr. Roedd yn ei ugeiniau, ymhell dros chwe throedfedd gyda gwallt du cyrliog a chroen brown oedd yn arwydd ei fod yn mwynhau treulio amser yn yr awyr agored.

Pan gyflwynodd Jeff ei hun gwelodd ar wyneb y cwnstabl fod ei enw'n canu cloch. 'Dwi wedi bod yn gweld Yvonne Chancer a'i theulu,' ychwanegodd.

'Be?' gofynnodd Brown. 'Mae hyn yn anarferol iawn!'

'DC Brown, mi wn i'n iawn pa mor anarferol ydi i mi

fynd i weld hysbysydd ditectif arall o dan amgylchiadau arferol, ond hi, Yvonne, ffoniodd fi y peth cyntaf y bore 'ma, a gofyn i mi fynd draw i'w gweld hi. Mi driais i gael gafael ar DS Peters cyn dod, ond doedd o ddim ar gael. Dwi'n gobeithio fod hynny'n egluro pethau?' gofynnodd Jeff fel na allai'r Ditectif Cwnstabl anghytuno.

Ochneidiodd Brown. 'Ia, wel, dan yr amgylchiadau ... Paned?'

Dilynodd Jeff y dyn tal i'r cantîn, ac wedi iddynt eistedd edrychodd Brown i lygaid Jeff.

'Fel y gwyddoch chi erbyn hyn mae'n siŵr gen i,' meddai, 'mi es i i'w gweld hi neithiwr ar ôl i chi siarad efo DS Peters, a phan ro'n i'n gadael roedd Yvonne yn torri'i chalon. Petai Duw yn fy lladd i'r munud yma, wnes 'mo'r cysylltiad rhwng Trevor Fraser a llofruddiaeth Dennis nes i Arnold ddweud wrtha i am eich sgwrs chi ddoe. Wnes i ddim dychmygu'r fath beth.'

'Ond y peth pwysicaf ydi'r posibilrwydd fod cysylltiad efo dwy lofruddiaeth arall hefyd, yn Southport a Glan Morfa.'

'Fedra i ddim eich helpu chi efo hynny, mae'n ddrwg gen i, Sarj.'

'Yr unig beth sydd gen i,' cyfaddefodd Jeff, 'ydi'r posibilrwydd fod Fraser wedi cyfarfod â Jim Allen yn y carchar yn Preston. Yr un gwn a ddefnyddiwyd yn Southport ac yng Nglan Morfa. Ond erbyn hyn mae'n amlwg nad dyna'r unig gysylltiad. Cafodd y ddau eu carcharu yn dilyn gwybodaeth a ddaeth i glustiau'r heddlu trwy hysbyswr.'

'Dau gysylltiad, ond rhai gwan iawn, os ga' i fentro deud, Sarj. Er bod rhyw fath o gysylltiad efo'r gwn, un gwan ydi hwnnw hefyd, fel dwi'n dallt.'

'Fedra i ddim anghytuno efo chi, Mike, ond rhaid i mi ofyn a oes digon o gysylltiad i arestio Fraser dan amheuaeth o fod ynghlwm â llofruddiaeth Chancer?'

'Wn i ddim,' atebodd Brown. 'Efo ni yma yr oedd o y noson honno. Dan glo. A chafodd o 'mo'i ryddhau tan ganol y pnawn canlynol, ac roedd corff Chancer wedi cael ei ddarganfod erbyn hynny.'

Ysgydwodd Jeff ei ben yn araf. 'Wel, does 'run alibi gwell na hwnna, am wn i, ond mae 'na reswm digon da i'w holi fo, yn does? Oes 'na bosibilrwydd mai Trevor Fraser ddaru orchymyn y saethu?'

'Mi ga' i air efo Arnold yn y bore, ond fyswn i ddim yn disgwyl cael llawer o newid mewn cyfweliad efo dyn fel Trevor Fraser. Mae ganddo fo fwy o brofiad na hynny – yn hen law ar gael ei holi.'

Roedd hi'n hwyr yn y prynhawn pan yrrodd Jeff yn ôl i ogledd Cymru. Diwrnod arall o ryddid efo'r plant a Meira wedi'i chwalu, meddyliodd, ond wedi dweud hynny roedd wedi dysgu cryn dipyn.

Aeth i gyfeiriad yr M54, gan basio archfarchnad Tesco wrth adael y dref. Hon oedd y siop lle'r oedd Dennis Chancer i fod i weithio'r noson honno pan saethwyd ef yn farw. Ymunodd â'r A5 ac yna'r A483 gan basio Wrecsam a gwneud ei ffordd tuag at yr A55 ar gyrion Caer. Er mai min nos Sul oedd hi, roedd y traffig yn weddol drwm a gorfodwyd iddo aros am funud neu ddau wrth y goleuadau ger y gylchfan cyn cyrraedd yr A55. Roedd o yn y lôn ochr chwith, yn disgwyl i droi i'r chwith i ogledd Cymru pan fyddai'r goleuadau yn caniatáu iddo wneud hynny. Roedd nifer o geir y tu ôl iddo ac yn y ddwy lôn ar y dde ar gyfer y ffyrdd i Gaer, Lerpwl a Manceinion. Nid oedd yn gallu gweld y ceir yn y lôn bellaf yn glir, ond tynnwyd ei sylw gan BMW llwyd. Doedd y car ei hun ddim yn anarferol, ond roedd y dyn a eisteddai yn sedd y teithiwr yn syllu arno, ac y gwisgo sbectol haul er ei bod yn pigo bwrw. Newidiodd y goleuadau i wyrdd a dechreuodd y tair lôn symud ymlaen. Oedodd Jeff i geisio cael golwg ar rif y BMW, ond cyn hir dechreuodd y ceir y tu ôl iddo ganu eu cyrn yn swnllyd a bu'n rhaid iddo yrru ymlaen gyda'r gweddill. Ceisiodd ddarllen rhif y car, ond dim ond rhan ohono a welai. Oedd o'r un rhif â'r car a'i dilynodd o'i waith yng Nglan Morfa ddeuddydd ynghynt, ynteu a oedd o'n dychmygu pethau? Ceisiodd argraffu'r ddelwedd o'r teithiwr yn ei feddwl, ond nid oedd wedi cael digon o amser. Dyn canol oed, dyna'r cyfan y gallai gofio, oedd yn gwisgo sbectol dywyll yn y glaw. Doedd dim modd dilyn y car bellach, ac yntau wedi ei ddal ar y lôn i gyfeiriad gogledd Cymru.

Pennod 31

Doedd Jeff ddim wedi bod adref yn hir pan ganodd ei ffôn symudol a synnodd wrth glywed llais Ditectif Gwnstabl Mike Brown o Telford.

'Ddrwg gen i'ch poeni chi adra, Sarj, ond mi ddeudoch chi wrtha i am gysylltu os oeddwn i'n meddwl am rwbath allai fod yn bwysig,' meddai. 'Mi feddyliais i'n galed ar ôl i chi fynd gynna. Dwi newydd fod yn siarad efo DS Peters ac mi ydan ni'n dau yn meddwl y dylen ni ddod â Fraser a Jenkins i mewn yma bore fory am sgwrs fach.'

'Sgwrs fach?' gofynnodd Jeff. 'Swnio'n ddiddorol.'

'Ia, geiriau Arnold Peters ydi'r rheina. Be mae o'n feddwl ei wneud ydi troi'r ddau ohonyn nhw drosodd am chwech o'r gloch y bore, eu cloi nhw i fyny am awr neu ddwy tra byddwn ni'n chwilota drwy eu tai nhw a'u holi yn drwyadl, i weld be ddaw o hynny. Mae'r warants wedi eu sortio, rhag ofn y bydd eu hangen. Ysgwyd y caetsh i weld be wnaiff ddisgyn allan. Ei eiriau o.'

'Ar ba gyhuddiad wnewch chi eu harestio nhw?' gofynnodd Jeff.

'Peidiwch â phoeni, mae'r DS yn siŵr o feddwl am rwbath. Mae o'n gofyn fysach chi'n licio dod efo ni ... gan fod gennych chi gymaint o ddiddordeb ynddyn nhw.'

Doedd dim rhaid gofyn i Jeff ddwywaith, ac am bedwar o'r

gloch y bore, wedi iddo adael neges ar gyfer Lowri Davies, roedd o ar y ffordd i Telford unwaith eto.

Rhoddodd Arnold Peters gyfarwyddiadau i'r pum ditectif arall yn swyddfa'r CID am chwarter i chwech y bore hwnnw.

'Dau dîm o dri,' datganodd. 'Mi a' i, Bill a Rob i dŷ Fraser, Mike, a dos di, Jeff a Frank i dŷ Jenkins. Mi wnawn ni eu harestio nhw ar amheuaeth o lofruddio Dennis Chancer. Os na wnaiff hynny dynnu eu sylw nhw, wnaiff dim byd. Os yn bosib, mi wnawn ni chwilio'u tai nhw'n syth, ond os gawn ni rywfaint o drafferth gan y naill neu'r llall, efallai y bydd yn rhaid dod â nhw i'r ddalfa gynta.'

'Ar ba sail ydan ni'n eu harestio nhw?' gofynnodd Mike. 'Mi fydd yn rhaid i ni ddatgan hynny wrth sarjant y ddalfa.'

'Ar y sail mai Dennis Chancer oedd yr hysbysydd a roddodd yr wybodaeth i ni a arweiniodd at arestio'r ddau ar y pymthegfed o Fedi 2015, ac mai dial ar Chancer am wneud hynny oedd y rheswm am ei lofruddiaeth. Mi wyddom ni erbyn hyn nad Dennis roddodd yr wybodaeth yn uniongyrchol, ond tydi'r un o'r ddau yn gwybod hynny. A chyn i chi ofyn, dwi'n ymwybodol nad ydi Jenkins yn debygol o fod wedi saethu Chancer. Dydi o ddim y teip, ond ella, efo dipyn bach o lwc, y bydd ganddo fo rywfaint o wybodaeth i'w rannu efo ni. Does dim ond un ffordd i ffeindio allan. Bachgen ifanc oedd o ar y pryd, newydd basio'i brawf gyrru, a gafodd ei hudo gan Fraser i fynd efo fo i nôl y cyffuriau, a dydi o ddim wedi bod mewn unrhyw fath o drwbl efo'r heddlu ers hynny. Mae'n debygol ei fod o wedi gweld cyfle i fod yn rhan o fyd cyffrous a gwirioni ar hynny. Mi wyddon ni hefyd, wrth gwrs, nad Fraser dynnodd y triger y noson honno, ond tydi hynny ddim yn golygu nad ydi o ynghlwm yn y llofruddiaeth.'

'Mae cymaint o amser ers llofruddiaeth Chancer,' meddai un o'r ditectifs eraill, 'am be yn union fyddwn ni'n chwilio?'

'Rwbath,' atebodd Peters. 'Mi fyddwch yn siŵr o fod yn gwybod pan ddowch chi ar ei draws o.'

Dyma'r math o blismona roedd Jeff yn ei fwynhau – ysgwyd y caetsh i weld beth ddisgynnai ohono oedd geiriau Mike Brown y noson cynt, yn union fel yr oedd Jeff ei hun wedi'i wneud sawl tro yn y gorffennol. Mewn achos o lofruddiaeth, roedd yn rhaid hwylio'n agos i'r gwynt ar adegau.

Mewn fflat uwchben siop cigydd yng nghanol y dref oedd Simon Jenkins yn byw, ac roedd grisiau haearn yn dringo i'r unig ddrws ar y llawr cyntaf. Agorwyd y drws yn dilyn curo swnllyd yr heddweision, a safai Jenkins yno'n gysglyd yn ei drôns, yn rhwbio'i lygaid, ond deffrôdd yn gyflym pan glywodd Mike Brown yn cyflwyno pawb ac egluro ei fod yn cael ei arestio. Ni ddywedodd air. Gadawyd iddo wisgo, a rhoddodd Jenkins ganiatâd i'r plismyn chwilio'i gartref – nid bod ganddo lawer o ddewis mewn gwirionedd. Edrychodd Jeff ar y dyn tair ar hugain oed diniwed yr olwg. Ychydig iawn o euogfarnau oedd ganddo i'w enw, a doedd y rheiny ddim yn adlewyrchu bywyd troseddol. Gyrru'r car i gasglu'r cyffuriau a bod yn gwmni i Fraser y noson honno oedd ei unig gamwedd difrifol, a chan mai dylanwad Fraser oedd drosto bryd hynny, dewisodd y barnwr yn Llys y Goron Amwythig ei roi mewn carchar i droseddwyr ifanc yn Stoke Heath, Market Drayton, am naw mis yn hytrach na charchar i oedolion.

Cadarnhaodd Jenkins ei fod yn y fflat ar ei ben ei hun, ac ymhen awr roedd y chwilio ar ben, a hynny heb ddarganfod yr un tamaid o dystiolaeth a oedd yn ei gysylltu â llofruddiaeth Dennis Chancer, nac unrhyw drosedd arall chwaith. Prawf ei fod wedi cadw'i drwyn yn lân ers iddo gael ei ryddhau o Stoke Heath a chael gwaith yn siop y cigydd oddi tanynt.

Pan gyrhaeddodd y ddalfa, dywedodd Jenkins nad oedd o angen cyfreithiwr a doedd dim rheswm, felly, i oedi'r cyfweliad. Gadawodd Jeff i Mike Brown lywio'r holi – wedi'r cyfan, ar ei batsh o oedden nhw.

'Wyt ti'n deall pam rwyt ti yma, Simon, a pha mor ddifrifol ydi'r cyhuddiad?'

'Ydw, ond wnes i ddim lladd neb, ac wn i ddim pwy saethodd Dennis Chancer chwaith.'

'Sut wyddost ti mai cael ei saethu ddaru o?'

'Am fy mod i'n darllen y papurau newydd. A beth bynnag, roedd y stori'n dew o gwmpas y lle 'ma ar y pryd.'

'Pa mor dda oeddet ti'n nabod Dennis Chancer?'

Cododd ei ysgwyddau a'u gostwng yn gyflym. 'Ddim yn dda,' atebodd. 'Mi oedd o'n hŷn na fi, ond ylwch, Mr Brown, dwi'n meddwl ein bod ni'n nabod ein gilydd yn ddigon da ar ôl i chi ddelio efo fi y tro dwytha. Mi wnes i gamgymeriad yn mynd efo Trev y noson honno a tydw i ddim wedi camymddwyn ers hynny.' Roedd Jenkins wedi ymlacio rhywfaint erbyn hyn, ac yn ymddangos yn ddidwyll.

'Y noson honno. Ia, y noson honno. Pryd ofynnodd Fraser i ti yrru'r car iddo fo, Simon?'

'Y noson cynt.'

'Oedd o wedi gofyn i rywun arall cyn iddo ofyn i ti?'

'Dennis Chancer, ond wnes i ddim dallt hynny nes i ni

266

gychwyn ar y daith i gyfarfod y bois o Fanceinion. Roedd Trev o'i gof efo Dennis am dynnu allan o'r job ar y munud dwytha.'

'Sut oeddat ti'n teimlo pan gymeraist ti ei le fo, a bod yr heddlu yn disgwyl amdanoch chi?'

'Wel, wrth gwrs ro'n i'n amau ella bod Dennis wedi sbragio, ond roedd Trev fel petai'n sicr o hynny.'

'Be ddeudodd o, a phryd?'

'Siarad oeddan ni yma yn y celloedd, o un gell i'r llall, ar ôl i ni gael ein harestio a chyn cael ein holi.'

'Be ddeudodd o?'

'Ylwch, Mr Brown, tydw i ddim isio landio yn yr un lle â Dennis Chancer. Edrychwch be ddigwyddodd iddo fo. Dim ond ffŵl fysa'n achwyn ar ddyn 'fatha Trevor Fraser.'

Beth oedd Jenkins ar ei fin ei ddweud, dyfalodd Jeff? Treuliodd Mike Brown y deng munud nesaf yn ceisio perswadio Jenkins, oedd yn ofnus iawn yr olwg, y cawsai ei gadw'n ddiogel petai'n dweud yr hanes yn ei gyfanrwydd.

'Be ddeudodd o, Simon?' gofynnodd Brown eto.

Ochneidiodd Jenkins yn drwm. 'Y bysa fo'n ei ladd o,' meddai o'r diwedd. Ond yna ychwanegodd yn gyflym, 'nid 'mod i'n ei goelio fo am funud. Jyst siarad gwirion oedd hynny.'

'Siarad gwirion?'

'Ia, dangos ei orchest a dim byd arall. Wel, yn fy marn i, beth bynnag.'

'Sawl gwaith wyt ti wedi bod yng nghwmni Fraser ers i ti ddod allan?'

'Dim llawer. Mi oedd o i mewn am dipyn go lew ar ôl i mi gael fy rhyddhau, ac os ydw i'n ei weld o'r dyddia yma, mi fydda i'n trio'i osgoi o. Dwi ddim isio dim byd i'w wneud â fo. Mi ddysgais fy ngwers ar ôl y tro cynta.'

'Lle oeddet ti pan saethwyd Dennis Chancer?' gofynnodd Brown.

'Dim syniad, mae'n ddrwg gen i. Mae gormod o amser wedi mynd heibio ers i hynny ddigwydd.'

Dyna'r ateb gorau y gallai fod wedi'i roi, meddyliodd Jeff. Treuliodd Brown yr awr nesaf yn mynd dros yr un tir yn union, ond ni chafodd fwy o wybodaeth ddefnyddiol. Ond o leiaf, roedd ganddyn nhw dyst bellach fod Fraser wedi bygwth dial ar Chancer.

Pennod 32

Roedd delio gyda Trevor Fraser, y troseddwr profiadol, yn brofiad hollol wahanol. Ymosodol oedd yr unig air i ddisgrifio agwedd hwnnw o'r dechrau'n deg. Doedd dim rhaid i'r ditectifs gyflwyno eu hunain i Fraser, hyd yn oed, oherwydd bod pawb yn adnabod ei gilydd eisoes; a phan sylweddolodd Fraser mai'r heddlu oedd wrth ddrws ei dŷ, dechreuodd weiddi dros y stad dai cyngor. Gwthiodd y plismyn heibio iddo i'r tŷ.

'Sgynnoch chi ddim hawl i f'arestio fi am y fath beth,' gwaeddodd Fraser pan glywodd pam eu bod yno. Mi wyddoch chi'n iawn 'mod i yn eich ffycin celloedd chi y noson honno. Sut fyswn i wedi medru gwneud o'r fan honno, y bastards gwirion?'

Taflodd ddwrn i gyfeiriad Arnold Peters, a symudodd yntau'n gyflym i'w hosgoi gan wthio Fraser yn ôl yn erbyn y soffa. Neidiodd Peters ac un o'r plismyn eraill arno a rhoi gefyn llaw am ei arddyrnau tra bu'r trydydd heddwas yn gwneud ei orau i gadw cymar Fraser draw, gan fod honno'n ceisio ymosod arnynt fel teigres.

Roedd Fraser yn ddyn cryf a ffit yn ei dridegau hwyr, ond gwyddai nad oedd ganddo obaith o ymladd yn ôl unwaith y cafodd ei ddwylo eu clymu y tu ôl i'w gefn. Wedi iddo ddistewi rhywfaint, siaradodd Peters yn dawel ac yn eglur.

'Gwranda, Trev. Mi fedrwn ni wneud hyn yn ddistaw ac yn barchus, neu mi gei di gario 'mlaen i gwffio a gweiddi.

Ond gwneud hyn wnawn ni, doed a ddelo. Mi wyt ti'n dod i'r ddalfa efo ni i ateb 'chydig o gwestiynau.'

'Ffonia'r twrna' rŵan,' galwodd Fraser ar ei gymar.

Galwyd am gymorth cyn gadael y tŷ, gan nad oedd yn bosib i'r tri ddelio â Fraser a'i gariad ar wahân yn ddiogel, ac ar ôl i heddweision ychwanegol gyrraedd, dygwyd Fraser i'r ddalfa tra oedd y tŷ'n cael ei chwilio'n fanwl. Bu'n rhaid i Peters aros am awr i gyfreithiwr Fraser gyrraedd y ddalfa ac ugain munud arall tra bu'r twrnai'n cael sgwrs breifat â'i gleient, ond erbyn hanner awr wedi wyth roedd tapiau recordio'r cyfweliad yn rhedeg. Yn ôl y cyfreithiwr, roedd ei gleient yn fodlon ateb unrhyw gwestiwn. Ditectif Sarjant Peters lywiodd yr holi, a wnaeth o ddim gwastraffu amser â rhaglith ddianghenraid.

'Pa bryd wnest ti sylweddoli mai Dennis Chancer roddodd yr wybodaeth i'r heddlu ynglŷn â throsglwyddiad y cyffuriau yng Ngwasanaethau Sandbach?'

Nid oedd Fraser na'i gyfreithiwr wedi disgwyl y fath gwestiwn mor fuan yn y cyfweliad, ac edrychodd y ddau ar ei gilydd. Amneidiodd y cyfreithiwr i gyfeiriad Fraser, fel petai'n awgrymu iddo ateb.

'Y munud ddaru chi i gyd neidio ar ein pennau ni yn y maes parcio.'

'Sut felly?'

'Roedd hynny'n amlwg, siŵr Dduw. Un munud, fo oedd fy ngyrrwr i. Mi dynnodd allan y munud dwytha a 'ngorfodi fi i chwilio am yrrwr arall, ac wedyn roedd y ffycin cops ym mhob man. Heblaw'r rhai oedd yno, fo oedd yr unig un arall oedd yn gwybod am y pryniant a manylion y cyfarfod.'

'Faint o arian gollaist ti?'

'Gormod o lawer, a dros ddwy flynedd o ryddid hefyd.

Ond pam gofyn cwestiynau dach chi'n gwbod yr atebion iddyn nhw'n barod? Sgynnoch chi ddim byd gwell i'w wneud, dudwch?'

'Sut oeddat ti'n teimlo ynglŷn â hynny, Trev? Dennis yn achwyn.'

'Sut ddiawl dach chi'n meddwl ro'n i'n teimlo? Cwestiwn blydi hurt arall.'

'Ynglŷn â Dennis Chancer.'

Edrychodd ar ei gyfreithiwr eto, ac am yr eildro amneidiodd hwnnw â'i ben.

'Doedd o ddim ar ben fy rhestr i o bobl i yrru cerdyn Dolig atyn nhw.'

'Oeddat ti wedi gwylltio digon i fygwth ei ladd o?'

'Nag o'n, siŵr.'

'Y rheswm dwi'n gofyn ydi am dy fod ti wedi cael dy glywed yn bygwth gwneud yr union beth hwnnw, a hynny mewn sgwrs efo Simon Jenkins pan oeddat ti yn ein celloedd ni ar ôl cael dy arestio y noson honno.'

'O, siarad rwtsh oedd hynny, yn fy nhymer, fel ma' rhywun yn wneud heb feddwl. Dwy flynedd wnes i yn y carchar ac mi ddois i allan ym mis Mawrth dair blynedd yn ôl. A phryd gafodd Dennis ei ladd? Ryw dro ddechrau'r flwyddyn yma, os dwi'n cofio'n iawn. Taswn i wedi bod isio'i ladd o, mi oedd 'na ddigon o gyfle i mi wneud hynny cyn eleni.'

Gwelodd Peters y cyfreithiwr yn nodio ac yn gwneud nodiadau yn ei lyfr. Cododd ei ben ac edrych i gyfeiriad y Ditectif Sarjant.

'Mae fy nghleient i wedi ateb pob un o'ch cwestiynau chi, Sarjant Peters. Mae'n amlwg mai'r unig damaid o dystiolaeth sydd ganddoch chi ydi bygythiad a glywyd ychydig ar ôl i Mr Fraser gael ei arestio. Mi wyddom ni'n dau ble roedd Mr Fraser ar y noson y cafodd Mr Chancer ei saethu. Os nad oes gennych chi fwy o dystiolaeth na hynny, rhaid i mi fynnu eich bod chi'n ei ryddhau o ar unwaith.'

Cododd Peters ar ei draed. Roedd hi'n amser rhoi'r cynllun amgen yn ei le, felly daeth â'r cyfweliad i ben am y tro. 'Ond arhoswch yma, os gwelwch yn dda,' meddai. 'Mae'n rhaid i mi ymgynghori efo fy nghyd-weithwyr.' Gadawodd yr ystafell.

Yn ystod y munudau nesaf deallodd Arnold Peters nad oedd y chwiliadau yng nghartrefi'r ddau garcharor wedi bod yn ffrwythlon, a dysgodd fwy am y cyfweliad â Simon Jenkins. Cerddodd yn ôl i mewn i'r ystafell gyfweld, y tro hwn yng nghwmni Jeff – cymerodd Jeff le'r ditectif arall a gadawodd hwnnw'r ystafell. Edrychodd Fraser yn ofalus ar Jeff. Roedd o'n meddwl ei fod yn adnabod pob un o dditectifs Telford. Rhoddwyd y tapiau recordio yn ôl ymlaen a dywedodd Ditectif Sarjant Peters fod y cyfweliad yn gysylltiedig â'r un achos yn parhau. Yna cyflwynodd Jeff ei hun.

'Ditectif Sarjant Jeffrey Evans, Heddlu Gogledd Cymru, o orsaf Glan Morfa.'

Agorodd ceg Fraser fymryn a syllodd i gyfeiriad Jeff, gan geisio peidio dangos ei syndod. Plygodd i gyfeiriad ei gyfreithiwr er mwyn sibrwd yn ei glust, a gofynnodd y cyfreithiwr am doriad byr i gael siarad â'i gleient yn breifat. Pan ailddechreuwyd y cyfweliad ymhen llai na deng munud, Jeff gymerodd yr awenau.

'Hoffwn ofyn i chi am y cyfnod y gwnaethoch chi ei dreulio yng ngharchar Preston rhwng Mawrth 2015 a Mawrth 2018.'

Parhaodd Fraser yn fud.

'Yn neilltuol, eich cyfnod chi yng nghwmni dyn o'r enw Jim Allen o Fanceinion.'

'Dim sylw,' atebodd.

'Ddaethoch chi ar draws dyn o'r enw Jim Allen?'

'Dim sylw.'

'Mae dros saith gant o garcharorion yng ngharchar Preston, Ditectif Sarjant Evans,' meddai'r cyfreithiwr. 'Fedrwch chi ddim disgwyl i Mr Fraser fod yn adnabod pob un ohonyn nhw.'

'Mae'r cwestiwn yn un digon syml,' atebodd Jeff. 'Ddaethoch chi ar draws Jim Allen yno?'

'Dim sylw,' atebodd Fraser unwaith yn rhagor.

'Be am Des Slater? Ydi'r enw hwnnw'n golygu rwbath i chi? Un o Fanceinion ydi yntau hefyd.'

'Dim sylw.'

'Pryd fuoch chi yng Nglan Morfa ddwytha?' Sylwodd Jeff ar y symudiad lleiaf yn llifo drwy ei gorff.

'Dim sylw,' atebodd.

'Oes ganddoch chi hawl i yrru Audi du?'

'Dim sylw,' atebodd unwaith eto.

'Be ydi'r cysylltiad rhwng yr Audi a fy nghleient i?' gofynnodd y cyfreithiwr.

'Gwelwyd Audi du yn agos i Tesco yn Telford ar y noson y lladdwyd Dennis Chancer. Yn y fan honno roedd Chancer i fod yn gweithio y noson honno. Mae Audi du wedi cael ei weld yng Nglan Morfa ychydig ddyddiau cyn i ddynes gael ei saethu'n farw yno. Oes ganddoch chi fodd o gael gafael ar gar fel hwn, Mr Fraser?'

'Dim sylw.'

'Ydi'r enw Sydney Boswell yn canu cloch?' Syllodd Jeff

i lygaid Trevor Fraser ond ni welodd unrhyw arwydd neilltuol a dynnodd ei sylw.

'Dim sylw,' atebodd Fraser, ond y tro hwn roedd awgrym o bryder yn ei lais crynedig.

'A be ydi'r cysylltiad efo Mr Boswell?' gofynnodd y cyfreithiwr. 'Tydi hyn ddim yn gwneud math o synnwyr i mi.'

'Y diweddar Mr Boswell,' atebodd Jeff. 'Saethwyd Mr Boswell yn farw efo'r un gwn a gafodd ei ddefnyddio i saethu dynes yng Nglan Morfa bythefnos yn ôl. A'r un gwn, yn fy marn i, a ddefnyddiwyd i saethu Dennis Chancer.'

O dan yr amgylchiadau, doedd gan Jeff ac Arnold ddim dewis, ond teimlai Jeff ei fod wedi dysgu cryn dipyn yn ystod y cyfweliad. Rhyddhawyd Fraser. Roedd Jenkins wedi'i ryddhau o'i flaen o.

'Be ti'n feddwl, Jeff?' gofynnodd Arnold yn ôl yn swyddfa'r CID.

'Euog,' atebodd Jeff heb oedi. 'Mi oedd y diawl yn ddigon hapus i ateb dy gwestiynau di, ond pan ddois i i mewn a chyflwyno fy hun, welaist ti'r newid ynddo fo? Gwrthododd ateb yr un cwestiwn wedi iddo glywed enw tref Glan Morfa. Ar hyn o bryd, mae o'n dal i fod ar dop y rhestr o'r rhai dan amheuaeth. Dan amheuaeth o be, yn union, mae'n anodd deud, ond mae o yna yn rhywle i ti.'

'Rhaid i mi gytuno, Jeff, ond sut ar y ddaear ydan ni'n mynd i brofi unrhyw beth, Duw a ŵyr. Ond cofia hefyd fod dau ddyn arall o Fanceinion wedi eu harestio y noson honno yng Ngwasanaethau Sandbach. Mi ddylai'r rheiny fod yn y ffrâm hefyd. Mi wna i ymholiadau i'r cyfeiriad hwnnw os leci di.'

'Ardderchog,' atebodd Jeff, gan edrych ar ei watsh. Roedd hi'n tynnu am hanner dydd. 'Well i mi ffonio'r bòs 'cw, neu dim ond ffrae ga' i.'

Chwarddodd Peters.

'Gyda llaw,' ychwanegodd Jeff. 'Does 'na ddim amheuaeth, nag oes, fod Fraser yn y ddalfa pan gafodd Chancer ei saethu.'

'Nag oes,' atebodd Peters, 'yn anffodus.'

'Ar ba fath o gyhuddiad gafodd o ei arestio y noson honno?'

'Dim llawer o ddim. Rhoi dwrn i ryw foi ddaru o. Dydi rhai pobl byth yn dysgu.'

'Ga' i ofyn ffafr fach arall felly, os gweli di'n dda, Arnold,' gofynnodd. 'Fysat ti'n fodlon edrych drwy fanylion y digwyddiad hwnnw i weld oes rwbath yn edrych yn rhyfedd, yng ngoleuni'r hyn 'dan ni wedi'i ddysgu heddiw?'

'Siŵr iawn,' atebodd Peters.

Cymerodd Jeff ychydig o funudau i adrodd braslun o hanes y bore wrth Lowri Davies ar y ffôn cyn cychwyn adref.

Pennod 33

Ugain munud ar ôl iddo gael ei ryddhau, safai Trevor Fraser mewn ciosg ffôn yng nghanol tref Telford. Edrychodd o'i gwmpas yn nerfus a gofalus cyn defnyddio'r ffôn. Atebwyd yr alwad yn gyflym.

'Trev sy 'ma. Gwranda, ma'r ffycin cops ar fy ôl i. Dwi'm isio bod yn rhan o hyn.'

'Paid â bod yn ffycin gwirion,' meddai'r llais ar yr ochr arall. 'Be ddiawl sy matar efo chdi?'

Adroddodd Fraser hanes holl ddigwyddiadau'r bore.

'Ddeudist ti rwbath amdana i?'

'Ffwc o ddim, siŵr iawn. Be ti'n feddwl ydw i? Ond dwi'm isio cario 'mlaen. Wnes i ddim cytuno i'r math yma o beth. Wyt ti'n dallt?'

'Gwranda, Trev, a gwranda'n astud,' meddai'r llais. 'Mi wyt ti i mewn yn hyn dros dy ben a dy glustiau, a dyna lle fyddi di tan y diwedd. Mi wyddost ti fod 'na fwy o waith i'w wneud, a dwi dy angen di. Os wyt ti'n meddwl gwrthod, chdi fydd y nesaf i gael blas y Browning. Well i ti feddwl yn ofalus am hynny.'

'Ond ...'

'Ond dim byd, Trev. Lle mae'r Ditectif Evans 'ma o Lan Morfa erbyn hyn? Mi fydd yn rhaid i mi wneud rwbath ar ei gownt o os ydi o'n mynd i gario 'mlaen i dyrchu.'

'Wn i ddim. Welais i o'n mynd at ei gar ... mynd adra oedd o, am wn i.'

Diffoddwyd y ffôn ar y pen arall heb ymateb.

Roedd Jeff wedi dechrau difaru na dderbyniodd wahoddiad Arnold Peters i gael tamaid o ginio mewn tafarn gyfagos cyn cychwyn am adref. Gwyddai o brofiad y byddai hynny'n cymryd awr neu fwy, felly penderfynodd gael byrbryd ar y ffordd. Roedd wedi teithio ymhellach nag yr oedd o wedi'i fwriadu pan dynnodd i mewn i gaffi Starbucks ar ochr yr A483 yn Rhostyllen. Archebodd frechdan wedi'i chrasu a phaned fawr o goffi ac aeth i eistedd wrth fwrdd yn y gornel bellaf.

Doedd o ddim wedi bod yno'n hir pan ddaeth dyn i eistedd i lawr wrth ei ochr. Nid yr ochr arall i'r bwrdd ond reit wrth ei ochr, mor agos nes bod eu hysgwyddau'n cyffwrdd. Sylwodd hefyd fod dau ddyn arall wedi eistedd wrth fwrdd cyfagos, y ddau yn edrych yn fygythiol i'w gyfeiriad heb fath o ddiod na bwyd o'u blaenau. Roedd y dyn wrth ei ochr yn ei ddeugeiniau hwyr, wedi'i wisgo'n smart mewn siwt dywyll, a sbectol haul ym mhoced uchaf ei siaced. Roedd y ddau arall dipyn yn iau – un bychan, eiddil yr olwg, a'r llall yn flêr, yn dalach ac yn drymach. Meddyliodd Jeff am y disgrifiad a roddodd Ditectif Sarjant Edwards iddo o'r heddwas a wrthododd roi cymorth iddo ym Manceinion ychydig dros wythnos ynghynt: Carson. Ai hwn oedd yr un dyn? Allai o ddim bod yn sicr.

'Chi eto,' meddai Jeff wrth y gŵr wrth ei ochr.

'Eto?' ailadroddodd yntau.

'Ia, eto heddiw. Mi ydach chi wedi tynnu'ch sbectol haul, yr un roeddach chi'n ei gwisgo ddoe yn y car,' meddai Jeff, gan barhau i fwyta'i ginio fel petai dim byd yn bod.

'Deg allan o ddeg,' atebodd y dyn gyda gwên sinigaidd.

'Mi fydda i wrth fy modd yn gweld ditectif sydd o gwmpas ei betha.'

'A rŵan ein bod ni wedi cyfarfod â'n gilydd, a dechrau dod i nabod ein gilydd yn well, be dach chi isio?' gofynnodd Jeff mewn llais yr un mor sinigaidd.

'Gwybodaeth,' atebodd y dyn. Roedd ei lais yn ddistaw, yn araf ac yn eglur. Llais rhywun a oedd yn hyderus yn ei safle. 'Rydach chi'n chwilio am wybodaeth sydd o ddiddordeb i ni ym Manceinion hefyd, ond am resymau gwahanol. Nid eich lle chi, Ditectif Sarjant Evans, ydi ymchwilio i'r fath bethau. Mater i mi ydi hynny. Dyna ydi fy ngwaith i.'

'A phwy ydach chi, felly?'

'Dydi hynny ddim o bwys i chi ar hyn o bryd. Ond os ddowch chi ar draws Des Slater, a'r cof bach sydd yn ei feddiant, fi sydd â'r hawl iddo fo, a'r wybodaeth sydd arno. Dallt?' Edrychodd i lygaid Jeff a chlosio ato'n fygythiol. 'Os fedrwn ni ddod i ddallt ein gilydd, mi wna i'n siŵr eich bod chi'n cael eich gwobrwyo, Ditectif Sarjant.'

Gwyddai Jeff bellach fod ei amheuon yn gywir. Plismon oedd y dyn a eisteddai wrth ei ochr, yn siarad am wobrwyo fel petai'r peth mwyaf naturiol yn y byd.

'Dwi'n eich dallt chi,' atebodd Jeff. 'Sut fydda i'n gwybod sut neu ble i gysylltu efo chi?'

'Peidiwch â phoeni. Mi gysyllta i efo chi. Wel, da iawn felly, Ditectif Sarjant Evans. Ardderchog,' meddai, wrth godi ar ei draed. 'Mwynhewch weddill eich bwyd,' ychwanegodd, gan edrych i lawr ar blât Jeff. Gwyddai Jeff bellach mai cyfarfod i godi braw arno oedd y cwbl.

Cerddodd y dyn allan yn araf a'r ddau arall wrth ei gwt. Edrychodd Jeff arnynt drwy'r ffenest yn anelu at BMW llwyd. Yr un a welodd yng nghyffiniau Caer, yr un a'i dilynodd o gwmpas Glan Morfa rai nosweithiau ynghynt ... yr un oedd yn eiddo i Heddlu Manceinion. Tynnodd ei ffôn symudol o'i boced a churo'r ffenest yn galed. Trodd y tri i'w wynebu a llwyddodd Jeff i dynnu tri llun cyflym ohonynt. Caledodd wyneb y dyn yn y siwt, a throdd at y ddau arall cyn troi i amneidio ar Jeff. Rhedodd y ddau yn ôl i gyfeiriad y caffi. Cododd Jeff ar ei draed a brasgamu i gyfeiriad y toiledau. Oedodd am ennyd ger y drws cyn mynd drwyddo er mwyn sicrhau eu bod nhw wedi ei weld.

Roedd yn falch nad oedd neb yn nhoiledau'r dynion pan gerddodd i mewn. Ni fu'n rhaid iddo ddisgwyl yn hir. Pan agorwyd y drws yn nerthol roedd Jeff yn sefyll y tu ôl iddo. Y dyn mawr trwm oedd y cyntaf drwyddo, a chafodd ergyd yr un mor nerthol i'w drwyn pan giciodd Jeff y drws yn ôl i'w gyfeiriad. Wrth i hwnnw afael yn ei wyneb poenus, tynnodd Jeff y dyn main i mewn i'r toiledau gerfydd ei dei a tharo ochr ei law agored ar flaen ei wddf nes iddo ddechrau pesychu'n afreolus. Disgynnodd i'r llawr, a sathrodd Jeff ei law gyda'i holl nerth nes yr oedd yn bloeddio. Rhoddodd gic arall rhwng coesau'r dyn mawr nes iddo yntau ddisgyn. Ddaru'r holl ddigwyddiad ddim cymryd mwy nag eiliad neu ddwy. Ar ôl cadarnhau nad oedd yr un ohonynt am godi i ymladd eto, tynnodd ei ffôn o'i boced.

'Am hwn dach chi'n chwilio, hogia?' gofynnodd. Tynnodd lun arall o'r ddau yn eu dyblau ar lawr cyn cerdded yn hamddenol allan o'r toiledau.

Cerddodd heibio'i fwrdd a chodi gweddill ei ginio oddi ar ei blât. Wrth gnoi, cerddodd yn araf i gyfeiriad y BMW ble'r oedd y pen-bandit yn eistedd yn y sedd gefn, yn disgwyl am ei gyd-weithwyr. Efo'i law rhydd, tynnodd Jeff ei ffôn allan eto. Cuddiodd y dyn ei wyneb â'i siaced, ond tynnodd Jeff nifer o luniau ohono beth bynnag, a llun o rif cofrestru'r car. Yna, plygodd i gyfeiriad y ffenest ôl.

'Peidiwch byth â gyrru plant i wneud gwaith dynion,' gwaeddodd, cyn cerdded at ei gar ei hun.

Pennod 34

Cyd-ddigwyddiad hollol oedd bod Des Slater yn ymwelydd cyson â Glan Morfa, a'i fod wedi syrthio mewn cariad â Glenda Hughes. Ymweld â'i chwaer fach, Debbie, oedd ei unig gymhelliad dros fynd yno i ddechrau – ei hanner chwaer oedd cannwyll ei lygad, a bu'r ddau yn agos erioed. Roedd Des yn hiraethu am ei chwmni ar ôl iddi adael Manceinion, er ei fod yn parchu ei rhesymau dros adael, sef ei hawydd i fyw bywyd llai dinesig, ac i fynd cyn belled â phosibl oddi wrth fusnes troseddol y teulu. Gresynai nad oedd amgylchiadau ei chwaer yn fwy cyffordus yn ariannol – roedd hi wedi gwrthod pob cynnig o arian gan ei theulu. Arian budr oedd hwnnw, yn ei barn hi. Ond roedd Des yn ystyried ei bod yn haeddu gwell na threulio oriau hir yn gweithio mewn gwersyll gwyliau ar gyflog bychan. Beth bynnag am hynny, roedd yn falch o weld ei bod mewn perthynas hapus ag Ifan, dyn ifanc y daeth Des Slater yn hoff ohono yn fuan ar ôl ei gyfarfod.

Gwelodd fod Glan Morfa yn dref braf iawn i fyw ynddi, ac roedd yr ardal yn hwylus i'w chyrraedd pan fyddai angen cadw'n glir o ardal Manceinion am sbel, o ganlyniad i fygythiadau o gyfeiriad yr heddlu neu'r teulu Allen.

Roedd gwybodaeth eithriadol o werthfawr ar y cof bach oedd yn ei feddiant, a gwyddai Des nad Jim Allen oedd yr unig un a hoffai gael ei ddwylo arno. Cynllun y teulu Slater oedd rhyddhau rhan o'r wybodaeth oddi arno i'r awdurdodau, ond dim ond pan fyddai'r amser yn iawn i wneud hynny. Yn y cyfamser, ei unig gyfrifoldeb o oedd ei gadw'n ddiogel.

Yn ogystal â'r wybodaeth ynglŷn â'r plismyn oedd yn cael eu cyflogi ganddyn nhw, roedd manylion y plismyn a gawsai eu cyflogi gan y teulu Allen ar y cof bach hefyd. Dim ond un neu ddau wyddai am hynny, a dim ond un person – ei frawd Tony, y cyfrifydd – a wyddai pwy roddodd yr wybodaeth iddyn nhw yn y lle cyntaf. Yn ôl y sôn, saethwyd yr hysbysydd hwnnw yn ei ddau ben-glin a'i arteithio am oriau ar amheuaeth o wneud hynny. Dim rhyfedd fod Jim Allen eisiau cael ei ddwylo ar y teclyn bach. Gobaith y teulu Slater oedd y byddai ymchwiliad mewnol yn cael ei gynnal gan yr heddlu, un a fyddai'n datgelu'r plismyn anonest oedd yn gweithio i Allen, ac y byddai'r ymchwiliad hwnnw'n dadorchuddio digon o dystiolaeth i erlyn nid yn unig y plismyn hynny ond rhai o griw Allen hefyd. Dyna pam y dewisodd Des Slater gadw'r cof bach yn ei feddiant ei hun. Dyna'r lle mwyaf diogel y gallai feddwl amdano, a doedd y gwn deuddeg bôr fyth ymhell o'i afael petai'n rhaid iddo ei ddefnyddio.

Y cariad a deimlai tuag at Glenda oedd yr ail dynfa i'r dref fechan ar lan y môr yng ngogledd Cymru, ond buan y daeth hynny'n flaenoriaeth ar gyfer ei ymweliadau. Yn dilyn sawl perthynas aflwyddiannus ym Manceinion dros y blynyddoedd, o'r diwedd teimlai ei fod wedi cyfarfod y ddynes roedd o eisiau bod yn ei chwmni am weddill ei oes. Torrodd ei galon pan laddwyd hi mor ddisymwth ac mor frwnt. Ni wyddai ble i droi. Yna, clywodd gan Ditectif Sarjant Vic McVey, un o'i hysbyswyr yn Heddlu Manceinion, fod Jim Allen yn cael ei amau'n gryf o'r llofruddiaeth gan heddlu lleol. Ei fai o ei hun oedd y cyfan felly, ystyriodd Des. Ceisiodd feddwl sut roedd Allen wedi darganfod mai Glenda oedd ei gariad ac yna dod i'r casgliad anghywir fod y cof bach wedi'i guddio yn ei thŷ hi. Digon gwir, roedd y ddyfais fach wedi bod yno'n ddigon aml, ond dim ond yn ei feddiant o, a wyddai Glenda ddim am hynny. Ni wyddai Glenda ychwaith am natur droseddol busnes ei deulu ym Manceinion. Er hynny, pwysodd y cyfrifoldeb am ei marwolaeth yn drwm ar ei ysgwyddau.

Ers y diwrnod hwnnw pan dderbyniodd yr wybodaeth gan Ditectif Sarjant Vic McVey, dim ond un peth fu ar feddwl Des Slater: talu'n ôl i Jim Allen am yr hyn a wnaeth i Glenda. Ond doedd hynny ddim yn dasg hawdd, o bell ffordd. Roedd gan Allen nifer o filwyr troed brwnt a ffyddlon o'i amgylch drwy'r amser, a hyd yn oed heb bresenoldeb y rheiny roedd o'n ddyn peryglus. Na, doedd Jim Allen ddim yn ddyn hawdd cyrraedd ato. Penderfynodd Des Slater mai disgwyl oedd y peth doethaf – disgwyl i Jim roi ei hun mewn sefyllfa lai diogel, y tu allan i Fanceinion os yn bosib, ymhell o'i rwydwaith warchodol ei hun.

Roedd gan Des Slater faint fynnir o gysylltiadau ym Manceinion, a digon o lefydd diogel lle gallai aros heb orfod mentro'n agos at ei gartref ei hun na chartref y teulu. Ni chymerodd yn hir iddo ddysgu mai Audi bach du roedd Allen yn ei ddefnyddio pan nad oedd o eisiau tynnu sylw ato'i hun, car ac arno blatiau cofrestru ffug a'r rhif wedi'i gopïo oddi ar gar tebyg mewn rhan arall o'r wlad. Treuliodd Des oriau tywyll yr hydref yn ceisio canfod a oedd unrhyw batrwm i'w ddefnydd o'r car. Cafodd gip ar Jim Allen ei hun fwy nag unwaith, yng nghwmni ei warchodwyr, ond gwyddai fod yn rhaid iddo fod yn amyneddgar, a pheidio taro'n rhy fyrbwyll.

Ym mherfeddion un noson dywyll daeth Des o hyd i'r Audi wedi'i barcio yng nghanol nifer o geir eraill a oedd ar werth mewn garej nid nepell o dŷ yr oedd Allen yn ei ddefnyddio. Yn ofalus, rhoddodd declyn arno fel bod posib ei ddilyn drwy gyfrwng ap ar ei ffôn symudol. Cadwodd olwg ar yr ap hwnnw'n gyson yn ystod yr wythnos wedi i Glenda gael ei lladd, ond ni symudodd y car unwaith. Fodd bynnag, doedd Des Slater ddim ar frys. Gwyddai mai ara' deg oedd dal iâr. Llwyddiant oedd y peth pwysicaf, yr unig beth, ar ei feddwl.

Pennod 35

Roedd hi'n tynnu am bedwar o'r gloch ar y prynhawn dydd Llun hwnnw pan gyrhaeddodd Jeff yn ôl i Lan Morfa wedi blino'n lân. Aeth yn syth i swyddfa'r Ditectif Brif Arolygydd Lowri Davies.

'Golwg y diawl arnoch chi, Jeff. Eisteddwch i lawr,' meddai'r DBA. Yna, cododd y ffôn er mwyn archebu dwy baned o goffi o'r cantîn.

Roedd Jeff ar ganol rhoi manylion digwyddiadau'r bore iddi pan gyrhaeddodd y paneidiau. Bu wrthi am ugain munud arall cyn gorffen.

'Mae cymaint o wahanol betha'n dod i fy sylw i bob dydd, fedra i ddim penderfynu bellach be yn union sy'n berthnasol,' cyfaddefodd. 'Dwi'n meddwl y medrwn ni anghofio am unrhyw gysylltiad efo ffordd Glenda o fyw – y puteinio, unrhyw gariadon lleol, y blacmel ac ati. Mae busnes y llygredd yn Heddlu Manceinion yn fy mhoeni fi, ac mae'n dod yn amlycach bob dydd. Mi ges i "sgwrs" fach ddifyr ar y ffordd adra o Telford heddiw, a lleoliad y cof bach oedd tu ôl i hynny hefyd. Mae'n amlwg bod llwyth o wybodaeth ddefnyddiol iawn arno.' Dywedodd hanes yr hyn ddigwyddodd yn Starbucks wrthi.

Cododd Lowri'r ffôn bron cyn i Jeff gael cyfle i orffen. 'Diolch i'r nefoedd eich bod chi'n iawn,' meddai wrtho. 'Ond mae'n rhaid i'r Dirprwy gael clywed am hyn ar unwaith. Fedra i ddim credu bod y fath beth wedi digwydd rhwng swyddogion dau o heddluoedd Prydain. Ydach chi'n siŵr mai plismyn oedden nhw?'

'Mor sicr ag y medra i fod,' atebodd Jeff. 'Car Heddlu Manceinion roeddan nhw'n ei yrru beth bynnag.'

Clywodd Jeff hi'n ailadrodd yr hanes wrth y Dirprwy.

'Ga' i air efo fo, os gwelwch yn dda, DBA?' gofynnodd Jeff cyn iddi orffen yr alwad.

Estynnodd Lowri'r ffôn iddo, a'i roi ar yr uchelseinydd er mwyn iddi hithau allu clywed yr holl sgwrs hefyd.

'Pnawn da, syr,' meddai Jeff. Anaml iawn roedd rhywun yn cael y teitl hwnnw ganddo, ond roedd ei barch tuag at Tecwyn Williams yn ddiffuant.

'Clywed eich bod chi wedi bod yn ymladd efo'n cyd-weithwyr ni o Fanceinion, Ditectif Sarjant Evans,' meddai'r Dirprwy. Roedd hi'n amhosib dweud a oedd nodyn cellweirus yn ei lais.

'Dim ond edrych ar ôl y dystiolaeth oeddwn i,' meddai Jeff.

'Tystiolaeth?'

'Ia. Eu lluniau nhw ar fy ffôn i. Deud wrth y DBA o'n i rŵan fod y cof bach sydd ym meddiant Des Slater yn ymddangos yn bwysig ofnadwy. Efallai fod digon o wybodaeth arno i yrru wn i ddim faint o blismyn llwgr i'r carchar. Oherwydd hynny, fedrwn ni ddim osgoi'r posibilrwydd mai dyna sydd y tu ôl i'r llofruddiaeth yma yng Nglan Morfa.'

'Ond be am y rhai yn Telford a Southport? Lle mae'r cysylltiad rhwng y tri?'

'Bu rhywun yn chwilio am y cof bach yn nhŷ Glenda Hughes,' dechreuodd Jeff roi ei farn. 'O Fanceinion roedd Boswell yn dod, a chofiwch mai o Fanceinion hefyd y daeth y cyffuriau i faes parcio gwasanaethau Sandbach, sydd o bosib yn cysylltu Chancer yn Telford. Mae'r posibiliadau'n enfawr. Oes 'na blismyn ynghlwm yn y cwbl, tybed? A rŵan, am y tro cyntaf, mae ganddon ni gyfle i ddysgu pwy yn union ydi'r dynion 'ma ddaeth i 'mrawychu i gynna. Plismyn, mwyaf tebyg, o ystyried perchnogaeth y BMW roeddan nhw'n ei ddefnyddio, os nad oes rhywun wedi bod yn gyfrwys iawn a newid y platiau. Ond os mai plismyn ydyn nhw, mae'n amhosib deud i sicrwydd ar hyn o bryd ydyn nhw'n llwgr ai peidio.'

'Be sy gen ti dan sylw, Jeff?' gofynnodd y Dirprwy.

'Mi fyddai'n rhy hawdd i bwy bynnag oedd y dyn welais i gynna, uwch-swyddog am wn i, honni mai chwilio am dystiolaeth ynglŷn â phlismyn llygredig oedd o. Dim ond fy ngair i sydd i brofi ei fod o wedi addo fy ngwobrwyo i. Dyna'r unig air sy'n awgrymu i mi mai un o'r rhai llwgr ydi o. Felly, yn fy marn i, nid hwn ydi'r amser i ddechrau taflu'n pwysau o gwmpas ac ystyried arestio'r dyn, nac i heddlu Manceinion wneud ymholiadau chwaith.'

'Mae hynny'n wir.'

'Y dystiolaeth sydd gen i, y dystiolaeth oedd mor bwysig iddyn nhw ei adennill, ydi'r lluniau ohonyn nhw ar fy ffôn i. A wyddoch chi be? Maen nhw'n lluniau da hefyd. Fysa modd i chi eu gyrru nhw ymlaen i'r Dirprwy Brif Gwnstabl ym Manceinion a gofyn iddo fo – yn ddistaw – pwy ydyn nhw? Wedyn, mi fyddwn ni a'r Dirprwy ym Manceinion yn gwybod efo pwy yn union rydan ni'n delio, o leia.'

'Ac os mai plismon ydi o, a ydi o'n rhan o'r ymchwiliad i ddarganfod plismyn llygredig. Call iawn, Jeff. Dyna wnawn ni. Dwi'n gwybod y medra i ymddiried ynddo fo. Gyrra nhw'r munud yma i fy ffôn symudol personol i.'

Rhoddodd y rhif iddo. 'Ond cofia, Jeff, os ydi'r dyn yma, pwy bynnag ydi o, mor benderfynol o gael ei ddwylo ar y cof bach, efallai y gweli di o eto cyn hir, a Duw a ŵyr pa mor beryglus ydi o, a'r bobl mae o'n gweithio efo nhw.'

'Ar ôl cynnwys y cof bach mae o, Mr Williams, nid fi yn bersonol.'

'Bydda'n ofalus. Dyna'r cwbwl ddeuda i. Mi wna i gysylltu, Lowri,' meddai, 'unwaith y ca' i ateb o Fanceinion.'

Rhoddodd Lowri y ffôn i lawr yn ei grud, a chanodd yn syth.

'Rhowch o drwodd,' meddai, ar ôl ateb yr alwad. Rhoddodd y ffôn yn ôl yn llaw Jeff. 'Ditectif Sarjant Peters yn Telford,' meddai.

'Arnold.'

'Sut ma' hi, Jeff. Dim ond gadael i ti wybod y medrwn ni ddileu'r ddau o Fanceinion, y rhai ddaeth â'r cyffuriau i Sandbach y noson honno, o'n hymholiadau ni. Walter Ryan oedd enw un – bu farw o ganser ychydig fisoedd ar ôl iddo gael ei ryddhau o'r carchar yn nechrau 2018, ar ôl bod yn wael iawn am fisoedd cyn hynny. Y llall oedd Terrence Hill, troseddwr cyfresol. Mi ddaeth allan o'r carchar ym mis Awst yr un flwyddyn a chael ei arestio ymhen wythnosau am gario llwyth mawr arall o gyffuriau. Roedd o'n cario gwn ar y pryd ac mi geisiodd saethu plismon. Mae o'n dal yn y carchar.'

'Dim Browning rhannol awtomatig oedd o'n ei ddefnyddio, nage?'

'Na, gwn deuddeg bôr. Haws o lawer ei ddefnyddio na gwn llaw.'

'Fu un o'r ddau yng ngharchar Preston?'

'Naddo. I garchar Manceinion aeth y ddau.'

'Iawn, Arnold. Diolch i ti am adael i mi wybod. Wal frics

arall felly. Mi gysylltta i os down ni ar draws rwbath arall yma. O, a gyda llaw, gest ti rywfaint mwy o wybodaeth am y rheswm y cafodd Trevor Fraser ei arestio ar y noson y lladdwyd Chancer?'

'Do. Mae'r ffeil o 'mlaen i. Does 'na ddim llawer i'w ddeud, Jeff. Yn nhafarn y White Lion yn y dref 'ma oedd o. Datblygodd dadl rhyngddo fo a chwsmer arall, boi o'r enw William Henry Smith, rapsgaliwn arall sydd wedi bod yn cadw cwmni i Fraser dros y blynyddoedd. Mi drodd y ddadl yn ffeit go iawn a bu'n rhaid arestio'r ddau ohonyn nhw. Doedd y cwbl yn ddim mwy, yn ôl pob golwg, na dau gyfaill yn ffraeo. Cafodd y ddau eu cyhuddo o darfu ar yr heddwch a'u rhyddhau ar ôl iddyn nhw sobri y diwrnod wedyn.'

Fflachiodd syniad drwy feddwl Jeff.

'Wnei di un ffafr bwysig arall i mi, os gweli di'n dda, Arnold? Y llall, yr un oedd yn cwffio efo Fraser y noson honno, ty'd â fo i mewn gynted ag y medri di. Rho lwyth o bwysau arno er mwyn ceisio darganfod a oedd cynllun wedi'i drefnu ymlaen llaw i'r ddau, Fraser yn enwedig, gael eu harestio y noson honno.'

'I greu'r alibi perffaith, ti'n feddwl?'

'Yn hollol.'

Rhoddwyd y ffôn yn ôl yn ei grud.

'Mae 'na rwbath yn dweud wrtha i fod 'na ryw deimlad wedi dechrau cnewian ym mol yr afanc,' meddai'r DBA, gan darfu ar ei fyfyrio.

'Dim ond bod 'na rwbath yn canu cloch,' atebodd Jeff ar ôl myfyrio am ennyd. 'Ella mai gorfeddwl ydw i. Gadewch i mi wirio un neu ddau o bethau gynta, cyn i mi rannu'r peth efo chi.'

I lawr yn y ddalfa, roedd Sarjant Rob Taylor newydd gychwyn y shifft hwyr.

'Rargian, Jeff bach, mae 'na olwg y diawl arnat ti. Pryd gest ti noson iawn o gwsg ddwytha?'

'Dwi'm yn cofio,' cyfaddefodd Jeff. 'Gwranda, Rob. Edrycha ar y cofnodion, os gweli di'n dda, ar gyfer y noson pan gafodd Glenda Hughes ei saethu. Os dwi'n cofio'n iawn, mi oedd Jaci Thomas yn un o'r carcharorion yn y ddalfa 'ma y noson honno.'

Trodd Rob at ei gyfrifiadur a theipio'n gyflym. 'Ti yn llygad dy le,' meddai, ar ôl i'r wybodaeth ymddangos o'i flaen. 'Mi gafodd Jaci ei arestio am chydig wedi naw y noson honno efo pump arall am gwffio yn nhafarn y Rhwydwr. Fo ddechreuodd y miri, ac mi ymosododd ar ddau o'r plismyn aeth yno i ddelio efo'r peth.'

'Pryd gafodd o ei ryddhau, Rob?'

'Ganol pnawn y diwrnod wedyn. Pam ti'n gofyn?'

'Yr alibi perffaith,' meddai Jeff.

'Be ti'n feddwl?'

'Fedra i ddim deud ar hyn o bryd, Rob. Rhaid i mi gadarnhau un neu ddau o betha gynta.'

Rhedodd i fyny'r grisiau i swyddfa'r ditectif gwnstabliaid. Dim ond un o'r hogiau oedd yno, Ditectif Gwnstabl Owain Owens, oedd a'i ben i lawr, yn canolbwyntio ar ei waith papur.

'Hei, Sgwâr,' meddai Jeff, gan ddefnyddio'i lysenw i gyfarch y dyn ifanc. 'Pwy aeth i weld Jaci Thomas yn y jêl ar ôl iddo gael ei garcharu am ddwyn a derbyn eiddo wedi'i ddwyn o gychod, bedair neu bum mlynedd yn ôl?' Roedd hi'n arferol i garcharorion gael eu cyfweld gan aelod o'r heddlu ychydig wythnosau ar ôl iddyn nhw gael eu carcharu er mwyn rhoi cyfle iddyn nhw gyfaddef i unrhyw droseddau ychwanegol – 'clirio eu platiau' oedd y term a ddefnyddid. Neu wneud i ffigyrau datrysiad yr heddlu edrych yn well, i fod yn fwy gonest.

'Fi aeth yno, Sarj, ac mi gyfaddefodd i tua dwsin o achosion o ddwyn os dwi'n cofio'n iawn. Pam ydach chi'n gofyn rŵan, Sarj, ar ôl yr holl amser?'

'Ym mha garchar oedd o, Owain?'

'Carchar Preston,' atebodd.

'Diolch, 'ngwas i.'

Ar y ffordd yn ôl i'w swyddfa ei hun tarodd olwg i mewn i swyddfa Lowri Davies. Roedd yr ystafell yn dywyll a hithau wedi mynd adref – dyna ble dylai yntau fod hefyd, meddyliodd, ond roedd ganddo ormod ar ei feddwl. Pan gyrhaeddodd ei ddesg gwelodd nodyn gan y DBA yn dweud fod y Dirprwy wedi cysylltu ynglŷn â'r lluniau a yrrwyd i'r Dirprwy ym Manceinion yn gynharach. Y Ditectif Brif Uwch Arolygydd Benjamin Adams oedd y gŵr a eisteddodd wrth ei ymyl yn Starbucks, Rhostyllen yn gynharach y diwrnod hwnnw. Ni wyddai pwy oedd y ddau arall heb wneud mwy o ymholiadau, ond roedd y Dirprwy ym Manceinion eisoes wedi dod ar draws Adams yn ystod ei gyfnod byr yn y ddinas. Doedd gan Adams ddim cyfrifoldeb dros unrhyw ymchwiliad i blismyn llygredig, ond cofiodd Jeff mai Adams oedd fwy neu lai wedi bygwth Lowri ar y ffôn ddyddiau ynghynt, ar ôl i Arfon Prydderch roi ei big i mewn heb awdurdod.

Trodd Jeff ei sylw'n ôl at Lan Morfa. Gwnaeth ymholiadau, a darganfod fod Jaci Thomas wedi'i garcharu ar y pymthegfed o Fawrth 2017, a'i fod dan glo yng ngharchar Preston rhwng yr wythnos ganlynol a'r degfed o

Ragfyr yr un flwyddyn. Roedd o yno ar yr un pryd â Jim Allen a Trevor Fraser felly. Hysbyswyr oedd yn gyfrifol am yrru'r tri i'r doc. Boswell yrrodd Allen, Chancer, yn ddiarwybod iddo drwy ei chwaer, a yrrodd Fraser yno, a Dilys Hughes, neu Nansi'r Nos, oedd yn gyfrifol am yr wybodaeth a arweiniodd at arestio a charcharu Jaci Thomas.

Ond sut gwyddai Jaci Thomas hynny, ac yntau ymhell i ffwrdd o'r ardal ac unrhyw un a allai fod wedi rhannu'r wybodaeth â fo? Ffoniodd Jeff Garchar Preston, a thrwy lwc roedd Swyddog Kane ar gael.

'Yr un ymchwiliad sydd gen i dan sylw unwaith eto, Mr Kane,' esboniodd Jeff. 'Ond y tro hwn, carcharor o'r enw John Henry Thomas sy'n cymryd fy niddordeb i.' Rhoddodd ddyddiad geni Jaci iddo a'r dyddiadau y bu dan glo yno. 'Oes 'na gofnodion yn cael eu cadw o unrhyw ymwelwyr mae carcharorion yn eu derbyn yn ystod eu carchariad?'

'Oes, ond wn i ddim pa mor bell yn ôl mae'r cofnodion yn mynd ar y system ddigidol. Efallai y bydd yn rhaid i mi chwilota'r archifau papur i ddod o hyd i gofnodion 2017 ... gawn ni weld.'

'Mi fyswn i'n ddiolchgar petaech chi'n medru chwilio cyn gynted â phosib, Mr Kane. Gall hyn fod yn hynod o bwysig.'

'Mi wna i fy ngorau, a gyrru e-bost i'ch pencadlys chi efo unrhyw wybodaeth.'

Diolchodd Jeff iddo.

Edrychodd ar ei watsh – wyth o'r gloch yn barod, ac yntau wedi cychwyn o'i gartref ers hanner awr wedi tri y bore hwnnw. Gobeithiai y byddai Mairwen a Twm bach yn dal ar eu traed pan gyrhaeddai adref.

Pennod 36

'Mae'n wir ddrwg gen i Meira, 'nghariad i, ond does gen i ddim llawer o amser. Wnei di frechdan i mi, plis – dim ond wedi picio adra i ddeud nos da wrth y plant ydw i.'

'Brechdan sydyn, wir. Tydi bwyta fel'na ddim yn lles i ti, Jeff.' Ochneidiodd Meira yn uwch nag arfer er mwyn dangos ei rhwystredigaeth. Rhoddodd Jeff gusan iddi, a brasgamu i fyny'r grisiau.

Ymhen hanner awr rhoddodd gusan arall i Meira, ar y ffordd allan o'r tŷ y tro hwn.

'Ydi Rob Taylor ar ddyletswydd heno?' gofynnodd ei wraig.

'Ydi, mi fydd o yn y ddalfa tan ddau o'r gloch y bore o leia. Pam?'

'Rho hwn iddo fo, plis.' Rhoddodd Meira gof bach yn llaw Jeff.

'Be sy arno fo?'

'Albwm Dafydd Iwan ac Ar Log, *Yma o Hyd*, y ces i ei fenthyg gan Heulwen er mwyn ei lawrlwytho ar system y car. Dwi wedi gwneud copi ar gyfer y tŷ hefyd ... rwbath i mi wrando arno fo pan fydda i ar ben fy hun gyda'r nosau.'

Rhoddodd Jeff y teclyn yn ei boced. Gwyddai'n union beth oedd ystyr ei brawddeg olaf. 'Wnaiff hyn ddim para am byth, 'sti, cariad,' meddai.

'Well iddo fo beidio,' atebodd Meira. 'Ond mi fydd rwbath arall yn siŵr o godi eto cyn hir. Dydi hyn ddim yn ffordd dda o fagu plant bach, Jeff, na chadw dy wraig yn hapus chwaith,' ychwanegodd.

Stopiodd Jeff yn stond ac ochneidiodd yn ddwfn. Dyma'r tro cyntaf erioed i Meira ddweud y fath beth wrtho. Gafaelodd ynddi'n dynn. 'Dwi'n gwybod,' meddai.

'Wyt ti?'

'Mi fydd raid i ni drafod hyn, Meira,' atebodd, 'ond nid heno. Nid rŵan.'

Wrth y giât, hanner canllath o'r tŷ, stopiodd Jeff y car er mwyn edrych yn y drych ôl. Roedd Meira'n dal i sefyll yn y drws ffrynt agored, y golau cynnes o'r tŷ yn ei hamgylchynu. Synnai nad oedden nhw wedi cyrraedd y groesffordd hon cyn heno. Efallai eu bod nhw, ond nad oedd o wedi sylwi.

Yn ôl yn ei swyddfa gwelodd yr e-bost a yrrwyd iddo gan Swyddog Kane o Garchar Preston. Roedd y swyddog wedi cael gafael ar gofnodion yr ymweliadau â Jaci Thomas. Yn ystod yr holl gyfnod y bu Thomas yno, dim ond un ymwelydd a gafodd, a hynny ddwywaith. Ei frawd, Alun Thomas. Roedd cofnod arall yn nodi bod Jaci Thomas wedi treulio un noson dan glo y tu allan i'r carchar tra bu'n rhoi tystiolaeth yn y llys yng Nglan Morfa yn erbyn un o'r bobl a dderbyniodd nwyddau wedi'u dwyn ganddo. Roedd gan Jeff ryw gof o hynny, ond roedd y posibiliadau yn dechrau disgyn i'w lle. Fu Alun yn ei weld yn y celloedd yng Nglan Morfa yr adeg honno hefyd tybed?

Pysgotwr oedd Alun Thomas, yn berchen ar gwch pysgota gweddol fawr. Rai blynyddoedd ynghynt, tra oedd Jaci yn y carchar, roedd Jeff yn rhan o ymchwiliad i lofruddiaeth dynes o'r enw Rhian Rowlands. Darganfuwyd ei chorff yn y môr ar draeth nid nepell o Lan Morfa, a chredwyd ar un adeg mai Gwyddel o'r enw Simon Flynn oedd yn gyfrifol am ei llofruddio. Ceisiodd Flynn ffoi i Iwerddon, gan ofyn i Alun Thomas fynd â fo yn ei gwch drosodd i'r Ynys Werdd un noson, o Fôn. Roedd gan Alun, fel y rhan fwyaf o drigolion yr ardal, gryn feddwl o Rhian a'i gŵr, Rhys, felly penderfynodd ddweud wrth yr heddlu am y trefniant a wnaeth â Flynn.

Ond yr hyn a oedd yn berthnasol i Jeff oedd y ffordd y daeth yr wybodaeth honno i glustiau'r heddlu bum mlynedd ynghynt. Nansi'r Nos a glywodd fod y Gwyddel wedi mynd at Alun y noson honno, a hi gyflwynodd Alun i Jeff er mwyn iddo ddweud yr hanes wrtho. Yn fwy na hynny, roedd y cyfarfod wedi digwydd yn nhŷ Nansi, ac yn ei phresenoldeb. Roedd Jeff yn cofio iddo awgrymu iddi, ar ôl i Alun Thomas adael y noson honno, fod eu perthynas gyfrinachol fel ditectif a hysbysydd yn debygol o fod wedi'i chwalu o ganlyniad i'r cyfarfod hwnnw. Cofiodd iddi ddweud wrtho ar y pryd am beidio â phoeni, ac y gallai hi edrych ar ei hôl ei hun. Os oedd Jeff yn cofio'n iawn, roedd y noson y cafodd o'r wybodaeth tua'r un cyfnod ag y treuliodd Jaci noson yn y ddalfa yng Nglan Morfa dan wyliadwriaeth swyddogion y carchar tra oedd o'n rhoi tystiolaeth yn y llys. Ond ni wyddai a oedd Alun wedi ymweld â fo yn y celloedd yng Nglan Morfa y noson honno.

I ychwanegu at y gofid, Nansi roddodd wybod i Jeff flwyddyn cyn hynny fod nwyddau wedi'u dwyn ar fwrdd cwch Jaci yn yr harbwr, y cwch a ddaeth i feddiant Alun ar ôl hynny. Brawd Nansi oedd wedi gweld Jaci yn ffeilio rhifau cofrestru oddi ar injans cychod wedi'u dwyn. Os oedd Alun wedi dweud hanes y Gwyddel wrth ei frawd tra oedd hwnnw yn y carchar, ni fyddai'n cymryd llawer o ddychymyg i Jaci fod wedi sylweddoli, nid yn unig fod Nansi yn hysbysu i'r heddlu, ond mai hi roddodd yr wybodaeth a'i gyrrodd o i'r carchar am flwyddyn a hanner hefyd.

Roedd yn rhaid iddo ystyried erbyn hyn fod hynny'n wir. Rhedodd ias oer drosto. Hysbysu i'r heddlu, roedd yn sicr, oedd y rheswm am bob un o'r llofruddiaethau: Chancer, Boswell a Glenda Hughes, ac roedd y tri dyn a oedd eisiau dial ar yr hysbyswyr a'u rhoddodd yn y doc wedi sicrhau'r alibi perffaith ar adeg y llofruddiaeth oedd yn berthnasol iddyn nhw, gan adael y ddau arall i wneud y gwaith budr. Jim Allen dramor ar wyliau, Fraser yn y ddalfa, a Jaci Thomas, yn ei ffolineb, wedi dewis yn union yr un math o alibi â Fraser.

Fel Dennis Chancer, roedd Glenda Hughes wedi cael ei saethu oherwydd y camsyniad mwyaf ofnadwy. Nid hi oedd wedi hysbysu yn erbyn Jaci Thomas, ond Nansi, neu Dilys Hughes i bawb arall yn y dref. Doedd ei henw hi ddim yn annhebyg i un Glenda Hughes, yn enwedig i Saeson oedd yn ddieithr i'r ardal. Ond roedd cysylltiad arall hefyd, sef cyfeiriad y ddwy. Roeddynt yn byw gefn-wrth-gefn, mewn tai o'r un rhif: Glenda yn 23 Maes y Don a Dilys yn 23 Maes y Môr. Mwy o gyd-ddigwyddiadau i ddrysu troseddwyr heb lawer o addysg na chrebwyll, na gwybodaeth o'r iaith Gymraeg.

Roedd hi'n rhesymol i Jeff ystyried bod y cynllun wedi dod i fodolaeth yng ngharchar Preston, ac mai Jim Allen oedd wedi plannu'r hadyn ym mhennau'r ddau arall. Os nad oedd hynny'n wir, pam cymaint o oedi ar ôl i Fraser a Jaci Thomas gael eu rhyddhau? Yr ateb, tybiodd, oedd bod y ddau arall wedi bod yn disgwyl i Allen gyrraedd diwedd ei ddedfryd. Lladdwyd Chancer, y llofruddiaeth gyntaf yn y gyfres, wythnosau yn unig ar ôl rhyddhau'r troseddwr caled o is-fyd Manceinion. Felly beth oedd y cysylltiad â Des Slater a'i gof bach, os oedd un o gwbl? Ai cyd-ddigwyddiad llwyr oedd hwnnw, ynghyd â diddordeb y Ditectif Brif Uwch Arolygydd Benjamin Adams yn yr achos? Mwy o gamsyniadau.

A ddylai gysylltu â Nansi? Y peth olaf oedd o eisiau ei wneud oedd ei dychryn hi heb fod angen. Penderfynodd ei ffonio, a bod yn ofalus â'i eiriau.

'Sut wyt ti, Nansi bach?' gofynnodd.

'Jeff, siwgwr candi! Be ti'n neud yn fy ffonio i? Pleser annisgwyl.'

'Be ti'n wneud ar noson fel heno?'

'Disgwyl i ti ddod draw efo potal o win, siŵr iawn! Na, dwi'n mynd allan efo'r genod mewn munud am dipyn o hwyl.'

'Deud i mi, Nansi, fyddi di'n gweld llawer ar Jaci Thomas y dyddia yma?'

'Na fyddaf, diolch i'r nefoedd. Does ganddo fo ddim i'w ddeud wrtha i. Digon posib ei fod o'n dal i bwdu am 'mod i wedi dwyn rhai o'i gwsmeriaid cyffuriau o pan oedd o yn y clinc. Pam ti'n gofyn?'

'Dim rheswm, ond 'mod i wedi clywed ei fod o'n gwybod mai chdi ddeudodd wrtha i am y stwff oedd wedi'i ddwyn ar ei gwch o dro yn ôl.'

'Duw, paid â phoeni am hynny, Jeff bach. Mae digon o ddŵr wedi llifo dan y bont ers hynny. A beth bynnag, mi fedra i drin y diawl yna efo un fraich tu ôl i 'nghefn.'

'Jyst bydda'n ofalus, Nansi. Bydda'n ofalus. Dyna'r cwbwl.'

'Dwi ddim yn dallt. Dwi wedi sortio Jaci allan droeon cyn heddiw.'

'Yli, mi ddo' i draw i dy weld di yn nes ymlaen. Paid ag yfed gormod heno, plis. Mi fydda i isio siarad yn gall efo chdi, ond mae gen i dipyn o betha mae'n rhaid i mi eu gwneud gynta.'

'Dim probs, Jeff. Jyst ffonia fi ac mi fydda i'n disgwyl amdanat ti, yn union fel dwi wedi bod yn disgwyl amdanat ti ers blynyddoedd. Tyrd a photel o fodca efo chdi, os lici di.' Chwarddodd yn obeithiol.

Am unwaith yn ei fywyd, ni wyddai Jeff yn union beth i'w wneud nesaf. Efallai, petai'n gwybod am y trefniadau oedd wedi cael eu gwneud ymhell o dref Glan Morfa y noson honno, y byddai wedi dewis yn wahanol.

Pennod 37

Lle annymunol iawn oedd Carchar Preston. Bu'n un o garchardai gwaethaf Prydain ers iddo gael ei adeiladu yn 1780. Fe'i hailadeiladwyd yn Oes Fictoria, rhwng 1840 a 1895, a thaflwyd miloedd o bobl i bydru mewn budreddi yno tra oedd gweddill y byd yn anghofio amdanynt. Defnyddiwyd yr adeilad ar gyfer y fyddin yn ystod yr Ail Ryfel Byd, a'i drosglwyddo yn ôl i Wasanaeth Carchar y llywodraeth yn 1948. Doedd y lle ddim wedi newid fawr ers hynny, ac er bod gwaith i'w foderneiddio a'i ddatblygu wedi'i wneud sawl tro, doedd y carchar ddim yn cyrraedd y safon angenrheidiol erbyn ail ddegawd yr unfed ganrif ar hugain.

Roedd i'r carchar enw gwael ym mhob ystyr, a'r gorlenwi wedi'i wneud yn lle hynod o afreolus lle'r oedd y swyddogion yn gorfod rheoli trwy drais. Doedd dim rhyfedd fod y carcharorion yn ymateb yn yr un modd. Celloedd sengl oedd y ddarpariaeth ar gyfer y rhan fwyaf o'r saith gant a hanner o garcharorion, a than yn lled ddiweddar roedd yn rhaid i'r dynion wagio'u bwcedi carthion o'u celloedd bob bore.

Sut ar y ddaear roedd o wedi glanio yn y fath le, meddyliodd Jaci Thomas yn ystod ei ddyddiau cyntaf yno ym Mawrth 2017. Doedd o ddim yn garcharor Categori 'B' fel y mwyafrif yno, ond yno roedd o wedi cael ei yrru oherwydd y gorlenwi mewn carchardai ledled Prydain. Er ei fod yn ddyn yn ei oed a'i amser, ac yn frenin ar strydoedd ei dref enedigol, llifodd ofn drosto pan gaewyd y drysau mawr y tu ôl iddo ar ei ddiwrnod cyntaf.

Ymysg y mewnlif o tua dwsin o ddynion eraill y diwrnod hwnnw roedd dyn o'r enw Jim Allen. Deallodd Jaci yn syth fod hwnnw wedi cael ei drosglwyddo yno o garchar Categori 'A' ar ôl treulio rhan o'i ddedfryd yno. Roedd y carcharorion eraill a'r rhan fwyaf o'r swyddogion yn dangos rhyw fath o barchus ofn tuag ato, sylwodd Jaci, a phan geisiodd un swyddog chwilio corff Allen drwy ei ddillad o flaen gweddill y carcharorion, gafaelodd Allen yn ei arddwrn a rhoi'r olwg fwyaf bygythiol i Jaci ei gweld erioed iddo. Doedd Allen ddim yn ddyn mawr, ond tybiodd Jaci ei fod yn ddyn pwerus a brwnt. Yn ystod yr eiliad chwim honno pan afaelodd y carcharor ym mraich y swyddog, teimlodd Jaci becyn yn cael ei wthio i'w law gan Allen. Rhewodd Jaci. Ni wyddai beth ar y ddaear i'w wneud. Roedd ganddo ddau ddewis – ochri efo'r sefydliad a dangos y pecyn i'r swyddog, neu gefnogi'r dyn brwnt wrth ei ochr a chuddio'r pecyn yn ei ddillad. Penderfynodd ar yr ail ddewis, gan obeithio y byddai unrhyw gymorth y gallai ei roi i Allen yn help i ennill ei barch a'i gyfeillgarwch, a hynny o fewn amgylchedd lle'r oedd cefnogaeth dyn o'r fath yn debygol o fod yn fendith.

Nid oedd Jaci wedi disgwyl y cam nesaf. Aethpwyd ag Allen i ystafell fechan gerllaw er mwyn ei archwilio allan o olwg pawb arall. Ar yr un pryd hebryngwyd Jaci i'r ystafell drws nesaf, lle gorchmynnwyd iddo dynnu ei ddillad er mwyn chwilio ei gorff noeth yntau. Teimlai fel petai ei fyd ar ben, ac yntau ddim ond wedi bod yn y carchar am hanner awr. Tynnodd ei ddillad yn ofalus gan guddio'r pecyn yn nefnydd ei drôns. Archwiliodd swyddog arall ei gorff yn fanwl, yn cynnwys y tu mewn i'w geg a'i ben-ôl. Rhoddwyd dillad carcharor glân iddo wisgo yn lle'r lleill, ond cafodd gadw'i ddillad isaf, drwy ryw drugaredd. Wrth roi ei drôns yn ôl amdano, cododd y pecyn bychan a'i stwffio o dan ei bidyn cyn rhoi ei drowsus glân amdano, gan ddiolch na thynnodd sylw'r swyddog a safai gerllaw.

Ni welodd Allen wedyn nes roedd hi'n amser bwyd. Roedd cannoedd o ddynion yn y neuadd fawr, rhai yn bwyta ac eraill yn gwneud dim ond edrych yn fygythiol ar y carcharorion newydd. Drwy gornel ei lygad, gwelodd Jaci fod Allen yn ciledrych arno o fwrdd cyfagos. Doedd dim math o fynegiant ar gyfyl ei wyneb. Rhoddodd Jaci'r wên leiaf a welodd neb erioed iddo, a nodio'i ben, ond dim ond hanner modfedd. Cododd Jaci ar ei draed i fynd â'i hambwrdd at y cownter, a gwelodd Allen yn gwneud yr un fath. Dyma'i gyfle, tybiodd. Yn y ciw o garcharorion, safai Allen y tu ôl iddo, ond roedd nifer o swyddogion yn arolygu pob symudiad. Dychmygodd Jaci nad hwn oedd yr amser gorau, ond roedd Allen, ar y llaw arall, i weld yn benderfynol. O dan yr hambwrdd rhoddodd Jaci ei law i mewn yn ei drowsus a thynnu'r pecyn allan o'i drôns. Yr un eiliad, gollyngodd Allen ei gyllell a'i fforc a phlygodd y ddau ar yr un pryd i'w codi. Dyna pryd y cyfnewidiwyd y pecyn. Ni welodd Jaci yn union beth ddigwyddodd i'r pecyn, na beth oedd ynddo, ond doedd o ddim eisiau gwybod chwaith. Ni fu Jaci mor ddiolchgar i gael gwared ar rywbeth yn ei fywyd. Parhaodd Allen i ymddwyn fel petai dim wedi digwydd, a welodd Jaci mohono am ddyddiau ar ôl hynny. Ymhen amser, ar ôl i Jaci glywed bod Allen yn uchel ei barch yn is-fyd Manceinion, a dysgu pam ei fod o wedi'i garcharu, gwyddai ar unwaith iddo wneud dewis doeth ar ei ddiwrnod cyntaf yng Ngharchar Preston.

Er nad oedd Jaci wedi cael llawer o addysg, cafodd ei hun yn gweithio yn y llyfrgell. Gwaith eithaf diflas, ond pwy oedd o i ddadlau? Yn dilyn y drefn ddyddiol o ddeffro, ymweld â'r ystafell ymolchi ac ati, treuliodd oriau yno bob dydd, yn trefnu ac aildrefnu'r llyfrau a chofrestru pwy oedd yn eu benthyca. Cyn hir, gwerthfawrogodd pa mor ffodus oedd o. Allan o ffordd y nifer o ddigwyddiadau treisgar y clywsai amdanynt yn ddyddiol. Ceisiodd ei orau i gadw draw o'r fath helynt a dysgodd fod y llyfrgell yn lle campus i wneud hynny. Diolchodd hefyd nad oedd cymaint o oruchwyliaeth yno, sefyllfa a roddodd gyfle iddo ymlacio rhyw ychydig.

Roedd y llyfrgell yn cael ei glanhau yn ddyddiol gan wahanol garcharorion, yn union fel gweddill y carchar. Un o'r dynion oedd yn gwneud y gwaith hwn oedd Trevor Fraser. Nid oedd Jaci yn hoff iawn o hwnnw – roedd o'n meddwl ei fod yn gwybod mwy na neb arall am bopeth, ac yn hoff o rannu ei farn bob cyfle a gâi. Er hynny, roedd Trev yn gwybod ei ffordd o amgylch system y carchardai a dewisodd Jaci roi'r argraff iddo ei fod yn hoff o'i gwmni.

Ymhen ychydig wythnosau, dechreuodd Jim Allen ddod i'r llyfrgell. Nid oedd Jaci wedi dod wyneb yn wyneb â fo ers ei ddiwrnod cyntaf yn y carchar, a heb sôn am y digwyddiad efo'r pecyn yn uniongyrchol, dywedodd Allen wrtho am alw arno pe byddai angen gwneud hynny. O gofio statws Allen, gwyddai Jaci fod hwn yn addewid gwerthfawr. Dechreuodd Jaci weld mwy a mwy o Jim Allen, nid yn unig yn y llyfrgell, ond yn y neuadd fwyta ac yn yr ystafell ymolchi yn y bore, hyd yn oed.

Fwy nag unwaith, cafodd Jaci ei hun yng nghwmni Allen a Fraser pan oedd y tri ar eu pennau eu hunain yn y llyfrgell, a hynny heb oruchwyliaeth. Gwelodd y parch a roddwyd i Allen gan Trevor Fraser oherwydd ei safle ym myd treisgar Manceinion. Dangosodd Allen ddiddordeb yn Fraser a Jaci gan holi am Telford, cartref Trevor Fraser, a'r dref glan-môr fechan lle'r oedd Jaci, yn ôl pob golwg, yn bysgotwr llwyddiannus. Addawodd Jaci fynd â fo i bysgota ar ôl i'r ddau gael eu rhyddhau. Ni wyddai'r un o'r ddau mai edrych i ddatblygu ei fusnesau troseddol yn yr ardaloedd hynny roedd Allen, a bod y syniad o symud ei gyffuriau yn ehangach ar gwch Jaci wedi sbarduno'i ddychymyg.

Aeth wythnosau heibio cyn i Alun Thomas, brawd Jaci, ddod i ymweld â fo yn y carchar. Doedd awr ddim yn llawer o amser i Jaci holi am yr hyn oedd yn digwydd yng Nglan Morfa, ond cawsant amser i drafod rhai pethau pwysig.

'Wyt ti'n edrych ar ôl fy nghwch i, Alun bach?' gofynnodd Jaci yng nghanol y sgwrs.

'Siŵr iawn, Jac. Mi es i â fo i'r iard i atgyweirio'r injan ac ma' hi'n mynd fel watsh rŵan,' atebodd. 'Gwell na newydd!'

'Blydi hel,' atebodd Jaci. 'Ma' raid bod y pysgota'n dda – mi gostiodd hynny ffortiwn i ti.'

'Chostiodd o ddim i mi,' atebodd Alun gan chwerthin. 'Rhyw Wyddel dalodd am y cwbwl.'

'Rargian, sut felly?' gofynnodd ei frawd.

'Stori hir, ond ti'n cofio Rhys Rowlands sy'n cadw garej tu allan i'r dre 'cw?'

'Siŵr iawn. Hen foi iawn.'

'Wel, mi gafodd Rhian, ei wraig o, ei mwrdro fis

dwytha. Ffeindiwyd 'i chorff hi ar y traeth tu allan i'r dre. Uffar o le – plismyn ym mhob man am ddyddiau. Mi ddaw'r hanes allan cyn hir ma' siŵr, ond mi oeddan nhw'n amau rhyw Wyddel i ddechra, boi oedd wedi gwneud rwbath tebyg draw yn Werddon. Mi oedd ei lun o ar y newyddion a bob dim. A'r noson honno, mi ddaeth o draw ata i, lawr yn yr harbwr, pan o'n i'n twtio yn barod at y bore wedyn, ac mi gynigodd ddwy fil o bunnau i mi am fynd â fo drosodd i Ddulyn.'

'Est ti ddim â fo, gobeithio.'

'Naddo siŵr – mi oedd gen i dipyn o feddwl o Rhian druan. Ond mi ofynnis i am dair mil ganddo fo, a deud y byswn i'n mynd â fo ar lanw'r bore. Mi gytunodd, a dyma fi'n gofyn am fil o flaen llaw a threfnu i'w gyfarfod o wrth y cwch yn y bore. Y cont gwirion iddo fo! Dyma fi'n sôn am y peth wrth y wraig 'cw ac mi ddeudodd honno wrth y Dilys Hughes goman 'na. Ffoniodd honno fi wedyn, yn deud y dylwn i sbragio am y boi i'r cops.'

Roedd Jaci yn glustiau i gyd wrth glywed am yr holl gyffro yng Nglan Morfa.

'Mi ddeudis i y byswn i, ac mi ges i alwad yn ôl gan Dilys yn deud wrtha i am fynd i'w thŷ hi. Pan gyrhaeddis i yno, mi oedd y ditectif 'na, Jeff Evans, yno'n disgwyl amdana i.'

'Evans! Y bastard, yn ei thŷ hi? Fo a'i griw yrrodd fi i lawr.'

'Wel ... ia, ond be fedrwn i neud? Gwneud er mwyn Rhian nes i.'

'Digon teg. Ond fedra i ddim dallt y ddynas 'na'n gwadd y ffycin Evans 'na i'w thŷ.'

'Paid â bod yn rhy galed, Jac. Evans ddaru adael i mi gadw'r mil o bunnau ges i gan y Gwyddel fel blaendal. Ac

304

efo hwnnw gwnes i dalu am atgyweirio injan dy gwch di.'

'Wel, os felly, mi wnest ti'n iawn. Be ddigwyddodd i'r Gwyddel?'

'Mi gafodd o ei arestio y bore wedyn, ond yn ôl pob golwg nid fo laddodd Rhian.'

Chysgodd Jaci Thomas ddim llawer y noson ar ôl ymweliad ei frawd, gan droi a throsi yn ei gell. Nid hanes y Gwyddel oedd yn ei boeni, ond y ffaith fod Dilys Hughes mor gyfarwydd â'r ditectif Jeff Evans. Cofiodd Jaci mai brawd Dilys a'i gwelodd yn dileu rhif cofrestru oddi ar injan ychydig cyn i'r heddlu gynnal cyrch ar ei gartref a'i gwch. Doedd dim angen llawer o ddychymyg i ddyfalu pwy oedd wedi pasio'r wybodaeth honno i'r heddlu. Doedd ganddo ddim amheuaeth o gwbl mai hysbysydd Evans oedd Dilys Hughes, ac roedd hynny yn ei gorddi.

Roedd y llyfrgell yn lle da i ddysgu am yr hyn oedd yn digwydd yn rhannau eraill y carchar. Dysgodd un diwrnod fod yr holl garcharorion a oedd yn gweithio yn y gegin wedi cael eu symud oddi yno ar ôl i lwyth mawr o gyffuriau gael ei ddarganfod wedi'i guddio yno. Doedd y bwyd ddim cystal am sbel wedyn.

O fewn ychydig wythnosau, yn gynnar un bore, roedd Jaci Thomas a Jim Allen yn sefyll yn noeth y tu allan i'r ystafell ymolchi yn disgwyl am eu tro i ddefnyddio'r gawod pan ddaeth sgrech o'r fan honno. Gafaelodd Allen ym mraich Jaci.

'Aros,' sibrydodd wrtho. 'Paid â rhoi dy big i mewn.'

Parhaodd y sgrechian am nifer o eiliadau ac yna, ymhen rhai munudau, ymddangosodd dyn ifanc allan o ystafell y gawod yn gwisgo'i ddillad ac yn berffaith sych. Cerddodd allan a'i ben i lawr heb edrych ar y ddau a oedd yn disgwyl eu tro. Doedd neb arall o gwmpas. Adnabu Allen a Jaci Thomas y dyn ar unwaith, er nad oeddynt yn gwybod ei enw. Ymhen sbel rhoddodd y ddau eu pennau i mewn i stafell y gawod. Roedd y dŵr yn dal i redeg, yn goch, ac eisteddai corff noeth dyn yn y gornel, ei geg a'i lygaid yn farw agored a'r dŵr yn llifo dros nifer o glwyfau trywanu o gwmpas ei galon, ei stumog a'i wddf. Ar y llawr, wrth ochr y corff, roedd llwy fwrdd waedlyd a'i handlen wedi'i ffeilio'n finiog. Mor finiog â chyllell newydd.

'Reit, dyma'n stori ni,' meddai Allen. 'Cofia nad oes neb yn achwyn mewn lle fel hwn. Mi gerddon ni'n dau i mewn yma efo'n gilydd, fi ar yr ochr dde a chditha ar y chwith i mi. Dyma be welson ni. Doedd neb arall o gwmpas. Ti'n dallt? Neb.'

Roedd Jaci wedi cynhyrfu cymaint, allai o wneud dim ond cytuno, nid bod ganddo ddewis arall.

Yn ystod yr oriau a'r dyddiau nesaf gwahanwyd y ddau, a chawsant eu holi'n fanwl gan awdurdodau'r carchar a'r heddlu. Ni ddywedodd yr un o'r ddau air nad oedd wedi'i gytuno o flaen llaw, ac o fewn yr wythnos syrthiodd popeth yn ôl i'w le fel petai dim wedi digwydd. Yn ystod yr ymchwiliad ni chafwyd unrhyw wybodaeth am y llofrudd, er bod awgrym fod dau ddyn, o leiaf, yn gyfrifol – y llofrudd a'r un a drodd y camerâu cylch cyfyng ymaith am gyfnod penodol. Daeth i'r amlwg ymhen ychydig ddyddiau mai'r dyn a lofruddiwyd yn y gawod a ddywedodd wrth y swyddogion am bresenoldeb y cyffuriau yn y gegin.

Yn y llyfrgell un diwrnod, yn fuan wedi hynny, cafodd Jim Allen, Jaci Thomas a Trevor Fraser sgwrs.

'Mi oedd y diawl yn haeddu'r cwbl a gafodd o. Mae'n gas gen i hysbyswyr,' meddai Allen. 'Tystiolaeth gan hysbysydd roddodd fi yn y twll lle 'ma. Doedd gan y cops ddim byd arall yn f'erbyn i. Ond mi ga' i afael arno fo, y diawl iddo fo, un diwrnod, mae hynny'n sicr.'

'Dyna ddigwyddodd i mi hefyd,' cytunodd Fraser, gan adrodd hanes Dennis Chancer.

'Dyna ryfedd,' meddai Jaci yntau, yn falch o gael bod yn aelod o'r clwb cyfrin hwn. 'Dyna'n union ddigwyddodd i finna hefyd.' Adroddodd yr hanes i'r ddau arall, gan enwi Dilys Hughes fel yr un a oedd yn gyfrifol am ei garcharu.

'Glywsoch chi am y llofruddiaeth berffaith?' gofynnodd Allen. 'Mae'n hollol bosib. Yr unig beth mae'n rhaid ei gael ydi alibi. Felly, dyma be wnawn ni ...' dechreuodd, yn awdurdodol.

Gwrandawodd y ddau ar y meistr creulon o Fanceinion, a chyn hir roedd y cynllun wedi'i baratoi, a'r tri wedi ysgwyd llaw i selio'r fargen.

Unwaith eto y noson honno, ni allai Jaci Thomas gysgu. Oedd o wir wedi rhoi ei hun yn y fath sefyllfa? Ni ddychmygodd erioed y byddai'n ystyried lladd neb, heb sôn am gynllwynio i wneud hynny. Sut allai o ddod allan o'r cytundeb? Roedd Jim Allen wedi mynnu fod Trev ac yntau'n ymrwymo i'r peth cyn dechrau trafod y cynllun. Gobeithiai Jaci y byddai Allen wedi anghofio am y cwbwl erbyn i'w garchariad ddod i ben, ac erbyn hynny byddai Jaci yn ôl yn saff yng Nglan Morfa yng nghwmni'r gwylanod, yn dal pysgod bach ar y môr mawr.

Ni wyddai Trevor Fraser na Jaci Thomas pryd yr oedd Jim Allen i fod i gael ei ryddhau, ond doedd dim rhaid iddynt ddisgwyl yn hir cyn iddo gysylltu â nhw. Er eu bod yn falch o gael cefnogaeth dyn fel Allen y tu mewn i furiau Carchar

Preston, byddai'n well ganddynt o lawer anghofio'r cwbl amdano ar ddiwedd eu dedfryd. Ond gwyddai'r ddau nad oedd posib tynnu'n ôl o'r fath gytundeb â'r dyn brwnt o Fanceinion.

Roedd Allen yn ddyn cyfrwys – trefnodd ei fod o a Jaci yn lladd Chancer ar ran Fraser yn gyntaf. Allen, wrth gwrs, gymerodd yr awenau. Bu bron i Jaci lenwi ei drowsus y noson honno pan eisteddodd yng nghefn car Dennis Chancer a gwasgu'r cortyn rownd ei wddf er mwyn dal ei ben yn ddigon llonydd i Allen, heb fath o deimlad yn y byd, ddal y gwn wrth ei ben a thynnu'r triger. Gwyddai y byddai'n cofio'r digwyddiad am weddill ei oes, ond beth allai o wneud, ac yntau dan ddylanwad dyn fel Allen?

Ar ôl cael gwared ar Dennis Chancer roedd Allen yn feistr ar y ddau, a doedd dim modd gwrthod saethu Boswell ar ei ran yn ogystal. Cafodd y gwaith hwnnw ei gwblhau gyda thipyn o gymorth cyfeillion Allen o Fanceinion, ond er gwaethaf eu help nhw, roedd y ffordd y saethwyd Sydney Boswell gan Jaci Thomas a Trevor Fraser yn amhroffesiynol a dweud y lleiaf.

Amhroffesiynol oedd y gair i ddisgrifio'r drydedd lofruddiaeth hefyd. Y ddynes anghywir, yn y tŷ anghywir. Cyd-ddigwyddiad oedd bod y ddynes a laddwyd yn adnabod un o wrthwynebwyr Allen ym Manceinion. Ac i ychwanegu at y llanast bu'n rhaid iddo roi stop ar Fraser, a oedd yn mynnu chwilio'r ystafell wely am rywbeth gwerthfawr i'w ddwyn. Ymddygiad cwbl amhroffesiynol. Cafodd Allen andros o sioc pan gafodd alwad ffôn gan Jaci Thomas y diwrnod canlynol yn egluro eu camgymeriad. Rhoddodd Allen y bai yn gadarn ar ysgwyddau Trevor Fraser. Ar ôl gyrru'r Audi du i Lan Morfa bythefnos cyn y llofruddiaeth er mwyn paratoi, gwnaeth y camgymeriad o adael i Fraser wneud yr ymholiadau terfynol ac i gyfarwyddo'i hun â'r tŷ ar droed. Dysgodd Allen yn ddiweddarach fod y dyn o Telford wedi gwneud camgymeriad nid yn unig gydag enw'r stryd, ond hefyd gydag enw'r ddynes a oedd wedi hysbysu ar Jaci. Nid oedd darllen yn un o gryfderau Fraser, yn enwedig darllen Cymraeg, a sut roedd o i fod i wybod bod mwy nag un ddynes â'r cyfenw Hughes yn byw yn y stad?

Ond mater bach i ddyn fel Allen oedd llofruddio'r ddynes anghywir. Addawodd i Jaci y byddai'r camgymeriad yn cael ei gywiro cyn gynted â phosib, ond y buasai'n well iddo gadw draw nes y byddai llai o blismyn yn yr ardal.

Pennod 38

Bu Jeff yn pendroni ar ôl siarad efo Nansi y noson honno. Yn y diwedd, penderfynodd roi caniad arall i Ditectif Sarjant Arnold Peters yn Telford.

'Mae'n ddrwg gen i dy boeni di eto, Arnold,' meddai. 'Ond gest ti afael ar Bill Smith, y dyn fu'n cwffio efo Fraser yn y dafarn, eto?'

'Naddo, yn anffodus. Dydi o ddim adra, ond mae dau o'r hogiau acw allan yn chwilio amdano fo ar hyn o bryd.'

'Wel, mi ydw i mor sicr ag y galla i fod erbyn hyn ei fod o a Fraser ynghlwm yn y cyfan.' Eglurodd Jeff y rhesymau pam. 'Os gewch chi afael arno fo, mae 'na ddigon o dystiolaeth erbyn hyn i'w arestio fo am fod yn rhan o'r cynllwyn i lofruddio Dennis Chancer – a digon i ailarestio Fraser hefyd. Ella gwnaiff Smith siarad wedi iddo sylweddoli ei fod wedi chwarae rhan mor bwysig yn llofruddiaeth Chancer.'

'Gad o i mi,' atebodd Peters. 'Mi ffonia i di yn ôl unwaith y bydd yna unrhyw newydd.'

Newydd roi'r ffôn yn ôl i lawr yn ei grud ar y ddesg yr oedd Jeff pan ganodd ei ffôn symudol yn ei boced. Synnodd weld enw'r cipar afon, Esmor Owen, ar y sgrin. Edrychodd ar yr amser: ugain munud wedi deg. Anaml iawn roedd Esmor yn ei ffonio, yn enwedig yr adeg honno o'r nos.

'Be ti isio, Es?' gofynnodd. Sylweddolodd wrth eu

hyngan fod ei eiriau ychydig yn rhy siarp, felly ychwanegodd, 'be sy'n dy boeni di, yr hen fêt?' gan geisio swnio dipyn yn fwy clên. Wedi'r cyfan, roedd y ddau wedi bod yn gyfeillion ers blynyddoedd, a doedd gan Esmor ddim ffordd o wybod faint oedd gan Jeff ar ei blât.

'Gwranda, Jeff,' dechreuodd Esmor, a sylwodd Jeff fod mwy nag arfer o gyffro yn ei lais. 'Cael peint bach ydw i, lawr yn y Rhwydwr. Dwi ddim yn licio ffonio'r swyddfa 'cw a chreu helynt heb fod angen, ond well i ti ddeud wrth y bois mewn iwnifform am fod yn barod i ddelio efo dipyn o helynt yn fama heno.'

'O? Be sy'n mynd ymlaen?'

'Cadw golwg ar y blydi Jaci Thomas 'na ydw i. Ma' hi jyst y noson i botsio eog heno – noson glir efo hanner lleuad – a dwi isio bod un cam ar y blaen iddo fo.'

Cododd clustiau Jeff pan glywodd enw Jaci, ac yntau wedi meddwl cymaint amdano yn ystod yr oriau diwethaf.

'Dwi'n siŵr ei fod o â'i flys ar godi twrw yma eto heno, yn union fel y gwnaeth o bythefnos yn ôl. Yn y stafell gefn ydw i, a dydi o ddim yn gwbod 'mod i yma.'

Roedd Jeff wedi clywed digon i wneud penderfyniad. 'Cadwa olwg arno fo, Esmor. Mi fydda i i lawr yna efo chdi mewn dau funud, ac mi gei di ddeud yr holl hanes wrtha i bryd hynny.'

'Mi goda i beint i ti.'

Gan mai nos Lun oedd hi, doedd dim mwy na dwsin o bobl yn y bar, a dim ond dau arall oedd yn chwarae darts yn yr ystafell gefn lle'r oedd Esmor yn eistedd yn disgwyl am Jeff. Roedd dau wydr peint yn llawn o gwrw chwerw o'i flaen. Ar y ffordd i mewn drwy'r drws cefn cafodd Jeff gip ar Jaci Thomas yng nghwmni ei frawd, Alun, ond sleifiodd heibio cyn iddyn nhw ei weld.

'Wel, be 'di'r sgôr, Es?' gofynnodd, ar ôl eistedd a chymryd llwnc bychan o'i gwrw.

'Cael peint ar ei ben ei hun, yn ddistaw braf, oedd Jaci tua hanner awr yn ôl, pan gafodd o neges ar ei ffôn. A dyna pryd yr altrodd petha. Mi ddarllenodd beth bynnag oedd ar y sgrin a newidiodd ei holl agwedd yn syth, fel petai o wedi cynhyrfu'n lân. Mi aeth o allan i'r cyntedd a'i ffôn yn ei law, ac mi welis i o'n ffonio rhywun. Mi ddaeth yn ôl i'r bar a chodi peint arall a wisgi mawr iddo fo'i hun, a llowcio'r cwbwl cyn codi peint arall. Ac yna mi ddechreuodd o godi'i lais efo rhyw foi oedd wrth ei ochr, fel tasa fo'n trio codi twrw, wyddost ti be sgin i?'

Nodiodd Jeff ei ben, gan deimlo'r cyffro'n llifo drwyddo.

'Ymhen ryw bum munud,' parhaodd Emrys, 'mi gyrhaeddodd ei frawd o, Alun, a mynd i sefyll ato wrth y bar. Dwi'n ama' mai Alun ddaru Jaci ffonio tra oedd o yn y cyntedd. Y peth nesa welis i oedd Jaci yn tynnu ei ffôn o'i boced a'i roi yn slei yn llaw Alun. Yn slei, cofia di, Jeff. Mi roddodd hwnnw'r ffôn yn ei boced yr un mor slei. Pam hynny, medda fi wrtha' i fy hun? Doedd dim rheswm am y peth. Mae 'na rwbath yn mynd ymlaen heno, Jeff. Mae hynny'n saff i ti.'

Ar hynny, clywyd lleisiau'n codi o gyfeiriad y bar, sŵn cadeiriau a byrddau'n cael eu taflu drosodd a phobl yn gweiddi a sgrechian. Cododd Jeff i edrych, a gwelodd Jaci yn cwffio efo dyn arall, a oedd yn gwaedu o archoll yn ei dalcen. Yn rhyfedd, roedd Alun Thomas yn cadw'n glir o'r helynt, heb wneud math o ymdrech i helpu ei frawd na'i ddal yn ôl. Ymddangosodd hogia'r heddlu yn gyflym, ond wnaeth Jeff ddim rhoi unrhyw fath o gefnogaeth iddyn nhw. Gwylio oedd ei dasg o heno, ac roedd digon o blismyn i ddelio efo Jaci heb ei help o, er ei fod o'n taflu dyrnau i'w cyfeiriad fel melin wynt. Ymhen dim, llusgwyd Jaci allan o'r dafarn mewn gefynnau, a hynny am yr ail waith o fewn pythefnos. Yr ail dro iddo ddefnyddio'r un alibi. Pa mor ddwl oedd hynny? Ond eto, efallai nad oedd Jaci, y tro hwn, wedi cael cyfle i baratoi cynllun gwahanol. Tybiodd Jeff ei fod yn gwybod pam.

Cadwodd Jeff lygad barcud ar Alun Thomas, a adawodd y bar yn ddistaw drwy'r drws cefn. Dilynodd Jeff o i'r lôn fach gul, dywyll a redai am ddeugain llath i gyfeiriad ffrynt yr adeilad lle, yn llewyrch y llu goleuadau glas, roedd y plismyn yn brwydro i geisio rhoi Jaci yng nghefn un o geir yr heddlu. Roedd Jeff ar fin rhoi ei law ar ysgwydd Alun Thomas pan drodd hwnnw rownd i'w wynebu.

'O, chi sy 'na, Mr Evans,' meddai Alun, yn amlwg wedi dychryn.

'Ia, Alun. Fi sy 'ma. Meddwl ydw i pam dy fod ti'n gadael y dafarn 'ma'n ddistaw bach fel hyn, a dy frawd yn gwneud cymaint o sioe o adael drwy'r drws ffrynt?'

'Wel ... does gen i ddim amser i ryw betha fel'na, Sarjant Evans. Os ydi Jaci isio codi twrw a dechrau cwffio, mater iddo fo ydi hynny.'

'Be roddodd o yn dy law di yn y bar, Alun, pan gyrhaeddaist ti gynna ar ôl cael galwad ffôn ganddo fo?'

'Dim byd,' atebodd.

Sylwodd Jeff na wnaeth o wadu derbyn yr alwad gan ei frawd. 'Dwi isio i ti feddwl yn galed cyn ateb y cwestiwn, Alun. Annoeth iawn fyddai i ti ddeud celwydd wrtha i rŵan.

Be sy gen ti yn dy feddiant ar hyn o bryd sy'n perthyn i dy frawd?'

'Dim byd, Sarjant Evans. Chwiliwch fy mhocedi fi os leciwch chi.'

Doedd dim rhaid rhoi'r cynnig iddo ddwywaith. Edrychodd Jeff trwy ei ddillad yn fanwl a thynnodd ffôn symudol o boced ei gôt.

'Be 'di hwn?' gofynnodd.

'Ffôn, siŵr iawn,' atebodd Thomas.

'Dy ffôn di 'ta ffôn Jaci?'

'Be fyswn i yn ei wneud efo ffôn fy mrawd?'

'Mae tyst,' parhaodd Jeff, 'wedi gweld Jaci yn rhoi ei ffôn yn dy law di yn y bar 'na ddim mwy na hanner awr yn ôl, ac mi welwyd chdi'n ei roi o ym mhoced dy gôt.'

Edrychodd Jeff trwy'r ffôn, y cysylltiadau a'r negeseuon, ac roedd yn rhaid iddo gyfaddef mai ffôn Alun Thomas oedd o. Heb ofyn am ganiatâd, edrychodd Jeff drwy'r rhestr o alwadau – enw Jaci oedd yn cael ei nodi fel tarddiad yr alwad olaf. Daliodd ei afael yn y ffôn. Ond ble oedd y ffôn arall? Oedd Esmor wedi gwneud camgymeriad, tybed? Roedd hynny'n annhebygol iawn ym marn Jeff.

Yna, canodd ffôn Jeff, a gwelodd enw Arnold Peters ar y sgrin. Atebodd yr alwad, gan ofyn i Arnold ddisgwyl am eiliad. Gwaeddodd Jeff ar un o'r plismyn mewn iwnifform a oedd yn dal i fod tu allan i flaen y dafarn, a gofyn iddo gymryd gofal o Alun Thomas.

'Mae hwn i aros yn fan hyn tra dwi'n ateb yr alwad yma,' meddai wrth y cwnstabl. 'Ac os oes gen ti dortsh, chwilia rhwng fama a drws cefn y dafarn am ffôn symudol sydd wedi cael ei daflu. Ond paid â gadael i'r dyn yma fynd.'

'O, dach chi'n fy arestio fi rŵan, ydach chi, Sarjant Evans?' meddai Thomas.

'Os oes rhaid,' cadarnhaodd Jeff.

'Ar ba gyhuddiad?'

'Mi fydda i'n siŵr o feddwl am rwbath.' Nid dyna'r ateb roedd Alun Thomas wedi'i ddisgwyl.

Camodd Jeff i'r naill ochr gan ddal i gadw golwg ar Thomas a'r plismon.

'Mae'n ddrwg gen i am hynna, Arnold,' meddai. 'Be sy gen ti i mi?'

'Bill Smith. Dyna be sydd gen i. Mae o efo ni yn y ddalfa ar hyn o bryd, yn cachu yn ei drowsus ac yn canu fel deryn du.'

'Dda gen i glywed, Arnold. Be sy ganddo fo i'w ddeud?'

'Digon. Fel roeddat ti'n deud, roedd yr hyn ddigwyddodd rhyngddo fo a Fraser yn y dafarn wedi'i gynllunio er mwyn rhoi alibi i Fraser yn ddiweddarach y noson honno, ond mae o'n taeru ar fedd ei fam nad oedd o'n gwybod pam roedd Fraser angen alibi. Mi feddyliodd yn ystod yr wythnosau wedyn fod gan y cwbl rwbath i'w wneud â llofruddiaeth Chancer, ond doedd ganddo ddim prawf o hynny, medda fo.'

'Da iawn, Arnold,' meddai Jeff. 'Wnei di ei gadw fo yn y ddalfa nes y cawn ni afael ar Fraser ei hun?'

'Siŵr iawn, Jeff, ond mae gen i fwy o wybodaeth i ti. Mi welodd Bill Smith ei fêt, Trevor Fraser, yn gynharach heno medda fo, yn cael ei gasglu gan ddyn arall nad oedd Smith yn ei nabod, a'i yrru ymaith.'

'Sut gar oedd o, Arnold?'

'Dydi o ddim yn sicr, Jeff. Rwbath tebyg i VW Golf neu Audi o'r un maint. Un du,' ychwanegodd.

'Car tebyg i'r un oedd ym maes parcio Tesco yna yn Telford noson y cyrch cyffuriau,' meddai Jeff.

'A pheth arall, Jeff. Oes 'na bosib bod rhai o blismyn Heddlu Gogledd Cymru allan ar ein patshyn ni yn Telford heno?'

'Ddim i mi fod yn gwybod, Arnold. Pam?'

'Pan oedd fy hogia i allan yn chwilio am Bill Smith yn gynharach, mi welon nhw gar arall, BMW llwyd, yn ymddwyn yn amheus. Mae rhif cofrestru hwnnw wedi'i flocio ar gyfrifiadur cenedlaethol yr heddlu. Peth rhyfedd. Dim ond meddwl oeddwn i.'

'Nid un o geir Heddlu Gogledd Cymru ydi o, Arnold. Ond diolch i ti am adael i mi wybod.'

Diffoddodd Jeff y ffôn. 'Diddorol iawn,' meddai wrtho'i hun.

Trodd ei sylw yn ôl i gyfeiriad Alun Thomas a'r plismon ifanc, a dywedodd wrth y plismon am gamu ymaith er mwyn iddo gael gair cyfrinachol efo Thomas. Wedi i'r plismon fynd allan o'u clyw, trodd Jeff i wynebu Alun Thomas a'i wthio yn erbyn wal gefn y Rhwydwr, a'i ddal yno. Gwyddai pa mor agos i'w le oedd Esmor bob amser, ac ar hyn o bryd roedd yn fodlon cymryd siawns ei fod o'n dweud y gwir y tro hwn hefyd. Pwysodd Jeff yn nerthol yn erbyn gwddf Alun Thomas gyda'i benelin a siaradodd yn ddistaw, ond yn eglur, yn ei glust. Roedd dwy lygad Thomas yn anferth, a llygaid Jeff ar dân.

'Gwranda, Alun. Dyma'r sefyllfa, yli. Yr alwad ffôn 'na dderbyniais i rŵan. Cadarnhad oedd hwnna dy fod ti wedi derbyn ffôn symudol dy frawd yn gynharach, fel y deudis i,' meddai. 'Mi wnest ti ei guddio, neu gael gwared arno fo, cyn i mi gael gafael ynddat ti. Rwyt ti'n rhan o rwbath difrifol iawn – yr unig beth dwi ddim yn ei wybod ydi pa mor ddwfn wyt ti yn yr holl achos. Mi all hynny olygu'r gwahaniaeth rhwng chydig o fisoedd neu chydig o flynyddoedd i ti yn y carchar. Rŵan ta, Alun, be wnest ti efo ffôn symudol Jaci?'

Gweithiodd y bygythiad.

'Wn i ddim byd am unrhyw fater difrifol, Sarjant Evans, tasa Duw yn fy lladd i'r munud 'ma.'

'Lle mae'r ffôn, Alun? Mi gawn ni drafod be ti'n wybod a be ti ddim yn wybod ar ôl i ti ddangos i mi lle mae o.'

'Mi luchiais i o i'r clawdd acw pan welis i eich bod chi'n fy nilyn i allan o'r dafarn,' cyfaddefodd.

'Pam?'

'Jaci ddeudodd fod 'na wybodaeth arno nad oedd o isio i'r heddlu gael gwybod amdano, ond wn i ddim mwy na hynny. Wir i chi.' Roedd Alun Thomas yn chwysu chwartiau.

Galwodd Jeff y plismon yn ei ôl. Yna, gafaelodd yn ffôn Alun a phwyso ar enw Jaci ar y sgrin. Ymhen eiliad neu ddwy, clywyd sŵn ffôn Jaci yn canu yn y tywyllwch rywle yn y llystyfiant gerllaw. Yng ngolau ei dortsh chwiliodd y plismon ifanc amdano, a chafodd afael arno ymhen dim. Rhoddodd y ffôn i Jeff.

'Dos ag Alun Thomas i mewn,' meddai Jeff wrth y plismon, 'ar gyhuddiad o geisio cuddio tystiolaeth. A gwna'n siŵr nad ydi o'n cael cyfle i siarad efo'i frawd, na hyd yn oed ei weld o,' ychwanegodd. 'Dydw i ddim isio i Jaci Thomas gael gwybod bod ei frawd dan glo heno hefyd.'

Wedi iddynt ddiflannu, edrychodd Jeff drwy ffôn Jaci Thomas. Roedd nifer o gysylltiadau, pob un wedi eu nodi gydag enwau llawn. Pob un ond dau, oedd wedi eu nodi yn ôl llythrennau cyntaf eu henwau yn unig. JA oedd un a TF oedd y llall. Nid oedd angen llawer o ddychymyg i ddyfalu pwy oedden nhw. Chwiliodd Jeff ymhellach a gwelodd negeseuon WhatsApp rhwng y tri. Roedd y rhai diweddaraf wedi eu gyrru yn gynharach y noson honno.

Oddi wrth Allen: 'Heno.'

Ateb Jaci Thomas: 'Oes gen i amser? Pryd?'

Oddi wrth Allen: 'Cyn i ti droi rownd.'

Dyma'r cadarnhad. Roedd yr Audi ar ei ffordd ac roedd gan Jaci Thomas alibi penigamp eto heno – yr un alibi ag a ddefnyddiwyd ganddo bythefnos yn ôl. Pa mor dwp oedd Jaci i wneud hynny? Ond rhewodd Jeff wrth sylweddoli beth oedd ar droed.

Nansi!

Pennod 39

Yn ystod y munudau nesaf, ceisiodd Jeff gysylltu â Nansi sawl gwaith. Pam nad oedd hi'n ateb ei ffôn? Gobeithiai i'r nefoedd ei bod hi mewn tafarn swnllyd ac nad oedd hi'n ei glywed yn canu. Doedd o ddim eisiau meddwl am y posibiliadau eraill.

Roedd ei emosiynau'n cael eu tynnu'n griau wrth i'w gar wibio i gyfeiriad 23 Maes y Môr. Roedd Dilys Hughes wedi bod yn hysbysydd iddo ers dros ddeng mlynedd bellach – hi oedd yr hysbysydd gorau iddo ei chael erioed – a theimlai'n gyfrifol am y sefyllfa yr oedd hi ynddi. Er ei bod wedi mentro i'r sefyllfa beryglus o'i gwirfodd, gwyddai ei fod yntau, yn enwedig yn y dyddiau cynnar, wedi ei hannog a'i meithrin hi'n ofalus, ac wedi dibynnu'n drwm ar eu perthynas gyfrinachol a'r wybodaeth a roddodd iddo. Dyna pam y teimlai mor gyfrifol am yr hyn a allai ddigwydd iddi heno.

Parciodd Jeff ei gar bellter gweddus oddi wrth ddrws ffrynt ei thŷ. Roedd yr holl stryd yn ddistaw ac yn dywyll, yn cynnwys rhif 23. Gobeithiai Jeff fod y tywyllwch hwnnw'n golygu nad oedd hi wedi cyrraedd adref o'i noson allan efo'r genod, ac nad oedd ganddi syniad o'r hyn oedd yn cael ei gynllwynio ar ei chyfer. Ei gynllun oedd cael gafael ar Nansi a mynd â hi i rywle diogel tra byddai o'n gosod rhyw fath o drap i arestio Allen a Fraser. Oedd o'n rhy hwyr?

Cerddodd Jeff yn ddistaw a phwyllog i gefn ei thŷ. Ni allai beidio ag edrych ar gefn y tŷ lle'r oedd Glenda Hughes wedi byw tan bythefnos yn ôl. Roedd y tâp glas a gwyn yn dal i atal mynediad i'r ardd. Yn ofalus, agorodd y giât a arweiniai i iard gefn tŷ Nansi, a cherddodd i fyny'r llwybr byr tuag at y drws cefn. Doedd dim arlliw o olau yn unman, ond·yna clywodd sŵn gwydr mân yn crensian o dan ei draed. Daliodd ei wynt pan welodd fod y ffenest wrth ochr y drws wedi malu. Trodd ddwrn y drws a darganfod nad oedd o wedi'i gloi. Yn wyliadwrus, cerddodd i mewn i'r tywyllwch.

'Nansi,' galwodd yn ddistaw. Defnyddiodd ei llysenw yn bwrpasol – dim ond fo fyddai'n ei ddefnyddio, a gwyddai hithau hynny hefyd. 'Nansi!' galwodd eto, ychydig uwch. 'Wyt ti yna?'

Ni fedrodd Jeff wneud dim i osgoi'r ergyd galed a ddaeth o'r tywyllwch i daro ochr ei ben. Disgynnodd yn anymwybodol i'r llawr. Ni wyddai pa mor hir y bu'n gorwedd yno, ond pan ddaeth ato'i hun roedd y sgrechian mwyaf ofnadwy yn atseinio o'i amgylch.

Roedd Dilys Hughes yn reit feddw pan gerddodd tuag at ddrws ffrynt ei thŷ am ychydig wedi hanner nos. Cymerodd dipyn o amser i ddod o hyd i'w hallwedd yn ei bag llaw, oedd yn ddigwyddiad cyffredin ar ôl noson allan.

Ond doedd Jim Allen na Trevor Fraser ddim yn gwybod hynny.

Rhewodd Dilys – a sobrodd – pan roddodd olau'r cyntedd ymlaen a gweld dyn yn gwisgo mwgwd dros ei ben yn sefyll o'i blaen, yn pwyntio gwn tuag ati. Cyn iddi fedru gwneud dim, daeth dyn arall o'r tu ôl iddi a rhoi rhyw fath o sach dros ei phen a'i wasgu o amgylch ei gwddf. Diffoddwyd y golau.

'Saetha hi rŵan!' gwaeddodd Fraser.

'Paid â bod mor blydi gwirion,' atebodd Allen. 'Dydi'r tawelydd ddim gen i. Rhaid i ni fynd â hi i rywle distaw.'

Rhwymwyd dwylo Nansi er gwaethaf ei sgrechian a'i brwydro, ond doedd hi ddim digon cryf i gwffio yn erbyn y ddau ddyn.

'Dos i nôl y car,' gorchmynnodd Allen. 'Mi awn ni â hi i lawr i'r traeth. Chlywith neb sŵn yr ergyd o'r fan honno – dim yr adeg yma o'r nos.'

Er nad oedd Dilys wedi gweld dim, clywodd bob gair, a defnyddiodd bob owns o nerth i geisio'i rhyddhau ei hun. Prin y gallai Allen ddal ei afael arni.

Ymhen rhai munudau, daeth Fraser yn ei ôl. 'Ty'd, brysia, ma' hi'n glir,' meddai.

Brwydrodd a sgrechiodd Dilys fwy nag erioed er bod ei cheg erbyn hyn yn llawn o ddefnydd y sach a oedd dros ei phen.

Dyna pryd, yn nhywyllwch y gegin gefn, y dechreuodd Jeff ddod ato'i hun. Y peth cyntaf a synhwyrodd oedd blas y gwaed yn ei geg a'r boen aruthrol ar ochr ei dalcen lle trawyd ef â handlen y Browning rhannol awtomatig. Ceisiodd symud, yna codi, pan glywodd Nansi'n sgrechian ac yn brwydro am ei bywyd. Roedd ei ben yn troi ac ni allai gerdded yn syth heb afael yn y dodrefn o'i gwmpas. Syrthiodd i mewn i'r ystafell fyw wag ac yna at y drws ffrynt, lle gwelodd Nansi'n cicio'n wyllt tra oedd dau ddyn yn ceisio'i llusgo i gefn yr Audi du oedd wrth giât ei thŷ. Ymunodd un o'r dynion â hi yng nghefn y car a neidiodd y llall i sedd y gyrrwr. Disgynnodd Jeff ddwywaith wrth geisio rhedeg i gyfeiriad ei gar ei hun er mwyn dilyn yr Audi.

Prin y gallai weld. Roedd y glaw ar y sgrin wynt, y gwaed yn ei lygaid a'r boen yn ei ben yn pylu ei olwg. Gafaelodd yn ei ffôn symudol a deialodd 999.

'Tyrd 'laen,' gwaeddodd i mewn i'r ffôn wrth geisio llywio'r car orau y gallai ar ôl yr Audi.

'Achos brys. Pa wasanaeth ydych chi eisiau?' daeth llais y cysylltydd o'r diwedd.

'Heddlu. Brysiwch.'

Yn y glaw, cyflymodd y car i gyfeiriad y gwagle o'i flaen.

'Heddlu Gogledd Cymru,' daeth llais arall. Roedd pob eiliad yn teimlo fel munud. Cafodd gip ar oleuadau ôl coch yr Audi yn diflannu unwaith eto, ganllath o'i flaen.

'Ditectif Sarjant Evans, Glan Morfa,' meddai. 'Dwi angen cymorth ar unwaith. Heddlu arfog i gyffiniau'r traeth yng Nglan Morfa.'

'Lle yn union?'

'Fedra i ddim deud. Dwi'n dilyn car herwgipwyr, ac mae'r sefyllfa'n datblygu'n gyflym. Anfonwch nhw rŵan, ac mi ddo' i yn ôl atoch chi pan fedra i. Brysiwch.'

Ym mhen draw Lôn y Traeth, gwelodd Jeff yr Audi yn dod i stop mewn llecyn distaw, ac yng ngolau lampau blaen ei gar ei hun gwelodd ddau ddyn – Allen a Fraser, tybiodd Jeff – yn llusgo Nansi o gefn y car yn droednoeth, ei chluniau mawr gwyn yn cicio i bob cyfeiriad. Pan stopiodd Jeff ei gar o fewn deg llath iddynt, roedd Nansi yn sefyll rhwng y ddau. Pwysai Jim Allen flaen baril y Browning rhannol awtomatig yn erbyn ochr ei phen. Beth allai Jeff ei wneud? Ei gar oedd yr unig arf yn ei feddiant. Penderfynodd aros y tu ôl i'r llyw. Cadwodd yr injan yn rhedeg. A ddylai ddisgwyl am gefnogaeth neu anelu'r car i gyfeiriad y tri a gobeithio'r gorau?

Yn gyflym a dirybudd daeth goleuadau car arall rownd y gornel tuag atynt. Cefnogaeth yr heddlu, gobeithiai Jeff. Gwelodd fod Allen yn dechrau cynhyrfu. Tynnodd y gwn oddi wrth ben Nansi a'i bwyntio i'w gyfeiriad o. Llithrodd Jeff i lawr yn sedd y gyrrwr er mwyn ceisio osgoi'r fwled, ond fel y cyflymai'r car arall tuag atynt trodd Allen y gwn i'r cyfeiriad hwnnw. Roedd Trevor Fraser fel petai wedi rhewi. O leia doedd y gwn ddim ar arlais Nansi erbyn hyn. Ai hwn oedd ei gyfle, dyfalodd? Efallai, ond gwyddai mai eiliad a gymerai i'r holl sefyllfa newid unwaith eto. A sut y daeth y tîm o heddlu arfog yno mor handi? Newydd eu galw oedd o. Synnodd eu bod nhw'n agosáu mor gyflym, heb ystyried y sefyllfa yn ei gyfanrwydd. Doedden nhw'n sicr ddim yn dilyn protocol.

Edrychodd Jeff ar y car dieithr a oedd wedi stopio lathenni yn unig oddi wrth ei gar ei hun, ond ni allai weld dim ond golau disglair y lampau blaen. Un car? Pam dim ond un car?

'Allen! Jim Allen!' bloeddiodd llais o'r car. Pwyntiodd Des Slater y gwn pwmp ddeuddeg bôr pum ergyd i gyfeiriad ei hen elyn. 'Gad i'r ddynes 'na fynd,' gorchmynnodd. 'Rhyngddat ti a fi ma' hyn, Jimmy boi. Rhaid i ti dalu am be wnest ti i Glenda.'

Ni symudodd Allen na Fraser fodfedd, ond roedd Nansi'n dal i wingo gymaint ag y gallai, a rhywsut, llwyddodd i'w rhyddhau ei hun o afael y ddau a disgyn i'r llawr, ei dwylo yn dal ynghlwm. Yr eiliad honno, daeth fflach arian wrth i Jim Allen danio'r Browning rhannol awtomatig i gyfeiriad Des Slater. Ar yr un pryd, taniodd Slater ei wn deuddeg bôr yntau, nid unwaith, nid dwywaith ond bedair gwaith. Hedfanodd y pedair cetrisen i'r awyr, a boddwyd sgrechiadau Nansi druan, oedd yn dal ar lawr ac yn hollol ddall gan fod y sach dros ei phen. Doedd gwn llaw Allen ddim hanner cystal arf â gwn deuddeg bôr Des Slater o dan y fath amgylchiadau – dim ond dwywaith y cafodd Slater ei daro yng nghanol yr holl fwstwr, unwaith ar ochr ei fol ac unwaith yn ei ysgwydd. Ar y llaw arall, roedd cyrff marw Allen a Fraser yn ddau swp gwaedlyd ar y ddaear. Roedd sgrechiadau Nansi'n mynd yn uwch ac yn uwch y tu ôl i'w mwgwd, wrth i don ar ôl ton o banig lifo drwyddi.

'Nansi! Aros yn llonydd,' gwaeddodd Jeff drwy ddrws agored ei gar.

Adnabu hithau ei lais, ac ufuddhaodd.

Trwy wlybaniaeth y sgrin wynt a'r gwaed oedd yn dal i ddiferu i mewn i'w lygaid, gwelodd Jeff ddelwedd ddyfrllyd o Des Slater o'i flaen, yn llusgo tuag ato yn ei gwman, a'r gwn deuddeg bôr wedi'i anelu'n syth at ei ben. Dim ond un dewis oedd gan Jeff, sef defnyddio'i unig arf. Rhoddodd y car mewn gêr, gwasgodd ei droed ar y sbardun a llithrodd mor isel ag y gallai i lawr yn sedd y gyrrwr. Wrth i'r car ddechrau symud clywodd Jeff ergyd, a chwalodd y sgrin wynt uwch ei ben yn deilchion. Teimlodd y car yn taro'i darged, gan wasgu Des Slater rhwng car Jeff a'i gar ei hun.

Distawrwydd.

Yn ofalus, dringodd Jeff yn boenus allan o'r car.

'Nansi! Mae bob dim yn iawn rŵan. Aros am eiliad ac mi ddo' i atat ti.'

Clywodd hi'n wylo o dan y mwgwd.

Cerddodd yn ofalus tuag at Des Slater, oedd yn hanner gorwedd rhwng y ddau gar. Doedd dim arwydd o fywyd. Ciciodd y gwn ddeuddeg bôr i un ochr, yn ddigon pell i fod allan o gyrraedd Slater, er nad oedd o mewn cyflwr i'w ddefnyddio. Plygodd dros y corff a chwilio trwy ddillad Slater yn gyflym. Ym mhoced fewnol ei siaced cafodd Jeff afael ar yr hyn roedd o'n chwilio amdano. Y cof bach. Rhoddodd y teclyn yn ei boced ei hun gan edrych ymlaen at gael pori drwy ei gynnwys.

Wrth iddo gerdded at Nansi, oedd yn llonydd erbyn hyn, sylweddolodd fod rhywun arall yno. Clywodd lais yn galw arno drwy'r tywyllwch.

'Ditectif Sarjant Evans, mae ganddoch chi rywbeth yn eich meddiant sy'n perthyn i mi,' meddai'r Ditectif Brif Uwch Arolygydd Benjamin Adams.

Safodd Jeff yn ei unfan. Roedd dau ddyn arall yn sefyll tu ôl iddo – y ddau y bu'n dysgu gwers iddyn nhw yn nhoiled Starbucks yn Rhostyllen, tybiodd. Yn y tywyllwch, hyd yn oed, roedd golwg drahaus a hyderus ar y dyn o Fanceinion, a hanner gwên ar ei wyneb.

'Dowch, rŵan, Sarjant Evans. Y cof bach, os gwelwch chi'n dda.' Estynnodd Adams ei law chwith tuag ato a sylwodd Jeff ei fod yn gwisgo maneg rwber.

'Mae'r cof bach yn fy meddiant i,' atebodd Jeff, 'ym meddiant Heddlu Gogledd Cymru, a dim ond drwy wneud cais trwy'r ffynonellau swyddogol y cewch chi ei weld o.'

'Na, na, atebodd Adams, gan ysgwyd ei ben. 'Fy eiddo personol i ydi hwnna, ac mi welais i chi'n chwilio corff Slater amdano a'i roi yn eich poced. Rhowch o i mi, rŵan,' gorchmynnodd.

Camodd yn nes at Jeff a chodi ei law arall i'w gyfeiriad. Gwisgai faneg rwber am y llaw honno hefyd ... y llaw oedd yn pwyntio gwn tuag ato. Cymerodd Jeff hanner cam yn ôl ond er hynny, dim ond chwe throedfedd oedd rhwng y ddau ddyn.

'Gadewch i mi esbonio,' meddai Adams yn nawddoglyd, gan anelu'r gwn yn syth at lygaid Jeff. 'Dach chi'n gweld, nid fy ngwn i ydi hwn, ond gwn Jim Allen. Mi godais i o oddi ar y llawr tra oeddech chi mor brysur yn chwilio am y cof bach. Wna i ddim meddwl dwywaith ynglŷn â'i ddefnyddio os na rowch chi'r cof bach i mi y munud yma. Mi fydd pawb dan yr argraff mai Allen wnaeth eich saethu chi, gan ddefnyddio'r gwn enwocaf yn is-fyd Manceinion. Ac wrth gwrs, mi fydd yn rhaid i mi saethu'r ddynes 'ma hefyd, pwy bynnag ydi hi. Fedra i ddim gadael tyst ar ôl, na fedraf?'

Safodd Jeff yn fud. Pa ddewis oedd ganddo?

'Dwi ddim eisiau eich lladd chi, Ditectif Sarjant. Y cof bach ydi'r unig beth dwi isio. Cyfnewid y cof bach am fywyd y ddau ohonoch chi. Dydi hynny ddim yn llawer i ofyn amdano, nac ydi? Beth bynnag ddigwyddith wedyn, dim ond eich gair chi fydd yna yn erbyn fy ngair i. Gair Sarjant bach o ogledd Cymru yn erbyn Ditectif Brif Uwch Arolygydd o Fanceinion. Mae'r ateb yn syml.'

'Does gen i ddim dewis felly, nag oes?' atebodd Jeff. Yn araf, ac yn dal i edrych i lawr baril y Browning, tynnodd y cof bach allan o'i boced a'i roi yn llaw Adams.

Gwenodd hwnnw wrth edrych arno yn ei law, y ddyfais fechan y gwyddai oedd yn cynnwys cymaint o wybodaeth niweidiol.

'Y car,' meddai wrth y ddau arall tu ôl iddo, gan roi'r cof bach yn ei boced. 'Sarjant Evans, cerddwch ddeg cam i ffwrdd.' Roedd Adams yn dal i bwyntio'r Browning tuag ato ac ufuddhaodd Jeff i'r gorchymyn, gan ystyried tybed ai'r rhain fyddai ei gamau olaf ar y ddaear.

Ymddangosodd y BMW llwyd. Cerddodd Adams tuag

at gorff Allen a rhoi'r Browning yn ôl yn ei law farw. Yna, cerddodd yn araf, wysg ei gefn, at y BMW, oedd â'i ddrws yn agored, yn aros amdano. Camodd i mewn a diflannodd y car i'r tywyllwch.

Rhuthrodd Jeff i gyfeiriad Nansi. Tynnodd y sach oddi ar ei phen a datglymu'r cortyn oddi am ei harddyrnau.

'Ti'n iawn rŵan, Nansi bach. Mae o i gyd drosodd. Ti'n saff,' meddai, gan weld am y tro cyntaf y dagrau duon oedd yn llifo i lawr ei bochau. Taflodd Nansi ei breichiau o amgylch Jeff a gafaelodd yntau ynddi hithau'n dynn.

'Pwy ffwc oedd y bastards 'na, Jeff?' gofynnodd. 'Faint ohonyn nhw oedd 'na, a be ddiawl oedd y saethu 'na i gyd? Be wnes i iddyn nhw i haeddu hynna?' Dechreuodd feichio crio a theimlodd Jeff gryndod drwy ei chorff.

Yn y pellter gwelodd oleuadau glas cerbydau'r heddlu yn torri ar ddüwch y nos. 'Dach chi ddim blydi iws rŵan,' meddai Jeff yn dawel.

Safodd yn waedlyd o flaen y plismyn cyntaf a ymddangosodd, a'i fraich yn dal i fod o amgylch Nansi.

'Mae'r cwbwl drosodd,' eglurodd. 'Pawb wedi lladd ei gilydd, er fy mod i wedi rhoi hwb bach i'r un acw efo fy nghar. Deffrwch y Ditectif Brif Arolygydd Lowri Davies, os gwelwch chi'n dda. A'r patholegydd hefyd. Mi fydda i'n ôl yma erbyn iddyn nhw gyrraedd. Ga' i fenthyg car am chwarter awr?' gofynnodd.

Chwiliodd yn ei boced am ei ffôn. 'Meira, dwi angen dy help di.' Esboniodd hynny allai iddi, a chytunodd Meira ar unwaith.

Trodd Jeff at ei hysbysydd. 'Nansi,' meddai, 'mi wyt ti'n dod adra efo fi heno. Dim dadlau.'

Gwenodd Nansi o glust i glust, a phan gyrhaeddodd y

ddau Rhandir Newydd, roedd Meira'n disgwyl amdanynt yn y drws.

'Jeff, be 'di'r gwaed 'na i gyd? Ti'n iawn?' gofynnodd yn bryderus.

'Ydw, tad,' atebodd. 'Paid â phoeni. Oes 'na botel o fodca yn y tŷ 'ma? Rho hynny lecith hi i Dilys, ac edrycha ar ei hôl hi, wnei di? Mi fydda i yn fy ôl gynted ag y medra i.'

Roedd hi'n hanner awr wedi deg y bore wedyn erbyn i Jeff gyrraedd yn ôl adref.

'Lle ma' hi?' gofynnodd.

'Dal i gysgu,' atebodd Meira. 'A 'dan ni wedi rhedeg allan o fodca, gyda llaw. Ac mi oedd y plant isio gwybod be oedd yr oglau drwg a'r holl chwyrnu o'r llofft sbâr. Ond ta waeth am hynny, sut wyt ti?'

'Mewn un gair, Meira bach, diawledig,' atebodd Jeff. 'Sut fedrist ti fynd â'r plant i'r ysgol y bore 'ma?'

'Doedd hynny ddim yn broblem,' atebodd. 'Heulwen, gwraig Rob, aeth â nhw i mi.'

'O, mae hynny'n fy atgoffa i, Meira,' meddai. 'Y cof bach 'na, yr un roist ti i mi i'w roi yn ôl i Heulwen neithiwr. Mae'n ddrwg gen i, ond dwi wedi ei roi o i ryw foi o Fanceinion.'

'Pam wnest ti beth felly?' gofynnodd Meira, mewn penbleth.

'Mi oedd o i'w weld yn beth call i'w wneud ar y pryd,' atebodd. 'Dwi'n gobeithio ei fod o'n hoff o ganeuon Dafydd Iwan. A dwinna'n falch o ddeud 'mod i "Yma o Hyd".'